KB183366

고객을 유혹하고 매출이 증대되는
SNS마케팅 길라잡이

스마트폰 활용지도사 1급 자격증 교재

소통대학교와 SNS소통연구소가
즐거운 대한민국을 만들어갑니다!

언택트(Untact) 시대! 4차 산업혁명 시대에 기존의 비즈니스 시스템들이 많이 변화되면서 많은 사람들이 혼란스러워하고 힘들어 하고 있습니다.

　1인 기업가 및 소상공인들의 경우뿐만 아니라 취업준비생, 창업을 준비하는 사람들도 힘들어 하는 건 마찬가지입니다.

　가정을 지켜나가고 사회에서 중추적인 역할을 해야 할 40대 50대는 더더욱 힘든 시기입니다. 퇴직 연령은 빨라지고 사회에 나오게 되면 나이 50을 넘긴 사람들을 위한 자리가 많지 않은 게 현실입니다. 회사가 힘들고 사회가 힘들다 보니 함께 고통을 분담하는 것은 당연하다고 할 수 있지만 아이들을 키우고 부모님 부양까지 생각해야 하는 세대라 고통은 배가되고 있는 게 현실입니다.

　취업을 준비하거나 창업을 준비하는 사람, 사업을 하는 사람들은 이제 온라인 비즈니스에 관심을 가져야 합니다. 이는 선택이 아닌 필수가 된 세상입니다.

　코로나로 인해 언택트 시대가 되면서 많은 변화가 일어나고 있습니다. 이전에는 시니어 실버들의 경우 온라인에서 무언가를 구매하고 소통 한다는 것이 어렵고 낯설기만 한 세상이었지만 지금은 본인의 의사와 상관없이 변화에 적응해야하는 시기가 왔습니다. 본인들이 생각을 바꾸지 않고 변화의 물결 속에서 노력하지 않으면 변화에 마주친 본인들만 힘들고 어려워질 것입니다. 이러한 점을 인지하고 있다면 보다 나은 삶을 위해 점진적으로 변하셔야합니다.

　이러한 이유로 비즈니스를 하는 사람들은 당연히 고객층의 변화에 관심을 갖고 소통을 하고 있는 온라인 세상, 특히나 SNS세상을 이해하고 자신의 사업 아이템과 접목시켜야 할 것입니다.

　왜 SNS채널을 이해하고 배우고 익혀서 업무에 활용해야 할까요? 그 답은 간단합니다.

　세상에서 제일 힘든 일중에 하나가 남의 주머니에서 돈을 꺼내는 일이라고 합니다. 주머니에서 돈을 꺼낼 고객들은 자신이 원하는 서비스나 제품을 구매하고자 할 때 정보를 어디에서 찾을까요?

　그렇습니다. 스마트폰을 들고 네이버나 유튜브 등 SNS채널에서 정보를 찾고 있습니다.
　하지만, 정작 고객을 확보하고 매출을 증대시켜야 하는 사업자들은 과거 옛날 방식으로만 비즈니스를 운영하다보니 그전보다 마케팅이 더 힘들고 어려워지는 것입니다.
　스마트폰이나 SNS마케팅을 제대로 배워서 적용해야 한다는 것은 비즈니스를 하는 분들이라면 모두가 인지를 하고는 있는데 정작 시간이 없어서 못한다고 하시는 분들이 많습니다. 그건 핑계에 불과하다고 생각합니다. 진정으로 절박하지 않기 때문에 그렇습니다. 시간이 없는 게 아니라 불필요한 시간을 자신의 생활에서 제거하는 노력을 하고 최대한 시간을 만들어서 먼저 SNS마케팅을 제대로 배우고 익혀야 할 것입니다.

사업을 하면서 시간을 별도로 내어서 SNS채널을 운영한다는 것이 쉽지는 않습니다. 하지만, 고객을 확보하고 자신의 콘텐츠를 빨리 홍보해야 하는 입장이라면 가장 먼저 스마트폰과 SNS채널 운영 활용에 대해서 배우고 익힐 필요가 있습니다.

처음에 제대로 배워놓으면 혼자서도 얼마든지 포털사이트나 유튜브 등에 올라와 있는 강좌들을 보면서 운영 할 수 있으며, 외부 업체에 SNS마케팅 대행을 맡기더라도 금전적으로나 시간적으로 손해 보는 일은 확연히 줄어들 것입니다..

SNS는 단순희 유희의 도구가 아니라 비즈니스 하는 사람들이 필수적으로 활용해야 할 마케팅 도구입니다.

마케팅이라는 범주 아래에 뉴미디어 마케팅이 있고 뉴미디어 마케팅 하위에 블로그, 유튜브. 페이스북, 인스타그램 등 다양한 SNS채널들이 있습니다.

이제는 SNS채널 활용도 마케팅이라는 범주 안에 포함되어 있기 때문에 SNS활용에 대한 체계적인 교육 시스템이 갖추어져야 할 시대입니다.

하지만, 일반 사업자들의 경우 자신의 콘텐츠를 판매하는데 있어 SNS마케팅을 활용하는데 있어서 단순히 회원가입하고 이미지나 동영상 정도를 올리고 키워드 몇 개를 골라 올리면 해결되는 것으로 아는 분들이 많습니다.

소상공인들이 3-5년이상 유지하는 비율이 30%가 안 된다고 하는 이유는 마케팅 전력과 전술이 부족하다는 점이 분명하지만 실패한 이유를 정확히 인지하지 못하는 사업주들을 볼 때 아쉬움이 많습니다.

자신의 비즈니스를 제대로 성공궤도에 위치시키기 위해서는 SNS마케팅을 제대로 배우고 익혀서 사업에 적용시켜야 합니다. SNS마케팅은 회사의 홍보업무에 있어서도 일의 효율성과 효과성을 극대화 시킬 수 있습니다.

이 책이 SNS마케팅에 관련해서 모든 정보를 다루고 있지는 않지만 SNS채널을 운영하는데 있어서 기본부터 응용까지 차근차근 따라하실 수 있게 설명하고 있으니 처음부터 끝까지 집중해서 보시면 비즈니스를 위한 SNS마케팅 전략을 구축하는데 도움이 되리라 믿습니다.

저자_ 이종구
교육문의_
010-9967-6654
소통대학교_ snswork.com

경력사항

현) 소통대학교 대표   현) SNS소통연구소 소장
현) ㈜다이비즈 대표이사   현) SNS상생평생교육원 원장
현) 에스엔에스소통연구소 출판사 대표
현) SNS상생신문 발행인
현) 경제지 파이낸스 투데이 종로 지국장

주요 자격사항

▶ 국내 최초(最初) 국내 최고(最高) 스마트폰 강사 및
  SNS마케팅 강사 자격증 스마트폰 활용지도사 2급 및 1급 발행인
▶ 유튜브 크리에이터 전문지도사 발행인
▶ 스마트워크 전문 지도사 발행인
▶ SNS마케팅 전문 지도사 발행

주요 저서

▶ SNS길라잡이(2012년 5월) 외 스마트폰 및
  SNS마케팅 관련 책 30권의 책 집필 및 직접 출판

저자_ 이정화
교육문의_
010-9490-7024
블로그_ blog.naver.com/wildcat-ljh

경력사항

현) 소통대학교 부대표   현) SNS소통연구소 부소장
현) SNS상생평생교육원 부원장
현) 에스엔에스소통연구소 출판사 부대표
현) SNS상생신문 기획이사   현) 경제지 파이낸스 투데이 종로 부국장

주요 자격사항

▶ 스마트폰활용지도사 2급 및 1급
▶ 유튜브 크리에이터 전문 지도사 2급 및 1급
▶ SNS마케팅 전문지도사 2급 및 1급
▶ 스마트워크 전문지도사 2급 및 1급
▶ 이미지메이킹1급 / 웃음치료사1급

주요 저서

▶ 스마트폰활용지도사 길라잡이
▶ 4차 산업혁명교육에 꼭 필요한 스마트폰 활용배우기
▶ 퇴직예정자들이 꼭 알아야 할 스마트폰 활용 길라잡이
▶ 재취업 및 창업희망자들이 꼭 알아야 할 스마트폰 활용비법
▶ 스마트폰 활용 교육전문가들이 꼭 알아야 할 지침서
  스마트폰 활용 및 SNS마케팅 관련 책 9권 집필

저자_ 어윤재(공학박사)
교육문의_ 010-7654-6251
블로그_
blog.naver.com/eocomim

경력사항

현) 뉴미디어능력개발원㈜ 대표이사
현) SNS소통연구소 SNS마케팅 전임 교수
현) 소상공인 시장진흥공단 컨설턴트
현) 인천 재능대학교 마케팅경영과 겸임교수
현) 한국 열린사이버 대학교 겸임교수
현) 창업경영신문 이사 브랜드매니저
현) 뉴미디어산업협회 사무총장

주요 자격사항

▶ 스마트폰활용지도사 1급
▶ 블록체인관리사 2급
▶ 유통관리사 2급
▶ SNS판매관리사 1급
▶ 브랜드관리사 1급 ▶ 정보처리산업기사

주요 저서

▶ 4주의 기적 페이스북마케팅
▶ 스마트폰활용길라잡이

저자_ 이중현
교육문의_ 010-2304-9929
이메일_
globalsns@naver.com

경력사항

현) SNS 소통연구소 경기남부 지부장   현) 늘배움연구소 대표
현) 레몬컴퓨터 평택센터 대표   현) 더필아트 협동조합 이사
현) 사)한국 평생교육사 협회 경기도 평택지회 사무국장
전) LG전자 DDM 인사기획그룹 재직

주요 자격사항

▶ 스마트폰활용지도사 2급 및 1급 ▶ 유튜브크리에이터 전문 지도사 1급
▶ 미디어크리에이터   ▶ 생태체험지도사
▶ 평생교육사 2급   ▶ 직업능력개발훈련교사 2급
▶ 전자산업기사 2급

주요 저서

▶ 스마트폰 활용 교육전문가들이 꼭 알아야 할 지침서
▶ 스마트폰 교육전문 강사와 함께하는 신나는 스마트폰교육
▶ 누구나 쉽게 따라하는 유튜브 크리에이터 교재
▶ 안중시장 스마트폰 첫 걸음

저자_ 유정화
교육문의_
010-6408-2959

경력사항

현) SNS소통연구소 대전 지부장
현) SNS소통연구소 스마트폰 및 SNS마케팅 전임강사
현) DESIGN 4U 대표   현) 대전평생교육진흥원 강사
현) 대전여성가족원 출강   현) 선문대학교 평생교육원 출강
현) 충청남도 평생학습원 출강
전) 대전시민대학 출강   전) 동아직업전문학교 전임교사

주요 자격사항

▶ 스마트폰활용지도사 2급 및 1급
▶ 특허경영지도사 1급 / 정리수납전문가 1급
▶ POP 디자인 지도사 1급/ 업사이클링 전문가
▶ 건축기사 1급 / 실내건축기사 1급

주요 저서 및 직접 출판 리스트

▶ 유튜브가 뭐니? (2020년 3월)
▶ 소상공인을 위한 SNS 마케팅 길라잡이 (2020년)

저자_ 여원식
교육문의_ 010-7187-3009
소통대학교_ snswork.com

경력사항

현) SNS소통연구소,소통대학교 자문위원
현) SNS소통연구소,소통대학교 제주지부장
현) 스마트폰 활용 교육강사
현) SNS 마케팅 교육강사
현) 유튜브 크리에이터 교육강사
현) Phill E & C, Phill Housing 대표
현) 제주도 공공건축가

주요 자격사항

▶ 스마트폰활용지도사 2급 및 1급
▶ 유튜브 크리에이터 전문지도사 2급 및 1급
▶ Professional Engineer

주요 저서

▶ 4차산업혁명시대 가장먼저 배우고 익혀야할 스마트폰 활용
▶ 나만 알고싶은 유투버되기 노하우
▶ 1등비서 스마트폰 제대로 활용하기

저자_ 오영희
교육문의_010-9013-6524
blog.naver.com/dudgml1229
www.youtube.com/렌즈속작은세상

경력사항

현) 마을 활력소 '효자마루' 대표
현) SNS소통연구소 도봉구 지국장
현) 행복채움 사회적 협동조합 교육이사
현) (사)한국축제방송 홍보단장
현) 소셜 라이브 방송 협동조합 교육팀장
현) 서울 시민기자/도봉구 블로그기자
현) 유튜브 크리에이터전문강사
현) 키네마스터전문강사 / 현) 라이브방송 PD

주요 자격사항

▶ 스마트폰활용지도사 2급 및 1급
▶ 유튜브 크리에이터 전문지도사 2급 및 1급
▶ 소셜라이브방송전문가 1급
▶ 축제 라이브방송 크리에이터 1급
▶ 노인 여가운동지도자

주요 저서

▶ 스마트폰 활용 교육 지침서

저자_ 박민정
교육문의_ 010-2332-6605
블로그_
https://m.blog.naver.com/agassy60

경력사항

현) 행복충전 교육연구소장
현) SNS 마케팅 뚝딱교육연구 소장
현) 경복대학교 복지행정과 겸임교수
현) 부천 솔래협동조합 교육이사
현) 한국가창학회 교육이사
현) 세계 푸드테라피 협회 이사/안양지사장
현) KBS스포츠예술과학원
     트랜드비즈니스 강사과정 강사

주요 자격사항

▶ 스마트폰 활용지도사 2급 및 1급
▶ SNS 마케팅 전문지도사
▶ 노래지도사 1급
▶ 힐링지도사 1급

주요 저서

▶ 끼있는 힐링(공저)

유튜브 크리에이터 전문 지도사 시험

매월 1째,3째 일요일
오후 5시부터 6시까지

유튜브 크리에이터 전문 지도사가
즐거운 대한민국을 만들어갑니다!

- **자격명 : 유튜브 크리에이터 전문 지도사 2급 및 1급**

- **자격의 종류 : 등록(비공인) 민간자격**

- **등록번호 : 제 2020-003915 호**

- **자격 발급 기관 : 에스엔에스소통연구소**

- **총 비용 : 100,000원**

- **환불규정**
  ①접수마감 전까지 100% 환불 가능
  ②검정 당일 취소 시 30% 공제 후 환불 가능

- **시험문의**
  SNS 소통연구소 이종구 소장 : 010-9967-6654
  소통대학교 직통전화 : 010-9793-3265

★ 스마트폰 활용지도사 자격증에 대해서 아시나요?

(과학기술정보통신부가 검증하고 직업능력개발원이 관리하는 스마트폰 자격증 취득에 관심 있으신 분들은 살펴보세요)

★ 상담 문의 : 이종구 010-9967-6654

E-mail : snsforyou@gmail.com

카톡 ID : snsforyou

★ 스마트폰 활용지도사 1급

– 해당 등급의 직무내용

초/중/고/대학생 및 성인 남녀노소 누구에게나 스마트폰 활용 교육 및 SNS마케팅 교육을 실시 할 수 있습니다.

학생들뿐만 아니라 일반 성인들의 스마트폰 중독에 대한 예방 교육을 실시할 수 있습니다.

1인 기업 및 소기업이 스마트워크 시스템을 구축하는데 필요한 제반사항을 교육할 수 있습니다.

개인 및 소기업이 브랜딩 전략을 구축하는데 있어 저렴한 비용을 들여 브랜딩 및 모바일마케팅 전략을 구축할 수 있도록 필요한 교육을 할 수 있습니다.

★ 스마트폰 활용지도사 2급

– 해당 등급의 직무내용

시니어 실버분들에게 스마트폰 활용교육을 실시 할 수 있습니다. 개인 및 소기업이 모바일마케팅 전략을 구축하는데 있어 기본적인 교육을 할 수 있습니다.

★ 시험 일시 : 매월 둘째주,넷째주 일요일 5시부터 6시까지 1시간.

★ 시험 과목 : 1. 스마트폰 활용 / 2. 스마트폰 UCC / 3. SNS 마케팅 / 4. 스마트워크

★ 합격점수 : 1. 1급 – 80점 이상(총 50문제 각 2점씩 100점 만점에 80점 이상)

　　　　　　 2. 2급 – 70점 이상(총 50문제 중 각 2점씩 100점 만점에 70점 이상)

★ 시험대비 공부방법

1. 스마트폰 활용지도사 길라잡이 책 구입 후 공부하기.

2. 정규수업 참여해서 공부하기.

3. 유튜브에서 [스마트폰 활용지도사] 검색 후 관련 영상 시청하기

★ 시험대비 교육일정

1. 매월 정규 교육을 SNS소통연구소 전국지부에서 실시하고 있습니다.

2. 스마트폰 활용지도사 SNS소통연구소 블로그(blog.naver.com/urisesang71) 참고하기.

3. 소통대학교 사이트 참조(www.snswork.com)

4. NAVER 검색창에 〈SNS 소통연구소〉라고 검색하세요!

★ 시험 응시료 : 3만원

★ 자격증 발급비 : 7만원

1. 일반 플라스틱 자격증.

2. 종이 자격증 및 우단 케이스 제공.

3. 스마트폰 활용지도사 강의자료

　 제공비 포함.

★ 스마트폰 활용지도사 자격증 취득시 혜택

1. SNS상생평생 교육원 스마트폰 활용 교육 강사 위촉.

2. SNS소통연구소 스마트폰 활용 교육 강사 위촉.

3. SNS 및 스마트폰 관련 자료 공유.

4. 매월 1회 세미나 참여(정보공유가 목적).

5. 향후 일정 수준이 도달하면 기업체 및 단체 출강 가능.

6. SNS 상생신문 기자 자격 부여.

7. 그외 다양한 혜택 수여.

CONTENTS

CONTENTS

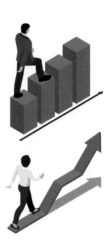

1강. SNS마케팅 용어

★ 간접전환

▶ 온라인 키워드 광고를 클릭하여 방문한 후 , 바로 구매하지 않고 일정 기간 이내에 재방문하여 전환이 발생한 경우를 뜻한다. 기간은 포탈사이트에 따라 다르다 .

★ 개인계정

▶ 본인만 가질 수 있는 계정을 의미한다. 개인 계정을 소유한다면 SNS에서 다양한 활동이 가능하다.

★ 객 단가 / CT (Customer Transaction)

▶ 고객이 1회 구매 시 평균적으로 결제하는 금액을 의미한다. 객 단가 = 매출 / 결제 수

★ 검색광고(=키워드광고) / SA (Search Advertising)

▶ 검색엔진에서 검색 결과에 노출시키는 광고를 말한다 . 검색 사용자가 인터넷 매체에서 특정 키워드를 검색할 때, 해당 키워드와 관련광고를 노출해 검색 사용자에게 보여주는 방식의 인터넷 광고를 의미한다.

키워드를 검색한 고객은 상품에 대한 관심도가 높으므로 광고주는 비교적 높은 광고 성과를 기대할 수 있다.

★ 검색 유입

▶ 로그분석에서 사용되는 용어로, 검색 결과를 통해서 유입되는 경우를 일컫는다. 한국에서 검색유입은 크게 키워드 광고, 웹 문서, 검색 바이럴로 나눈다. 여기에서 검색 바이럴은 블로그,카페 등을 통해 유입되는 경우를 일컫는다.

★ 결제 수

▶ 측정 기간 동안 고객이 구매를 위해 결제한 횟수를 뜻한다. 한 고객이 여러 회에 걸쳐 결제한 경우도 모두 포함한다. 결제 후 취소한 경우는 제외하나 그 비중이 낮을 때에는 무시해도 무방하다.

★ 결제 율
▶ 사업자의 KPI에 따라 적용이 달라진다.

일반 쇼핑몰은 유입 수 대비 결제수의 비율을 의미한다. 오프라인 서비스의 경우는 신청 수 대비 결제 수 비율 혹은 방문수 대비 결제 수 비율을 뜻한다. 하지만 오프라인 서비스라고 하더라도 사용하는 상황에 따라서는 유입 수 대비 결제수의 비율을 의미하기도 한다.

★ 고객생애가치 / CLV (Customer Lifetime Value)
▶ 고객 생애가치는 한 명의 고객이 고객으로 남아 있는 기간 동안, 한 기업에서 결제하는 총 금액을 말한다. 고객 생애 가치를 높이기 위해서는 고객 유지율을 높여야 한다.

★ 광고 더 보기
* 네이버
클릭 초이스 광고 노출 영역 중 하나로, 노출 순위 밖에 있는 광고를 노출해주는 광고 영역이다.

광고 영역에 보여지는 광고 이외에 더 많은 광고를 보기 원하는 검색 사용자가 광고 영역하단 '더보기'를 클릭하면, 노출 순위 밖의 광고를 볼 수 있다. 광고 더보기 페이지에서는 사이트 이미지, 광고 집행기간, 부가정보를 추가 노출한다.

★ 광고점유율 / SOV (Share Of Voice)
▶ 특정 산업이나 분야의 전체 광고 집행 비중에서 개별 기업이 차지하는 광고의 비중을 의미한다.

★ 광고 피로도
▶ 특정 광고나 지면에서 광고 자체에 대한 거부감을 나타내는 현상을 이야기한다. 같은 텍스트나 이미지 소재로 광고가 여러 번 노출될 때 광고 피로도가 더 빠르게 찾아온다.

★ 내부유입
▶ 로그분석에서 사용되는 용어로, 자신의 도메인에서 유입되는 경우를 일컫는다. 내부유입은 홈페이지 방문 후 일정 시간 이상 동안 아무런 신호를 전송하지 않아 세션이 종료된 상태에서 홈페이지 내부에 있는 링크를 클릭하는 경우 발생한다.

★ 네이티브 광고 / Native Advertising
▶ 네이티브 광고란 매체 플랫폼이나 콘텐츠와 유사한 형식으로 만든 광고이다. 이용자가 이용하는 콘텐츠와 유사하기 광고에 대한 거부감을 낮출 수 있다.

★ 노이즈 마케팅 / Noise Marketing
▶ 노이즈 마케팅은 상품의 품질이나 가치와는 무관하게 제품을 요란스럽게 치장하거나 각종 이슈를 만들어 제품을 구설수에 오르게 만드는 마케팅을 말한다. 구설수는 긍정적인 구설수와 부정적인 구설수를 가리지 않고, 소비자의 호기심만을 부추겨 상품의 판매를 유도한다.

★ 노출 / Impression
▶ 광고가 사용자에게 보여지는 것을 뜻한다. 노출수는 광고가 노출되는 횟수를 이야기한다.

★ 노출수 제한 / Frequency Capping
▶ 광고가 노출되는 횟수를 제한하는 것을 말하다. 광고가 노출되는 빈도가 높을수록 광고 피로도가 증가하는 현상이 나타나기 때문에 노출수를 제한할 필요가 있다.

예를 들어 '5 views / visitor / 24-hours'라고 하면 한 사람(cookie)을 대상으로 광고가 5회 노출되면 24시간 이내에는 더 이상 노출되지 않도록 한다는 것이다.

★ 니치 마케팅 / Niche Marketing
▶ 니치 마케팅은 틈새시장이라는 뜻을 가진 말로, 기존에 활성화되어 있는 시장의 빈틈을 노려 추가 시장을 구성하는 마케팅을 뜻한다.
주로 소규모의 기업 입장에서, 거대 기업이 점유하는 시장 속 아직 선점되지 못한 시장을 공략하여 입지를 넓히기 위해 선택하는 마케팅이다.

★ 대표 키워드 / Head Keyword
▶ 사업자의 상품과 관련하여 다양한 수요를 모두 포괄하는 키워드 또는 상위 카테고리상에 있는 키워드를 말한다.

정보 검색의 목적과 상품 구매의 목적 등 다양한 수요가 포함되어 있으므로 이 키워드를 입력한 검색 사용자들이 모두 전환으로 이어지지는 않는다. 따라서 대표 키워드는 조회수는 많으나 전환율은 낮은 특징을 보인다.

★ 도달범위(=도달률)
▶ 도달범위는 광고가 노출되는 대상의 크기를 표현하기 위해 사용하는 지표이다. 도달범위가 크다는 것은 많은 고객에게 광고가 노출된다는 의미이며, 도달범위가 작다는 것은 최소한의 고객에게 광고가 노출된다는 의미이다.

★ 디마케팅 / Demarketing
▶ 기업들이 자사의 상품을 많이 판매하기보다는 오히려 고객들의 구매를 의도적으로 줄임으로써 적절한

수요를 창출하고, 장기적으로는 수익의 극대화를 꾀하는 마케팅전략이다. 소비자보호나 환경보호 같은 기업의 사회적 책무를 강조함으로써 기업 이미지를 긍정적으로 바꾸려 하는 전략이었지만, 2000년대 이후에는 수익에 도움이 되지 않는 고객을 밀어내고 우량고객에게 차별화 서비스를 제공해 수익을극대화하려는 모든 유형의 마케팅 기법으로 범위가 확대되었다.

★ 디지털 사이니지 / Digital Signage
▶ 디지털 정보 디스플레이를 이용한 옥외광고를 말한다 . 포스터나 간판과 같은 기존의 아날로그 광고판과 달리 , 디지털 사이니지는 네트워크로 연결되어 원격으로 광고 내용을 제어할 수 있다. 주목성이 뛰어나 정보 전달력이 우수하다는 특징이 있다.

★ 로그 분석
▶ 웹사이트에 접속한 사용자의 방문수 , 접속 경로 , 페이지뷰, 체류시간 등 다양한 정보를 추출하고 분석 하는 서비스를 말한다.

로그분석을 활용해서 광고를 통해 유입된 트래픽 중 실제로 제품 구매, 회원가입 등의 전환율과 같은 광고 효과를 측정할 수 있다 . '웹로그분석'이라고도 불린다.

★ 리드 / Lead
▶ 상품에 관심이 있는 소비자 , 즉 '관심 고객'을 말하는 용어라고 할 수 있다.
리드를 많이 만들고 유인하는 것이 단순히 노출이나 도달을 높이는 것보다 중요하다.

★ 리마케팅 / Remarketing = 리타게팅 / Retargeting
▶ 디지털 정보 디스플레이를 이용한 옥외광고를 말한다 . 포스터나 간판과 같은 기존의 아날로그 광고판과 달리, 디지털 사이니지는 네트워크로 연결되어 원격으로 광고 내용을 제어할 수 있다. 주목성이 뛰어나 정보 전달력이 우수하다는 특징이 있다.

★ 리치 미디어 광고 / Rich Media Advertising
▶ 리치 미디어 광고는 배너광고의 한 종류로 비디오, 오디오, 애니메이션 효과 등 멀티미디어 기술을 배너에 적용시킨 광고를 말한다.
광고 위에 마우스를 올려놓거나 클릭하면 광고 이미지가 변하거나 동영상이 재생되는 등의 상호작용이 가능 하다. 상대적으로 거부감은 낮고 주목도와 클릭률이 높다는 특징이 있다.

★ 마크업 / Mark-Up
▶ 광고주가 사용한 금액의 일부를 광고회사의 보수로 지불하는 것을 의미한다.
즉 , 광고주가 광고 대행사에게 광고관리에 대해 지불하는 수수료이다.

★ 막간광고 / IA (Interstitial Advertising)
▶ 이용자가 다음 페이지로 이동하는 중에 띄우는 광고를 의미한다. 페이지가 이동하는 동안 자동으로 광고창을 띄우고, 페이지 이동이 끝나면 자동으로 사라진다. TV에서 한 프로그램이 끝나고 다음 프로그램이 시작되기 전 나오는 TV 광고에 착안하여 나온 인터넷 광고이다.

★ 무효클릭 / Invaild Click
▶ 불법 시스템으로 인한 클릭 , 특정 형태의 반복 클릭 패턴을 분석하여 필터링된 클릭을 뜻한다. 무효클릭이라고 판단될 경우 과금되지 않는다.

네이버 클린센터에서는 최신 시스템과 로직으로 무효클릭에 대해 사전 필터링을 제공하고 있으며, 카카오 키워드광고에서도 무효클릭 필터링 로직을 고도화하고 있다.

★ 문맥광고 / Contextual Advertising
▶ 문맥광고는 웹사이트에 방문한 사람들이 보고 있는 페이지의 내용을 분석해 연관성 높은 광고를 자동으로 노출하는 광고 기법이다. 구글의 애드센스 (AdSense)가 본격적으로 시도된 최초의 문맥광고이다.

★ 미디어렙 / Media Representative
▶ Media Representative의 줄임말이다. 방송광고를 방송사 대신 판매하는 방송광고 판매 대행사를 의미한다.
광고 판매 대행을 비롯하여 광고 분석, 광고 기법 등 매체 자료를 광고주에게 제공하는 역할도 수행한다.

★ 미디어믹스 / Media Mix
▶ 광고 메시지가 가장 효율이 높은 매체로 도달할 수 있도록, 광고 전략에 따라 적절한 매체를 혼합하여 광고를 집행하는 것을 의미한다.

★ 바이럴 마케팅 / Viral Marketing
▶ 블로그나 카페 등을 통해 소비자들에게 자연스럽게 정보를 제공하여 기업의 신뢰도 및 인지도를 상승시키고 구매욕구를 자극시키는 마케팅 방식이다. 네티즌들이 이메일이나 메신저 혹은 블로그 등을 통해 자발적으로 기업이나 상품을 홍보하도록 만드는 기법으로, 2000년 말부터 확산되면서 새로운 인터넷 광고기법으로 주목받기 시작했다.

★ 반송률(=이탈률) / Bounce Rate
▶ 고객이 광고주의 웹사이트에서 한 페이지만 보고 나가는 경우를 반송수라고 한다. 반송률은 방문수 대비 반송수의 비율을 뜻한다. 반송률 = 반송수 / 방문수 X 100

★ 방문 수

▶ 쇼핑몰 등의 전자상거래 업종에서 방문수는 '홈페이지 방문수'를 일컫는다. 하지만 오프라인서비스 업종에서의 방문수는 '홈페이지 방문수'를 일컫기도 하나 '매장 방문수'를 일컫기도 하므로 구분하여 사용해야 한다. 오프라인 서비스에서는 매장에 방문하는 경우 결제율이 매우 높으므로 매장 방문수를 늘리는 것은 매출에 직결된다.

★ 방문율

▶ 방문율은 신청수 대비 방문수의 비율을 나타낸 값이다. 방문율 = 방문수 / 신청수

★ 배너광고 / Banner Advertising

▶ 배너광고는 사이트나 홈페이지에 띠 모양의 이미지를 만들어 노출하는 광고이다. 현수막처럼 생겨서 배너(banner)라고 불린다.
배너광고는 타겟없이 모든 사람들에게 노출하는 유형과 리타겟팅 유형으로 나뉜다. 대표적인 디스플레이 광고이며 , 키워드광고에 비해 클릭률이 낮다는 특징이 있다.

★ 변환 키워드

▶ 변환 키워드는 자주 검색되는 오타 키워드이다. 해당 키워드로 검색하면 정타 키워드로 변환되어 검색 결과가 나타난다.

★ 보상형 광고 / Rewarded Advertising

▶ 사용자에게 상품권, 포인트, 이모티콘 등 어떤 특정 보상을 지급하는 조건으로 앱 설치나 설치 후 행동을 유도하는 광고를 말한다.

★ 부정클릭 / Click Fraud

▶ 클릭당 광고비가 정산되는 검색광고 시장에서 특정 업체의 광고비가 소진되도록 악의적으로 특정광고를 클릭하는 행위이다.

★ 브랜드 검색

▶ 브랜드 키워드를 검색할 때 페이지 최상단에 노출되는 콘텐츠 검색형 광고이다. 해당 브랜드 키워드에 대해 상표권을 가진 광고주만이 광고를 집행할 수 있다.

★ 브랜드 키워드

▶ 브랜드검색 광고상품이 최상단에 반영될 수 있는 키워드이다.
예를 들어 아이보스의 브랜드 키워드는 <아이보스>, <i-boss> 등으로 들 수 있다.

★ 비보상형 광고 / Non-rewarded Advertising

▶ 보상형 광고와 반대로 특별한 보상 없이 앱 설치나 앱 설치 후 행동을 유도하게 하는 광고를 뜻한다.

★ 비즈머니

* 네이버

네이버 키워드광고 상품을 결제하는데 사용하는 예치금의 명칭이다. 모든 네이버 키워드 광고 상품은 비즈머니로만 구매가 가능하다.

★ 비즈 사이트

* 네이버

통합검색 결과 페이지에 노출되는 클릭초이스 노출 영역 중 하나로, 파워링크 하단에 노출된다.

★ 비즈 캐쉬

* 카카오

다음 키워드 광고에서 상품을 결제할 때 사용하는 예치금의 명칭이다 . 다음 검색광고, DDN, 카카오스토리 광고 등 모든 다음 키워드광고 상품은 비즈캐쉬로만 구매가 가능하다.

★ 비즈 쿠폰

* 네이버, 카카오

검색광고 상품을 결제하는데 사용할 수 있는 쿠폰이다. 이벤트 당첨이나 프로모션 등을 통해 발급된다. 네이버 비즈쿠폰은 [광고시스템 > 비즈머니 > 쿠폰 관리]에서 사용 가능하다.

카카오 비즈쿠폰의 경우, 비즈캐쉬와 다르게 유효기간이 설정되어 있다.

★ 상품믹스 / Product Mix

▶ 사업자가 판매하는 여러 상품을 배합하는 것으로, 믹스를 결정하는 데 있어 핵심적인 네가지 요소는 '매출 ', '수익률 ', '이익' 그리고 '역할 '이다 . 매출에 기여하는 상품에 대한 판매 비중을 높여야 하지만, 매출이 높아도 수익률이 너무 낮으면 손실이 발생할 수 있으므로 최소한의 수익률을 설정해야 한다. 수익률이 낮아도 매출에서 비용을 제외한 이익 자체가 크다면 판매 비중을 높인다.

수익률과 이익 모두가 낮아도 미끼 상품처럼 다른 상품의 매출 발생을 지원한다면 믹스에 포함될 수 있다.

★ 세부 키워드 / Tail Keyword

▶ 대표 키워드가 포괄적이고 일반적인 의미의 키워드라면, 세부 키워드는 보다 구체적이고 세부적인 키워드이다. 키워드광고에서 세부 키워드는 그 수요가 좀 더 명확하고 분명하여 대표 키워드에 비해 전환율이 높은 편이다.

예를 들어 '원피스'를 대표 키워드라고 하면, '예쁜 원피스', '66 사이즈 원피스', '저렴한 원피스' 등 수식어나 확장어가 붙은 키워드는 세부 키워드이다.

★ 세션 / Session
▶ 세션은 '한 고객이 웹사이트에 들어와 상호작용을 하고 나가기까지 걸린 임의로 설정한 평균 시간을 말한다.

★ 소셜커머스 / Social Commerce
▶ 소셜 미디어와 온라인 미디어를 활용하는 전자 상거래를 가리키는 말이다. 국내의 소셜커머스로는 티몬, 쿠팡, 위메프 등이 대표적이다.

★ 순위지수 / RI (Ranking Index) = 품질지수 / QI (Quality Index)
▶ 순위지수 또는 품질지수는 게재된 광고의 품질을 나타내는 지수를 의미하며 , 광고 노출순위에 영향을 미친다.
▶ 네이버의 경우 , 대체로 순위지수라고 하며 클릭초이스 광고 상품의 노출 순위를 결정한다 .
▶ 구글과 카카오의 경우 , 품질지수라고 하며 키워드와 광고문안의 연관도, 키워드와 사이트의 연관도 등 광고 품질을 평가할 수 있는 다양한 요소를 반영한다.
광고 노출 순위 = 광고주가 입력한 최대 입찰가 * 광고품질지수

★ 스마트 입찰
▶ 네이버 검색광고에서 여러 개의 키워드를 일괄적으로 입찰할 수 있도록 도와주는 입찰 시스템이다. '희망 순위 기준'과 '입찰가 기준'으로 입찰할 수 있다 . 희망순위 기준은 여러 키워드를 동일한 순위에 진입시키고자 할 때 사용하는 기능이며 , 입찰가 기준은 여러 키워드를 동일한 입찰가로 입찰할 때 사용하는 기능이다.

★ 스크린 스태킹 / Screen-Stacking
▶ 스크린 스태킹(Screen-stacking)은 여러 디지털 기기를 동시에 사용하는 미디어 사용 행태를 의미한다.

★ 시즈널 키워드 / SK (Seasonal Keyword)
▶ 특정 시기나 계절에 따라 조회수와 광고효과가 급상승하는 키워드를 의미한다. 예를 들어, 어린이날에는 장난감, 여름에는 에어컨 등의 키워드이다.

★ 신청률
▶ 유입수 대비 신청수의 비율을 나타낸 값이다. 신청률은 홈페이지 혹은 랜딩페이지의 구성에 따라 크게 달라지므로 랜딩페이지가 얼마나 최적화되어 있는지에 대한 핵심 지표가 된다. 비슷한 개념으로는 '전환율'이 있다. 신청률 = 신청수 / 유입수

★ 엔티티 링킹 / Entity Linking

▶ 문서 내 등장하는 특정 단어와 그 단어와 함께 사용된 주변단어들의 확률 분포를 통해 특정 단어가 어떤 의미로 사용됐는지를 추론해 내는 기술이다. 네이버에서 검색어 자동 완성의 기능 강화를 위해 적용하고 있다.

★ 어뷰징 / Abusing

▶ 인터넷 포털사이트에서 언론사가 의도적으로 검색을 통한 클릭 수를 늘리기 위해 중복이나 반복기사를 전송하거나, 인기 검색어에 올리기 위해 클릭 수를 조작하는 행위 등을 뜻한다.

★ 연결URL

▶ 인터넷 유저가 광고를 클릭하고 웹사이트로 들어왔을 때 도달하는 페이지의 URL이다.
광고 클릭 시 도달하는 페이지를 '랜딩페이지'라고 하며 , 랜딩페이지의 URL을 연결URL이라 한다.

★ 연관 검색어

* 네이버

네이버에서 특정 키워드를 입력하면 해당 키워드와 관련이 있어서 보여지는 검색어로, 검색 사용자의 검색 패턴에 의해 프로그램으로 생성되는 검색어이다.

★ 연관 키워드

* 카카오

다음에서 특정 키워드를 검색했을 때 해당 키워드와 의미론적으로 관련성이 있어서 보여지는 키워드로, 검색 서비스에서 실제 사용자들이 입력한 키워드 데이터를 가공하여 연관 키워드 서비스를 제공한다.

★ 오가닉 유저 / Organic User

▶ 오가닉 유저는 광고 없이 자연적으로 유입이 이루어진 유저를 칭하는 말이다. 보통 보상형 CPI 광고 등을 꾸준히 진행하여 앱 자체의 인기 순위가 높아졌을 때, 자연적으로 필요 혹은 인기에 편승해 유입 및 설치가 이루어진 고객이 오가닉 유저에 해당한다. 오가닉 유저의 경우 광고로 유입된 유저에 비해 충성도가 높은 장점이 있다.

★ 오픈마켓 / Open Market

▶ 개인 또는 업체가 온라인 상에서 직접 상품을 등록하여 판매할 수 있는 플랫폼이다. 판매 시 일정 수준의 판매 수수료는 플랫폼 회사에서 가지고 가게 된다.

★ 유입 가치

▶ 고객을 홈페이지에 1회 유입시킨 경우 기대할 수 있는 평균 가치를 일컫는다.
유입가치 = 매출 / 유입수
하지만, 쇼핑몰의 유입가치는 결제율과 객단가의 곱으로도 구할 수 있다.

★ 유입비용

▶ 고객을 홈페이지로 1회 유입시키는 데 소요된 평균 비용을 뜻한다.

유입비용 = 마케팅 비용 / 유입수

유입가치의 상대적인 의미이기도 하지만, 유입비용은 1회 유입에 소요되는 마케팅 비용인 반면, 유입가치는 1회 유입을 통해서 발생되는 가치(매출)를 뜻한다.

★ 유입수

▶ 홈페이지를 방문한 횟수를 의미하는 단어로 클릭수와 방문수와 유사한 개념이다. 클릭수는 광고를 클릭한 횟수이고, 유입수는 홈페이지로 유입된 횟수를 뜻하며, 방문수는 세션 단위로 측정한 홈페이지 방문 횟수를 뜻한다. 이 세 가지 지표는 종종 동일하게 취급되지만 엄밀하게는 서로 다른 값을 지닌다.

★ 이메일 광고 / EDM (E-mail Direct Marketing)

▶ 이메일을 통해 전달하는 광고를 의미한다. 데이터베이스를 이용하여 이메일을 발송하므로 정확한 타겟팅이 가능하다는 것이 특징이다.

★ 입찰 가중치

▶ 광고주의 전략에 따라 광고 영역별 입찰가를 조절할 수 있는 장치이다.

설정한 가중치에 따라 영역별 입찰가와 노출순위가 달라지며, 이를 통해 광고주는 중점적으로 광고를 집행할 영역과 그렇지 않은 영역을 효율적으로 관리할 수 있다.

★ 잠재 고객

▶ 2 가지 의미로 사용된다. 첫번째는 상품 서비스를 이용할 수 있을만한 잠재적인 소비자를 일컫는다. 두번째는 리마케팅, 리타게팅을 통해 모인 고객의 수를 의미한다.

★ 전환 / Conversion

▶ 전환은 방문한 고객이 액션을 취하는 것을 일컫는 말이다.

쇼핑몰과 같은 전자상거래 업종은 주로 결제를 전환으로 하고, 오프라인 서비스 업종은 (상담) 신청을 전환이라 하는 것이 보통이다. 이외에도 회원가입, 장바구니 담기 등의 행동을 전환으로 잡기도 한다 .

★ 전환가치(=전환당단가=객단가)

▶ 전환가치는 1회 전환 시 발생하는 (가상)매출을 뜻한다 . 고객이 1회 구매 시 평균적으로 결제하는 금액인' 객단가'와 같은 의미로 사용된다. 전환가치 = 매출 / 전환수

★ 조회수 / Query

▶ 조회수는 해당 키워드가 검색 사용자에 의해 몇 회 조회되었는지를 나타내는 수치이다.

뉴미디어 마케팅 교육 전문 SNS소통연구소

★ **직접 유입**

▶ 로그분석에서 사용되는 용어로 홈페이지 방문 유입 출처를 알 수 없는 경우를 의미한다.

주소 입력창에 직접 도메인 주소를 입력하고 방문하였거나 프로그램을 통한 방문, 즐겨찾기를 통한 방문, 바탕화면 바로가기를 통한 방문, 이메일 프로그램을 통해 방문한 경우 유입 출처를 알 수 없으므로 직접 유입으로 잡히게 된다. 직접 유입은 이와 같은 마케팅 활동을 한 경우 늘어나겠으나 보통의 경우는 재방문자의 비중이 높음을 의미한다. 그러므로 웹사이트 오픈 초반에는 직접유입의 비중이 매우 낮을 것이나 장기적으로는 꾸준히 늘어나게 된다.

★ **직접 전환**

▶ 직접전환이란 고객이 광고를 클릭한 후 세션(보통 30 분)이 끝나기 전에 일으킨 전환을 의미한다.

★ **차트 부스팅 / Chart Boosting**

▶ 차트 부스팅은 앱 마케팅에서 사용되는 용어이다. 일반적으로 보상형 CPI 광고를 이용해 앱 다운로드 수를 단기간에 높여 앱 순위를 높이는 과정을 차트 부스팅이라 표현한다.

★ **참조 유입**

▶ 로그분석에서 사용되는 용어로 다른 웹사이트에서의 링크를 통해 홈페이지로 유입되는 경우를 말한다. 단순 추천 링크, 링크 모음 , 제휴마케팅, 배너광고, SNS 등 다양한 참조 유입 경로가 있다.

★ **체류시간 / DT (Duration Time)**

▶ 방문자가 사이트에 방문한 후 떠날 때까지의 시간을 말한다 . 체류시간이 길다는 것은 그만큼 사이트가 고객 관심을 잘 유발하고 있다는 뜻으로 , 체류시간은 PV와 더불어 고객 충성도를 나타내는 지표 중 하나이다.

★ **체리피커 / Cherry Picker**

▶ 제품을 구매하지 않고 자신의 실속만을 챙기는 이기적인 소비자를 가리키는 말이다. 자사에서 행하는 이벤트 등을 통해 혜택만을 누리고 , 실질적으로 매출에는 도움을 주지 않는 고객을 가리킨다.

★ **추적 URL**

▶광고를 클릭한 사용자가 어떤 키워드로 검색했는지, 어떤 광고 영역에서 클릭했는지 등에 관한 검색 정보를 알 수 있도록 URL 에 덧붙이는 요소이다.

★ **추천 검색어**

* 네이버

네이버에서 특정 키워드를 입력하면 검색 결과에서 해당 키워드와 관련이 있어서 보여지는 키워드로 , 이는 검색 패턴을 바탕으로 네이버가 직접 선정한 검색어이다.

연관 검색어는 검색 사용자가 고의적으로 검색 패턴을 조작하여 생성하는 것이 가능하지만, 추천 검색어는 불가능하다.

★ 카카오 모먼트 / Kakao Moment
* 카카오
카카오의 대표 광고 플랫폼이다 . 카카오 서비스 사용자 기반으로 카카오 광고 지면에 브랜드를 노출하는 형태의 플랫폼으로 카카오톡, 다음, 카카오서비스를 비롯한 주요 네트워크 지면에 광고를 노출한다.

★ 컨버전스 마케팅 / Convergence Marketing
▶ 서로 다른 산업 간의 제휴를 통해 마케팅 하는 방법을 뜻한다. 제휴 관계에 있는 상품을 추천하거나, 결합 상품을 제시하는 경우이다.

★ 크롤링 / Crawling
▶ 크롤링은 분산되어 있는 수많은 문서들을 수집하여 검색 대상의 색인으로 포함시키는 기술을 말한다. 어느 부류의 기술을 얼마나 빨리 검색 대상에 포함시키는지가 우위를 결정하는 요소로서 웹 검색의 중요성에 따라 발전되었다. 하지만 최근 크롤링을 금지한 웹사이트가 늘어났으며, 이를 무시하고 불법적으로 크롤링하는 행위는 저작권 침해에 해당할 수 있다.

★ 클릭수
▶ 클릭수는 광고가 사용자로부터 클릭된 횟수이다.

★ 클릭초이스 플러스 / Click Choice Plus
* 네이버
네이버 키워드광고의 대표상품으로 , 네이버 통합 검색 결과 페이지 최상단과 파트너사의 광고 영역 등에서는 검색 결과로 광고가 노출되고, 지식 iN, 블로그, 네이버 컨텐츠 페이지에서는 해당 페이지의 컨텐츠와 연관성이 높은 광고가 노출된다. 과금 방식은 클릭당 과금이 되는 CPC방식이다.

★ 키워드 도구
▶ 광고주의 키워드 선택을 돕기 위해 키워드를 추천해주는 기능이다.

사이트 입력 , 업종 입력, 키워드 입력, 시즌 입력 등을 통해 추천 키워드 리스트와 평균 클릭률, 경쟁정도, 월평균 노출 광고수 등의 정보를 제공받을 수 있다 . 추출된 키워드를 선택해 즉시 광고에 등록할 수 있다.

★ 타임 보드

* 네이버

네이버 초기화면 상단 영역에 정해진 시간 동안 광고를 독점 노출하여 높은 전환 효과를 기대할 수 있는 네이버의 배너광고 상품이다. 24 시간 중 원하는 시간대를 선택하여 집행할 수 있다.

★ 트래픽(=전송량) / Traffic

▶ 특정 통신장치나 전송로 상에서 일정 시간 내에 흐르는 데이터의 양을 말한다. 트래픽 양이 지나치게 많으면 서버에 과부하가 걸려 전체적인 시스템 기능에 장애를 일으킨다.

★ 파워 링크

* 네이버

네이버 클릭초이스 상품의 노출 영역으로, 통합검색 결과 페이지 상단에 노출된다. 파워링크 광고 노출을 선택한 광고 중 클릭초이스 노출 순위로 10 개의 광고가 노출된다.

★ 판매 금지 키워드

▶ 법률적 위험, 검색광고의 평판이나 신뢰도를 훼손시킬 염려가 있거나, 검색광고의 품질 및 효과를 저하시키는 키워드로 광고 등록이 부적합한 키워드이다.

예를 들어 청부살인 등의 범죄 키워드, 인물명 키워드 , 미풍양속을 저해하는 키워드와 같이 검색광고에 적합하지 않은 키워드 등을 말한다.

★ 퍼널 / Funnel

▶ 퍼널은 깔데기를 뜻하는 단어이다. 온라인 광고에서의 퍼널은 목표 URL에 도착하기까지의 일련의 과정을 뜻한다. 고객이 위치한 단계에 따라 마케팅 메시지를 달리 하여 다음 단계로 진입시켜 구매로 이르게 하는 것을 퍼널 전략이라고 부르고, 이 퍼널을 구매 퍼널이라고 부른다.

★ 평균 체류시간 / ADT (Average Duration Time)

▶ 측정 기간 중 해당 사이트에 방문한 순방문자의 1 인당 평균 체류시간이다.

평균 체류시간 = 전체 체류시간 / 전체 UV

★ 포지셔닝 / Positioning

▶ 소비자의 마음 속에 자사 제품이나 브랜드를 표적시장, 경쟁 , 기업 능력과 관련하여 가장 유리한 포지션에 있도록 노력하는 과정을 뜻한다.

★ 표시URL
▶ 주로 광고를 게재하고자 하는 웹사이트의 메인 페이지 URL을 의미하지만, 정확하게는 키워드광고 노출 시에 보이고자 하는 URL을 뜻한다.

★ 픽셀 / Pixel
▶ 픽셀은 페이스북 광고 캠페인의 측정과 최적화를 쉽게 만들어주는 JavaScript 소스코드이다. 운영하는 웹사이트에 자신의 페이스북 계정에서 발행해주는 고유 Pixel 코드를 Head부에 삽입하는 형태로 설치할 수 있다. 웹사이트를 방문한 고객의 여러 가지 행동을 추적하여 페이스북 광고를 보다 효과적으로 진행할 수 있도록 도와준다.

★ 핵심 키워드
▶ 사업자의 매출에 직접적인 영향을 미치는 키워드를 일컫는다. 매출에 큰 영향을 미치므로 조회수도 적정 수 이상이어야 한다. 클릭률 및 전환율도 높은 특징을 지니고 있지만 , 성과가 높은 키워드인 만큼 입찰 경쟁 또한 치열하여 높은 클릭비용(CPC)을 지불해야 한다.

★ 홈페이지 최적화
▶ 웹문서 검색 결과에서 자사 홈페이지가 상단에 노출되도록 하는 작업을 뜻한다. 목표키워드를 홈페이지 곳곳에 배치해서 검색결과에 노출되도록 하는 것이다. 사이트 최적화라고도 한다.

★ 확장 검색
▶ 확장검색은 광고주가 등록한 키워드가 검색 사용자가 입력한 검색어와 정확하게 일치하지 않더라도 관련성이 높으면 광고가 노출될 수 있도록 하는 기능이다 . 검색 사용자가 입력한 검색어와 정확하게 일치할 때만 광고를 노출하는 기본검색과 상대되는 개념이다. 광고주가 예측하기 힘든 세부키워드로 검색할 때에도 최대한 많은 광고가 노출될 수 있도록 하는 기능이다.

★ A/B 테스트
▶ 어느 버전이 더 효과적인지 판단하기 위해 두 개의 버전을 동시에 실행한 다음 , 서로 다른 버전을 비교하는 방법이다. 어떤 변수가 잠재 고객으로부터 최상의 응답을 생성하는지 확인하기 위한 것이며, 광고 효과 최적화를 위한 기본적 방법이다.

★ ACU (Average Current User) / 평균 동시접속자
▶ 일정한 기간에 몇 명의 사용자가 평균적으로 동시 접속하였는지를 나타내는 용어이다.

★ Advertising Campaign / 광고캠페인
▶ 특정한 광고목표를 달성하기 위해 일정 기간동안 실시하는 광고활동을 말한다.

★ Advertising Penetration / 광고 침투율
▶ 광고를 접하는 사람들 중 광고 메시지를 인지하는 사람들의 비율을 말한다.

★ AE (Account Executive)
▶ 광고회사나 홍보대행사의 직원으로서 전반적인 광고기획과 광고주와의 커뮤니케이션을 담당하는 사람이다.

★ AIDMA
▶ Attention - Interest - Desire - Memory – Action / 주의 - 관심 - 욕구 - 기억 - 구매 행동
미국 경제학자 롤랜드 홀이 구분한 소비자의 구매 행동 유형으로, 소비자가 제품 및 서비스를 알게 된 후 관심을 가지고 구매 욕구가 생긴 뒤, 제품을 기억하고 구매한다는 논리이다.

★ AISAS
▶ Attention - Interest - Search - Action – Share / 주의 - 관심 - 조사 - 구매 행동 – 공유
2005 년 일본의 광고대행사 덴츠에서 정의한 구매 패턴 모델을 가리킨다.

인터넷과 SNS 의 발달로 소비자들의 구매 행동 유형이 온라인 및 커뮤니케이션 미디어를 통해 제품의 정보를 얻고 이를 직접 공유하는 방식으로 변했다는 것을 시사한다.

★ AM (Account Manager)
▶ AE가 광고기획자라면 AM은 광고관리자를 뜻한다. 광고회사나 홍보대행사의 직원으로서 입찰관리, 문안 관리, 보고서 제작 등의 관리업무를 담당한다 .

★ ARPU
▶ 개별 광고주 당 평균 광고 금액 APRU=광고비합 / 광고주

★ ASO (App Store Optimization) / 앱스토어 최적화
▶ 앱 스토어의 검색 결과에 더 높은 순위로 검색되도록 앱을 최적화하는 프로세스를 의미한다. ASO에 영향을 주는 요인 중 주요 요인에는 제목과 키워드가 있고, 보조 요인에는 총 다운로드 수와 평가 및 리뷰가 있다.

★ ATL (Above The Line)
▶ 마케팅 커뮤니케이션 활동 중 비(非)대인적 커뮤니케이션 활동으로서 , TV, 신문, 잡지, 라디오 등과 같은 전통적 매체로 구성된다.

★ BA (Bid Amount) / 최대클릭비용
▶ 각 키워드에 대해 광고주가 지불할 의사가 있는 최대금액이다.

★ BEP (Break-Even-Point) / 손익분기점
▶ 일정기간 수익과 비용이 같아 이익도 손해도 생기지 않는 경우의 매출액을 뜻한다.

★ BTL (Below The Line)
▶ ATL의 반대되는 개념이다. 마케팅 커뮤니케이션 활동 중 대면 커뮤니케이션
(Face-to-Face Communication)을 활용하는 것이다 . 주로 이벤트 , 전시, 인터넷 등을 말한다.

★ Burn out
▶ 소진이라는 뜻을 가지고 있는데, 심리학에서는 과도한 업무나 학업에 지쳐 자기 혐오감, 무기력증, 불만, 비관, 무관심 등이 극도로 커진 상태를 뜻한다. 마케팅에선 광고가 과도하게 노출되어 소비자들이 오히려 광고에 무관심해지는 현상을 뜻한다.

★ CPA (Cost Per Action)
▶ CPA 는 광고를 클릭하고 들어온 방문자가 지정된 행위를 할 때마다 광고비를 지급하는 방법을 말한다. 이 때에 지정된 행위는 주로 구매이지만 상담신청, 회원가입 , 이벤트 참가, 다운로드 등을 행위로 지정할 수도 있다.

★ CPC (Cost Per Click)
▶ CPC는 노출에 상관없이 클릭이 일어날 때마다 온라인 광고가격을 책정하는 방식이다 .
책정되는 금액은 매체, 광고 상품, 입찰가에 따라 차이가 있다.

★ CPI (Cost Per Imp.) / 노출단가
▶ 노출단가는 광고비를 노출량으로 나눈 값을 의미한다.

★ CPI (Cost per Install)
▶ CPI 는 앱 마케팅에서 생겨난 용어로, 사용자의 설치 수에 따라 과금이 되는 형태의 광고를 가리킨다.
소비자의 특정 행동에 따라 과금이 이루어지는 CPA 방식에서 '앱의 설치 (Install)' 라는 행동만을 한정하기 때문에 CPA의 하위개념이라고 볼 수 있다.

★ CPM (Cost Per Mile)
▶ 광고 비용을 측정하는 방법의 한 종류로 1,000회 노출에 따른 가격을 책정하는 방법이다.
가격은 포털사이트마다 차이가 있다.

★ CPP (Cost Per Period)
▶ 일정 기간을 정하고 그 동안 고정된 금액으로 광고를 노출하는 광고가격 책정방식이다.
보편적으로 1개월로 노출 기간을 고정하고 그에 따른 금액을 제공하는 형태가 범용적인 CPP 과금 방식이다.

★ CPS (Cost Per Sale)
▶ 구매가 일어날 때마다 광고비가 소진되는 광고방식이다.

★ CPV (Cost Per View)
▶ 영상을 한 번 시청할 때마다 광고비가 소진되는 방식이다 .

★ CPV (Cost Per Visit) / 유입단가
▶ 고객이 1 회 유입되는 데 소요되는 비용이다.

★ C-Rank (Creator Rank)
▶ C-Rank는 네이버의 '컨텐츠 생산자 등급'을 반영한 검색 알고리즘이다.
특정한 키워드 혹은 관심사에 대하여 검색 시 '콘텐츠를 제공하는 생산자를 얼마나 선호하는가?'를 계산한다. 네이버에 따르면 C-Rank 알고리즘은 여러가지 랭킹 알고리즘 중 출처와 관련된 부분을 계산한다.

★ CRM (Customer Relationship Management)
▶ 고객 관계 관리
고객과 관련된 자료를 분석해 이를 기반으로 고객의 특성에 맞는 마케팅 활동을 기획하고 진행하는 과정이다.

★ CTA (Call To Action)
▶ 사용자 반응을 유도하는 행위를 말한다. 예를 들어 앱 정보 아래에 있는 앱 다운로드 링크나 버튼, 페이스북 좋아요 버튼 등 사용자의 반응을 유도하기 위한 것을 말한다.

★ CTR (Click Through Rate) / 클릭률
▶ CTR은 광고의 노출 횟수 대비 클릭수를 의미하는 말로 , '클릭률 '이라고 한다. 광고가 고객에게 노출된 횟수 중 몇 번의 클릭이 일어났는지를 백분율로 나타낸 것이다. CTR = 클릭수 / 노출수 X 100

★ CVR (Conversion Rate) / 전환율
▶ 유입된 방문객수 대비 전환된 비율로써 광고의 타겟률 혹은 웹사이트 (랜딩페이지)의 경쟁력을 나타내는 지표이다. 타겟이 정확하지 않은 매체에 광고를 집행하는 경우나 웹사이트의 경쟁력이 낮은 경우 전환율은 낮게 나온다.

★ DA (Display Advertising) / 디스플레이 광고
▶ 포털사이트의 초기 화면이나 각종 커뮤니티 사이트 등 홈페이지 내에 이미지 형태의 광고를 게재하는 형식이다. 배너광고도 DA의 한 형태이며 일반적인 이미지 광고 및 동영상 광고와 다양한 효과를 줄 수 있는 리치미디어 광고를 활용할 수 있다.

★ DAU (Daily Active Users) / 일별 활동이용자
▶ 하루동안 해당 서비스를 이용한 순수 이용자의 수를 뜻한다.

★ DB (Data base) / 데이터베이스
▶ 원래 데이터베이스는 여러 가지 데이터들을 모아 놓은 집합이라는 조금 더 포괄적인 의미이다. 온라인 마케팅에서 DB의 의미는 고객의 데이터를 모아 놓은 데이터를 가리키는 경우가 많다. 따라서 'DB 개더링 (DB Gathering)'이라는 용어는 고객의 정보를 수집하는 일련의 과정 혹은 마케팅을 가리킨다.

★ DDN (Daum Display Network)
▶ 다음을 비롯한 다양한 제휴 네트워크에 원하는 고객을 타겟으로 설정하여 디스플레이 광고를 노출하는 네트워크 광고 상품을 의미한다.

★ DMP (Data Management Platform)
▶ 광고 인벤토리 입찰에 필요한 정보를 제공해 주는 플랫폼으로, 소비자 데이터를 분석하고 가공해 매체 선택을 돕는다.

★ DR (Duplication Rate)
▶ 특정 기간에 여러 개의 사이트를 모두 방문한 방문자가 전체에 차지하는 비율을 말한다.

★ DSP (Demand Side Platform)
▶ 광고주가 광고를 생성하고 관리할 수 있도록 돕는 플랫폼으로 타겟에 최적화된 광고 인벤토리를 손쉽게 파악 및 관리할 수 있도록 돕는다.

★ EC호스팅
▶ 전자상거래가 이루어질 수 있는 환경을 제공하는 서비스이다. 인터넷 상점 운영을 원하는 고객에게 장바구니, 신용카드 결제시스템, 거래보안시스템 등의 서비스를 제공한다.

★ Footer
▶ 웹사이트 가장 하단에 위치한 영역이다. 주로 법적 안내 페이지 링크, Copyright, 사업자번호, 인증 마크 등으로 구성되어 있으며 웹사이트 전체의 공통된 부가 영역이다.

★ FTP
▶ 웹페이지의 정보가 담겨있는 파일이 있는 곳으로 FTP 를 통해 홈페이지의 콘텐츠, 이미지, 로그분석 스크립트 설치 등을 할 수 있다.

★ GA (Google Analytics) / 구글 애널리틱스

▶ 구글에서 제공하는 무료 로그분석 툴이다. 구글 태그매니저와 함께 사용하면 효과적이다.

★ GDN (Google Display Network) / 구글 디스플레이 네트워크

▶ 구글 Ads 를 통해 광고가 게재될 수 있는 모든 웹페이지 및 앱 페이지를 뜻한다.

구글과 파트너십을 맺은 대형 언론사 사이트부터 개인 블로그까지 모두 포함되며, 구글 Ads 타겟팅 기능에 따라 광고를 가장 관련성 있는 곳에서 가장 관련성 있는 유저에게 노출할 수 있다.

★ GNB (Global Navigation Bar)

▶ 전체 메뉴를 이동하기 위한 공통적인 메뉴 영역이다 . 보편적으로 사이트 전체의 상단에 배치한다.

★ GTM (Google Tag Manager) / 구글 태그매니저

▶ 구글에서 제공하는 태그 통합관리 솔루션이다 . 태그매니저를 통해 손쉽게 태그를 삽입,수정하고 광고 마케팅적으로 활용할 수 있다.

★ IMC (Integrated Marketing Communication)

▶ 통합 마케팅 커뮤니케이션

광고, DM, 판매촉진 , PR 등 다양한 커뮤니케이션 수단들의 전략적인 역할을 비교, 검토하고 , 명료성과 정확성 측면에서 최대의 커뮤니케이션 효과를 거둘 수 있도록 이들을 통합하는 총괄적인 계획의 수립과정을 뜻한다.

★ IO (Insert Order)

▶ 광고를 집행하기 전 광고를 집행하고자 하는 광고주나 대행사에서 작성하는 광고 전반에 관한 내용이 수록 된 게재 신청서이다.

★ KPI (Key Performance Indicators)

▶ 매출이나 이익처럼 과거 실적을 나타내는 지표가 아니라 , 미래 성과에 영향을 주는 여러 핵심지표를 묶은 평가 기준을 말한다. 광고 KPI 는 광고별 클릭률이나 유입페이지, 검색 키워드와 같은 요소가 있다.

★ LP (Landing Page)

▶ 광고를 클릭하였을 때 연결되는 페이지이다. 주로 광고주가 홍보하고자 하는 내용이 담긴 페이지이며, 새창 으로 띄우는 것이 일반적이다.

★ LPO (Landing Page Optimization)

▶ 키워드 혹은 배너 광고 등으로 유입된 인터넷 이용자가 다다르게 되는 마케팅 페이지를 랜딩 페이지 (Landing Page)라고 한다. LPO는 이용자가 검색한 키워드 혹은 클릭한 배너종류에 따라 페이지를 최적화함 으로써 광고 효과를 높이는 것을 말한다.

★ MAU (Monthly Activity User)
▶ 한달동안 특정한 서비스를 몇 명의 이용자가 이용하는지를 나타내는 용어이다.

★ MCN (Multi Channel Network)
▶ 1인 미디어로 활동하는 크리에이터를 지원하면서 수익을 공유하는 형태의 산업이다.

★ MCU (Maximum Current User) / 순간 동시접속자
▶ 특정한 순간에 몇 명의 사용자가 접속 중인지를 나타내는 용어이다.

★ Net Coverage / 순 도달범위
▶ 광고매체를 통하여 도달될 수 있는 지역의 범위 또는 인구의 총수이다.

★ N-스크린 / N-Screen
▶ N- 스크린(N-Screen)이란, TV, PC, 태블릿PC, 스마트폰 등 여러 기기의 스크린을 통해 하나의 콘텐츠를 끊김없이 이용할 수 있도록 해주는 서비스를 말한다.

★ O2O (Online to Offline)
▶ O2O는 Online to Offline의 약자로 온라인과 오프라인을 결합하는 것을 말한다. 가격비교 ,간편한 구매, 후기 검색 등의 온라인 쇼핑의 장점과 바로 구매, 직접 체험해보고 살 수있다는 점 등의 오프라인 쇼핑의 장점을 결합해 이 두 가지를 모두 충족시켜주는 서비스를 제공하는 것이 O2O 마케팅의 핵심이다.

★ O4O (Online for Offline)
▶ O4O는 Online for Offline의 약자로 기업이 온라인에서 확보한 고객 데이터를 활용해 오프라인 상으로 사업 영역을 확대하는 것을 의미한다. 온라인과 오프라인을 결합한다는 점은 O2O와 같지만, O4O는 오프라인에 더 중점을 두고 있다는 특징이 있다. O2O가 온라인에서 고객을 유치하고 오프라인으로 서비스를 제공한다면, O4O는 오프라인의 문제를 해결하기 위해 온라인에서 확보된 영향력을 이용한다.

★ OOH (Out Of Home)
▶ 버스광고, 지하철 광고 등의 옥외광고를 일컫는 말이다.

★ Opt-in / 옵트인
▶ 옵트인(Opt-in)은 당사자가 개인 데이터 수집을 허용하기 전까지 당사자의 데이터 수집을 금지하는 제도이다. 기업과 같은 단체가 광고를 위한 메일을 보낼 때, 수신자의 동의를 얻어야 메일을 발송할 수 있도록 하는 방식도 옵트인 (Opt-in)방식이다.

★ Opt-out / 옵트 아웃

▶ 옵트 아웃(Opt-out)은 당사자가 자신의 데이터 수집을 허용하지 않는다고 명시할 때 정보수집이 금지되는 제도이다. 기업과 같은 단체가 광고를 위한 메일을 보낼 때 , 수신자가 발송자에게 수신거부 의사를 밝혀야만 메일발송이 금지되고 수신거부 의사를 밝히기 전에는 모든수신자에게 메일을 보낼 수 있는 방식이다.

★ PPC (Pay Per Click)

▶ PPC는 1 번의 클릭당 광고주가 지불하는 광고비를 뜻하는 용어이다.

★ PPL (Product Placement)

▶ 상품이 영화나 드라마 속에 소품으로 등장하는 형태로 자연스럽게 상품을 광고하는 방식이다. 상품 및 브랜드 명칭이나 이미지 등을 노출시켜 자연스럽게 홍보하는 일종의 광고 마케팅 전략이다.

★ PR (Public Relations)

▶ '공중과의 관계 '라는 뜻으로 마케팅 주체가 대중과의 호의적인 관계를 위해 하는 모든 활동을 지칭한다. 단순히 정보를 전달하는 홍보와 달리 PR은 마케팅 주체와 대중 간의 쌍방향 커뮤니케이션을 진행한다는 특징이 있다.

★ PV (Page View) / 페이지뷰

▶ 홈페이지에 방문한 방문자가 사이트 내 페이지를 열람한 횟수이다. 가장 높은 PV를 기록한 페이지가 사이트 내에서 인기있는 곳이므로 이를 기준으로 배너광고의 위치를 정하는 등 보다 효율적인 마케팅이 가능하다는 장점도 있다 .

다만 동일인이 새로고침 버튼을 눌러 페이지를 갱신하거나 다른 페이지를 탐색한 후 돌아오는 경우에도 PV로 기록되기 때문에 해당 페이지에 방문하는 순 이용자 수를 파악하기는 어렵다.

★ Retention / 리텐션 (=잔존율)

▶ 앱 설치 후, 특정 기간동안 이탈하지 않고 앱에 지속적으로 접속한 비율을 나타낸다.

★ ROAS (Return On Ad Spend) / 광고수익률

▶ 광고 혹은 마케팅의 효율성을 측정하기 위한 지표로 , 광고 비용 대비 매출 비율을 나타낸 값이다. 적은 광고 비용으로 많은 매출을 발생시킬수록 수익률이 높게 측정된다.

ROAS = 매출액 / 광고비

★ ROI (Return On Invest) / 투자수익률

▶ 기업의 순이익 비율을 파악하고자 할 때 사용하는 지표이다. 광고 집행할 때, 1 원의 비용으로 얼마의 이익이 발생하였는지를 나타낸다. ROI = 광고비 / 매출액 X 100

★ RPV (Revenue Per Visit) / 방문자당 수익

▶ 유입가치와 같은 의미로 매출에서 방문수 (유입수)를 나눈 값이다. 하지만 두 용어를 사용하는 관점은 다르다. 유입가치는 홈페이지 운영, 상품의 구성, 고객 관리 전략 등을 통해 동일한 방문객이 유입되었다 하더라도 그 가치를 높여야 한다는 관점에서 사용하고 있지만 RPV는 주로 광고 상품의 품질을 평가하는 관점에서 사용된다.

★ RTB (Real Time Bidding) / 실시간 입찰

▶ 가장 높은 가격을 제시한 광고주가 광고 지면을 가지게 되는 실시간 경매 방식을 의미한다.

★ SDK (Software Development Kit)

▶ 앱 내부에 다른 소프트웨어를 탑재하기 위해 사용되는 모듈 키트를 말한다.

★ SEM (Search Engine Marketing) / 검색엔진 마케팅

▶ 검색도구를 적극적으로 활용해 특정 웹사이트로의 방문을 유도하고 상품을 구입하게 하는 마케팅 전략이다. 각종 프로모션이나 SEO 등 광고 효과를 올릴 수 있는 모든 노력들을 통틀어 SEM이라고 한다.

★ SEO (Search Engine Optimization) / 검색엔진 최적화

▶ 검색엔진에서 검색을 했을 때, 웹페이지가 상위에 노출되도록 관리하는 것을 뜻한다 . SEM과 더불어 웹사이트로의 트래픽을 증가시키는 역할을 한다.

★ SMO (Social Media Optimization) / 소셜미디어 최적화

▶ 운영중인 소셜미디어 채널을 알리려는 과정을 뜻하며 일종의 SEM이라고 할 수 있다.
RSS 피드를 추가하거나 콘텐츠의 공유 버튼 등을 다는 것도 SMO의 방법들이다.

★ SNS 광고 / Social Network Services Advertising

▶ 페이스북, 트위터, 카카오스토리, 유튜브 등을 이용하여 노출하는 광고이다. 사회적 네트워크를 이용한다는 점에서 파급력이 크고 , 광고에 대한 반응이 실시간으로 나타난다.

★ SSP (Supply Side Platform)

▶ 광고 판매자 플랫폼으로 각 SSP 의 SDK를 탑재한 매체, 개발사의 수익화 및 광고 인벤토리 구매 서비스를 제공한다.

★ STP

▶ 4P와 더불어 전통적인 마케팅 전략에 사용되는 용어로, Segmentation(시장세분화), Targeting (표적시장), Positioning(포지셔닝) 을 뜻한다.

★ T & D (Tit l e & Description)
▶ 개별광고에 사용되는 광고제목, 설명문구, 이미지 등의 광고 소재를 의미한다.

★ UAC (User Acquisition Cost) 유저 유입비용
▶ 유저 한 명을 유입시키는 데 드는 비용을 뜻한다.

★ UC (Unique Click)
▶ 광고를 클릭한 수에서 한 유저가 중복으로 클릭한 수를 배제한 수치이다.

★ UI (User Interface) / 사용자 인터페이스
▶ 사용자 인터페이스는 사람들이 컴퓨터와 상호 작용하는 시스템이다. 사람(사용자)과 사물 또는 시스템 (기계, 컴퓨터 프로그램 등) 사이에서 의사소통을 할 수 있도록 일시적 또는 영구적인 접근을 목적으로 만들어진 물리적, 가상적 매개체를 뜻한다.

★ UV (Unique Visitor) / 순방문자수
▶ 일정 기간 동안 특정 사이트에 동일한 사람이 방문한 횟수를 제외한 수치로 , 중복되지 않는 사용자를 의미 한다. 예를 들어 , 사용자가 특정 사이트에 1 회를 방문하든 100 회를 방문하든 한 사람으로 카운트한다.

★ UX (User Experience) / 사용자 경험
▶ 사용자가 어떤 제품 , 시스템, 서비스 등을 직접적 또는 간접적으로 이용하면서 느끼는 반응과 행동 같은 경험을 말한다.

UI 의 경우 사람과 시스템의 접점을 의미하며 , 접근성 및 편의성을 중시한다 . UX의 경우 UI 를 통해 사용자가 제품과 서비스, 회사와 상호작용하며 느끼는 만족이나 감정을 의미한다.

★ ZMOT (Zero Moment Of Truth)
▶ 2011 년 구글이 발표한 구매행동과 관련된 개념으로, 매장에 직접 들리기 이전에 일어나는 의사결의 중 가장 중요한 순간을 의미한다.

★ 3rd Party / 써드파티
▶ 특정 분야를 처음 개척했거나 원천기술을 확보하고 있는 기업이 아니라 , 해당 분야에 호환되는 상품을 출시하거나 타 기업의 주 기술을 이용한 파생상품 등을 생산하는 회사를 가리키는 용어이다.

생산자와 사용자 사이에서 중개 역할을 하는 업체를 일컫기도 한다.

★ 4P

▶ 전통적인 마케팅 전략에 사용되는 용어로 Product(제품), Price(가격), Place(장소, 유통), Promotion(판매촉진활동)을 줄여서 부르는 말이다.

★ 5C

▶ 4P가 기업(공급자) 중심의 마케팅 전략이었다면 , 5C는 소비자 중심의 마케팅 전략으로, Customization(고객화), Communities(커뮤니티), Channel(채널), Competitive Value(고객가치), Choice tools(선택도구)로 나뉜다.

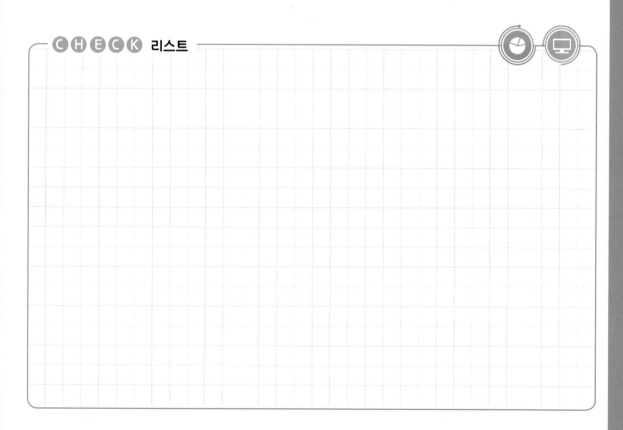

ⒸⒽⒺⒸⓀ 리스트

2강. 고객을 유혹하고 매출이 증대되는 마케팅 글쓰기 노하우

▣ SNS란 무엇인가?

SNS는 Social Network Service의 약자입니다. 사회 관계망 서비스라고도 합니다.

혼자 하는 것보다 여럿이 하는 것이 낫다는 의미입니다. 하지만, 대부분 SNS마케팅을 시도하는 분들은 혼자서 몇 개월 해보고 안되면 포기하는 경우가 많습니다.

SNS채널들은 각 채널이 가지고 있는 알고리즘이 있습니다. 그 알고리즘들은 공유, 댓글, 좋아요 등 서로 소통하는 시스템을 좋아합니다. 그러기에 혼자서 하는 것보다는 여럿이 함께 협업시스템을 구축하는 것이 필수 성공 요소입니다.

SNS마케팅 대행사에 외주를 주더라도 본인이 SNS마케팅에 대해서 이해를 하고 어느정도 실전연습을 해보고 주는것과 그렇지 않은 경우는 차이가 많이 납니다.

실제 SNS마케팅 대행을 하는 경우에 금전적인 손해 뿐만 아니라 시간적인 손해를 보는 경우가 많다 보니 그런 경험을 하기되면 SNS마케팅 자체에 대해서 회의를 갖고 하지 않게 되는게 현실입니다.

하지만, 항상 말하지만 자신이 원하는 정보를 찾고자 하는 고객들은 정보를 스마트폰이나 SNS상에서 찾고 있습니다.

자신의 유형 및 무형의 콘텐츠를 홍보하고자 하는 사람들은 SNS는 선택이 아닌 필수 마케팅 도구인 것입니다.

이젠 SNS마케팅을 할지 말지 고민하는 시대가 아닙니다. 특히나 코로나로 인해 언택트(Untact)문화가 자리를 잡았고 스마트폰으로 인해 생활의 변화가 이전 시대와는 확연히 다른 4차 산업혁명시대에는 SNS채널들에 대한 이해와 툴(Tool)을 다루는 능력들을 배가 시켜야 자신이 종사하고 있는 사업분야에서 일의 효율성과 효과성을 극대화할 수 있을 것입니다.

◙ **SNS의 가장 큰 장점은 인맥의 범위는 한계가 없다는 것입니다.**

SNS가 일반인들에게 익숙해지기 전에는 하나의 콘텐츠가 성공하기 위해서는 짧게는 몇 개월에서 몇 년이 걸리는게 정상이었습니다.

하지만, SNS채널이 발달한 요즘 고객의 트랜드에 부합하는 콘텐츠라면 하루아침에도 자신의 콘텐츠를 알릴 수 있는 세상입니다.

거기에다 번역 기술이 너무나 좋아졌기에 국내 뿐만 아니라 전 세계적으로 홍보할 수 있는 기회가 쉽고 빨라졌습니다.

예를 들어 네이버 블로그의 경우만 보더라도 한글로 콘텐츠를 포스팅하고 난 후 바로 영어, 일본어, 중국어 본체 및 간체로 번역된 포스팅을 바로 생성할 수 있습니다.

쇼핑몰에도 한글로 작성하고 바로 구글 번역기를 사용해서 전 세계109개 언어로 번역해서 상품 상세페이지를 만들어 낼 수 있습니다.

페이팔(PayPal) 사업자 회원가입을 한 사람이라면 SNS채널에 상품 이미지와 상세 페이지를 올려놓고 QR-DROID PRIVATE 큐알코드 앱(App)에서 상품명과 금액을 입력한 후 QR코드를 생성해서 상품 상세페이지에 추가를 하게 되면 페이팔 회원가입이 된 고객들은 QR코드를 스캔해서 바로 결제를 할 수 있습니다.

굳이 해외 쇼핑몰을 처음부터 만들지 않더라도 해외 고객들에게 판매를 쉽게 할 수 있는 세상입니다.

◙ **SNS는 바이럴 마케팅이다.**

바이럴 마케팅은 소셜 미디어를 통해 거미줄처럼 네트워크 되어 있는 소비자들에게 바이러스처럼 빠르게 확산되는 마케팅 현상입니다.

기업의 브랜드 스토리를 엔터테인먼트 마케팅 기법에 접목해 만들어 낸 영화, 영상, 뮤직비디오 등이 우리의 일상생활 속에 자연스럽게 전파되는 것을 의미하기도 합니다. 바이럴은 소비자가 스스로 찾는 콘텐츠며 자발적으로 친구와 지인들에게 전파됩니다.

바이럴 마케팅의 핵심은 콘텐츠와 키워드라고 할 수 있습니다.

자신이 취급하는 콘텐츠가 확실히 좋아야 고객들도 충성스러운 고객이 될 수 있습니다. 콘텐츠 즉 제품 및 상품의 내용이 좋지 않다면 소비자들은 바로 외면할 것입니다.

키워드는 다른 말로 표현하면 고객의 언어라고 할 수 있습니다. 고객의 언어를 제대로 찾아내고자 한다면 자신의 콘텐츠를 찾는 고객의 연령대와 성향을 먼저 파악해야 합니다. 그 다음 해당 고객들이 주로 사용하는 SNS채널을 파악하고 무슨 키워드로 검색을 하는지 정확히 분석을 하게 되면 그야말로 고객을 확보하고 매출이 증대되는 지름길이 될 것입니다.

◉ 마케팅 제대로 알고 계신가요?

마케팅이란?

마케팅은 판매행위를 어떻게 구성하고 전달할 것인지에 대한 모든 일련의 행위를 포함하며, 또한 상대방이 자신에 대해 가지고 있는 잠재욕구를 자극하여 필요로 하게끔 만드는 행위와, 상품과 용역을 생산자로부터 소비자에게 원활히 이전하기 위한 비즈니스 활동을 포함합니다.

즉, 생산자와 소비자의 희망을 결합해서 능률적인 공급을 하는 것이 마케팅입니다. 그것을 위한 활동으로 시장조사, 상품화 계획, 판매촉진, 선전광고, 디지털 마케팅(digital marketing) 등이 있습니다.

마케팅은 시장 경제 또는 수요를 관리하는 경영학의 한 분야로써 일반인이 잠간 공부해서 제대로 된 성과를 내기가 쉽지 않은 분야입니다.

SNS마케팅 강의를 해오면서 느끼는 것 중에 하나가 강의를 듣는 수강생들이 대부분 마케팅에 대한 정학한 이해가 없고 단순히 기능 몇가지만 가지고 활용을 하다 보니 본인이 생각하는 만큼 일의 성과가 나지 않는 경우가 대부분입니다.

최대의 성과를 내기 위해 SNS마케팅 전략을 제대로 펼쳐서 고객을 유혹하고 매출을 증대시켜야 하는 소상 공인들 입장에서 어떻게 SNS마케팅을 이해하고 실행해야 하는지 살펴보도록 하겠습니다.

◉ SNS마케팅 기본 4원칙을 강조합니다.
▶ 첫 번째, What is in it for me?
▶ 두 번째, 고객을 세분화하라
▶ 세 번째, 컨셉을 명확히 해라
▶ 네 번째, 스마트워크 시스템 구축이 우선이다.

▶ 첫 번째, What is in it for me? 직역하면 "나한테 무엇인데?" 바꿔 말하면 "나한테 뭐가 좋은데?" 정도로 해석해보면 좋을거 같습니다.

사업을 하는 사람들은 앞으로 제안서를 만들거나 블로그, 유튜브 등 SNS채널에 자신의 글을 올릴 때 첫 줄에 "내 콘텐츠를 이용하면 당신한테 뭐가 좋은데"를 먼저 기재합니다.

쉽게 말하면 결론부터 기재하라는 얘기입니다. 그래야 고객의 시선을 사로잡을 수 있습니다.

고객들이 원하는 바가 무엇인지 파악한 후 그 욕구를 토대로 키워드를 정해서 결론부터 기재하면 좋겠습니다.

▶ 두 번째, 고객(Customer)을 세분화하라.

예를 들어 사과농사를 짓는 사업자라면 대부분 홍보할 때 몸에 좋은 사과, 건강에 좋은 사과, 비타민이 많은 사과라고 보통은 홍보를 합니다.

하지만, 이렇게 해서는 좋은 성과를 기대하기란 어렵습니다. 그 이유는 사과는 전국 어디에서나 재배를 하는 과일이기에 생산량도 많고 판매하는 사람도 많습니다.

그렇다면 어떻게 홍보문구를 만들면 고객의 시선을 사로 잡을 수 있을까요?

"수험생들 위한 피로 회복에 좋은 합격 사과"
"40대 사장님들의 간 건강에 좋은 OOO 사과"
"50대 여성 갱년기 회복에 좋은 비타민 듬뿍 사과쥬스"
이처럼 고객층을 세분화해서 홍보문구와 마케팅 전략을 펼치는 것이 고객의 시선을 사로잡는데 도움이 될 것입니다.
SNS채널을 운영하는 사업주들은 방문자가 많은 것보다 매출이 많은 것이 중요합니다. 그러기에 더더욱 고객을 세분화해서 홍보할 필요가 있습니다.

▶ 세 번째, 컨셉(Concept)을 명확히 해라
다양성보다는 독창성을 인정받는 세상입니다. 동종 업계라도 같은 종류의 콘텐츠를 어떻게 기획하고 챠별화된 상품을 만들어 내느냐가 성공과 실패의 핵심일 것입니다. 개인이든 강사분들 뿐만 아니라 기업도 컨셉이 있느냐 없느냐가 SNS마케팅 관점에서 보면 고객의 관심을 유도하는데 매우 중요한 요소라고 볼 수 있습니다.

▶ 네 번째, 스마트워크 시스템 구축이 우선이다
요즘 SNS마케팅을 제대로 배워보겠다고 수강하시는 분들이 많이 있습니다. 창업을 준비하시는 분들이라면 더더욱 열심히 하십니다. 하지만, 정작 업무 효율을 높일 수 있는 스마트워크 교육에 대해서는 어떻게 하는지 잘 모르기도 하고 또 제대로 배워보려고 하지 않는 경우가 많습니다.

SNS마케팅은 하루아침에 좋은 결과를 얻어내기가 쉽지 않습니다. 꾸준히 지속적으로 마케팅 전략과 전술을 기획하고 점차적으로 실행해 나가야 좋은 결과들을 얻어낼 수 있습니다. 시간이 돈인 소상공인 입장에서는 기다릴 여유가 없기에 제대로 SNS마케팅 시스템을 구축하기가 어렵습니다. 이런 경우에 시간을 절약할 수 있는 방법이 스마트워크 시스템을 먼저 갖추는 것입니다. 소상공인 입장에서 보면 스마트폰이나 SNS도구들을 제대로 배우고 활용하면 남들보다 훨씬 더 많은 시간을 절약하고 일의 효율성과 효과성을 극대화할 수 있습니다.

수강생 중에 시니어들의 경우 노트북 자판을 치는데도 젊은 사람들 5분이면 할 것을 30분 넘게 타이핑하는 분들이 많습니다.
하지만, 네이버 스마트보드라는 인공지능 자판에 있는 텍스트 스캔기능이나 OCR(텍스트 스캐너) 어플을 활용하면 1시간동안 타이핑할 자료를 3초만에 추출할 수 있고 구글 탭하여 번역 기능을 사용하면 3초만에 추출한 텍스트들을 내가 원하는 언어로 바로 번역도 가능합니다.
과거에는 전문 디자이너한테 많은 비용을 지불하고 디자인을 의뢰했다면 현재는 스마트폰 앱이나 PC프로그램 2-3가지만 알고 활용해도 충분히 무료로 전문 디자이너 못지않게 결과물을 만들어 낼 수 있습니다.

현재 사업을 하시는 분들이나 창업을 준비하는 분들이라면 스마트폰 활용 및 SNS도구 활용에 대해서 제대로 배우고 익혀서 업무에 활용할 필요가 있습니다. 바쁘다는 이유로 대부분은 그냥 자기가 해오던 습관대로 일을 하다 보니 업무 효율은 오르지 않고 매출도 오르는데 아니라 떨어지는 경우가 많습니다.
그러다 보니 현재 기업이 과거의 방식대로 일을 해서는 기업의 생존 주기가 3-5년 밖에 안된다는 것입니다.

일의 효율성과 효과성을 극대화할 수 있는 시스템을 갖추지 않으면 치열한 비즈니스 세계에서 견디기 힘들다는 것을 보여주는 예입니다.

현재 많은 1인 기업 및 소기업의 경우 모바일과 SNS도구를 제대로 활용하는 기업은 만족할 만한 업무성과를 내고 매출이 증대되는 효과를 톡톡히 보고 있습니다.

단순한 예로 직원 10명이 스마트폰 활용과 SNS도구(블로그,크롬웰 스토어,협업프로그램 등등)를 2-30시간 정도만 제대로 배우고 익힌다면 일을 효율적으로 할 수 있는데 직원 1명당 하루에 최소 30분 정도는 세이브 할 수 있을 것입니다.

(소기업 오너들이 가장 도입하고 싶은게 스마트워크 시스템입니다.)

직원이 10명이라면 하루면 300분, 한달 20일 근무한다고 가정하면 한달에 6,000분을 절약할 수 있고 시간으로 따지면 100시간을 다른 일에 사용할 수 있다는 계산이 나옵니다.

경제적으로 힘든 기업 입장에서는 스마트폰 및 SNS활용에 대해서 보다 체계적으로 배우고 익혀야 할 것입니다.

이처럼 업무 효율을 높이게 되면 여유 시간이 생기고 그 시간에 마케팅 전략을 기획하고 실행한다면 진정 사장님들이 바라는 모습이 아닐까 생각됩니다.

이상은 소상공인 입장에서 볼 때 꼭 지켜야 할 SNS마케팅 4원칙에 대해서 알아보았습니다.

▣ 이제는 블로그와 SNS마케팅의 상관 관계에 대해서 간략히 알아보겠습니다.

SNS마케팅을 시작하시는 분들이나 초보이신 분들은 SNS채널이 많은데 어떤거부터 먼저 해야 할지 몰라 망설이는 분들이 많습니다. SNS채널 운영은 업종별로 연령대별로 다를 수 있습니다. 그에 맞춰서 SNS마케팅 전략을 구축해야 할 것입니다.

하지만, 대한민국 사람이라면 남녀노소 누구나 대부분은 궁금한 것이 있으면 네이버에서 먼저 검색을 하고 블로그 리뷰를 참고하고 댓글을 보고 구매 의사를 결정하기도 합니다.

자신의 콘텐츠를 알리기 위해서는 네이버 블로그는 기본적으로 해야 할 SNS도구입니다. 가장 큰 이유는 다른 SNS채널에 비해서 블로그는 다양한 콘텐츠들을 업로드 해서 고객에게 보여줄 수 있기 때문입니다.

또한, 블로그에 다양한 콘텐츠를 담아내면 여러 SNS채널에 공유할 수가 있습니다.

다른 사람들이 유튜브 해서 돈을 벌었다고 하면 유튜브를 하고 인스타그램해서 돈을 벌었다고 하면 인스타그램 하고 이런식으로 남을 따라하기만 하시는 분들이 많은데 자신한테 맞는 마케팅 도구를 찾아서 제대로 활용해야 할 것입니다.

소상공인들은 네이버에서 제공하는 서비스들만 제대로 이해하고 활용해도 고객을 유혹하고 매출을 증대시키는데 많은 도움이 될 것입니다.

▣ 이번에는 네이버에서 제공하는 SNS콘텐츠 구축 노하우에 대해서 간략히 알아보겠습니다.

SNS마케팅을 하고자 하는 분들은 기능적으로 잘하지는 못하더라도 대략이라도 SNS채널들을 어떻게 활용하는지에 대해서 이해만 하고 있어도 원하는 성과를 내는데 많은 도움이 될 것입니다. SNS마케팅 대행사에

외주를 주더라도 SNS마케팅에 대해서 제대로 이해를 하고 일을 맡기게 되면 적은 비용으로 효과를 볼 수 있지만 사업자가 SNS마케팅에 대해서 잘 모른다면 돈과 시간만 낭비하는 경우가 많습니다.

사업을 제대로 하고자 하는 분들은 SNS마케팅에 대해서 대략적인 프로세스라도 제대로 배우고 익히면 좋겠습니다.

▣ 네이버 블로그 영역

블로그 영역에는 보통 고객들의 구매 후기가 올라옵니다. 먼저 구매한 사람들의 상품 세부 설명 및 만족하다는 구매평이 있어야 합니다.

블로그 영역에도 단순히 한 블로그에 올리는 것이 아니고 여러 개의 키워드로 여러개의 블로그에 올려야 원하는 성과를 낼 수 있습니다.

일반적으로 자신의 콘텐츠를 홍보하기 위해서 위블, 모두의 블로그, 블로슈머 등 블로그 체험단을 통해서 직접 모집하는 방법도 있지만, 대행사를 통해서 진행하는 방법도 있습니다. 단, 체험단을 운영할 때는 키워드 선정, 우수 블로거 파악하는 방법, 블로그 작성 가이드라인에 대한 것들을 내가 어느 정도 알고 있어야 적은 비용으로 최대의 효과를 볼 수 있을 것입니다.

가령 블로그도 '노출 등급'이 따로 있습니다. 무조건 키워드 몇 개 선택해서 글을 쓴다고 다 네이버 블로그 영역에 상위 노출되는 것이 아니고 어느 정도 블로그 지수가 있는 블로그에 콘텐츠를 올렸을 때 상위 노출이 가능합니다.

▣ 카페 영역

카페 영역도 상품 구매 후기가 주 내용입니다. 블로그 후기들 보다 세련된 맛이 떨어지지만 이것이 도리어 예비 구매 고객들에게 더 진정성 있게 다가설 수 있습니다. 아마도 요즘 고객들이 블로그에 광고 글이 많다는 것을 알기 때문일 것입니다.

기본적으로 카페 등급이 '열매' 이상 또는 최소 '가지' 등급의 최적화 카페에서 진행을 해야 콘텐츠가 노출될 확률이 높아집니다.

그리고 콘텐츠 글을 쓰는 작성자의 아이디 지수도 중요합니다.

전국 단위, 지역 단위 맘카페 혹은 타켓으로한 커뮤니티에서 체험단을 진행하면 됩니다. 전국 단위는 노출이 워낙 많이 되기 때문에 체험단 가격도 지역 단위 커뮤니티보다 높습니다. 따라서, 가격을 알아보고 적합한 단위의 커뮤니티를 찾아서 진행하면 좋습니다.

▣ 쇼핑 영역

오픈마켓, 종합몰, 소셜, 스마트스토어, 자사몰 같은 쇼핑몰에 등록하면 노출이 됩니다. 네이버 통합검색의 모든 영역에 노출이 되어도 실상 구매를 할 수 있는 쇼핑 영역에 상품이 없다고 하면 구매를 할 수 없기 때문에 반드시 등록이 되어 있어야 합니다.

또한 일반적으로 고객들은 평소에 구매를 하는 쇼핑몰에만 구매하는 특성이 있기 때문에 이왕이면 다양한 쇼핑몰들에 노출되면 좋습니다.

▣ 지식인 영역

나의 상품 혹은 카테고리에 대해 궁금해 하는 사람의 질문에 대해 답글을 올리게 되면 노출이 됩니다. 게시글의 제목과 본문 글에 내 상품 또는 브랜드에 대한 키워드가 여러 번 반복되어야 상위 노출에 유리합니다.

▣ 동영상, 이미지 영역

영상 또는 이미지로 상품 정보, 구매 후기, 제조 공정, 탄생 스토리 등 만들어서 네이버TV, 유튜브, 판도라TV 같은 동영상 공유 플랫폼에 올리거나, 네이버 블로그, 카페, 포스 등에 첨부하게 되면 노출됩니다.

이때 주의해야 할 것은 영상이나 이미지의 파일명에 반드시 내가 노출하려는 키워드가 들어가야 한다는 점입니다. 또한, 동영상의 경우 1순위 네이버TV, 2순위 네이버 블로그, 카페 3순위 유튜브 등 순으로 노출된다 점도 참고하시길 바랍니다.

▣ 웹사이트 영역

보통 웹사이트에는 홈페이지 사이트가 나오는데 본인의 홈페이지 사이트가 없을 때는 무료 모바일 쇼핑몰인 MODOO를 만들면 웹사이트 영역에도 노출이 됩니다.

지금까지 소개한 네이버 통합검색의 각 영역들에 충분한 콘텐츠가 구축 되어 있어야 그 키워드로 들어온 예비 고객들에게 충분한 신뢰를 주어서 구매로 까지 연결될 수 있습니다. 이는 가장 기본이 되는 일이고 신경 써서 세팅을 해 두셔야 합니다. 그리고 일정한 주기로 꾸준히 업데이트도 해야합니다.

특히, 모바일 영역은 노출되는 영역이 몇 개 안 되기 때문에 필히 수시로 확인해야합니다. 가령, 모바일에서 많은 검색되는 키워드 인데 블로그가 주로 검색된다면 당연히 블로그 영역 노출에 신경 써야 하고, 내가 사용하는 키워드가 지식 iN 영역에 주로 검색 된다고 하면 지식 iN 영역의 콘텐츠 구축에 신경 써야 합니다.

소상공인들의 경우 SNS마케팅이 필요한 건 알겠는데 할 시간이 없어서 답답하다고 합니다.

다시한번 강조하지만 돈을 지불하고 자신이 원하는 콘텐츠를 구매하고자 하는 고객들은 정보를 네이버, 유튜브 등 SNS채널에서 정보를 찾고 있습니다.

사업을 하시는 분들이라면 고민하지 말고 하루에 최소 1시간 이상씩 SNS채널을 운영하는데 투자를 하셔야 할것입니다. 지속적으로 하다보면 자신의 브랜드를 알리고 단골 고객이 확보가 되고 매출이 오르는데 큰 기여를 할 것입니다.

▣ 기가 막힌 마케팅 글쓰기 비법

SNS마케팅의 핵심은 "고객의 언어"를 찾아내는 것이 성공의 관건이라 해도 과언이 아닐것입니다.

고객의 언어를 잘 찾아내서 어떻게 글을 쓰느냐가 중요한데 대부분은 글쓰는데 어려움을 많이 느낍니다.

이번에는 마케팅 글쓰기 비법인 "SELF PARKING"에 대해서 알아보도록 하겠습니다.

일단 글을 쓸 때 기본적으로 "SELF"를 적용시켜봅니다.

▣ "SELF"

S=Story

E=Emotion
L=Long
F=Fun

▶ Story는 블로그 등 SNS 채널에 글을 쓸 때 이야기 하듯이 쓰라는 뜻입니다. 딱딱한 문어체보다는 이야기하듯이 구어체로 얘기하는 것이 실제 경험담을 얘기하는 듯한 느낌을 줄 수 있어 방문자의 신뢰를 얻기에 좋습니다.

▶ Emotion은 감성에 호소하라는 뜻입니다. 글속에 사람들의 감성을 자극할 수 있는 것을 녹여내서 글을 쓴다면 기대이상의 효과를 볼 수 있을 것입니다.

▶ Long은 길게 쓰라는 얘기는 아닙니다. 예들 들어 5월에 블로그에 "선물"이라는 키워드로 글을 쓴다고 가정하면 5월에 사람들이 많이 찾는 키워드와 같이 써주면 좋습니다. 5월에는 근로자의 날, 어린이날, 어버이날, 스승의날, 석가탄신일, 부활절 등 다양한 행사들이 있습니다. 그럼 "직원 가족들이 감동하는 근로자의 선물 OOOOO"처럼 글을 쓰는 시점에 사람들이 많이 찾는 키워드를 혼합해서 글을 쓴다면 노출될 확률이 높아질것입니다.

▶ Fun은 재미있게 글을 쓰면 좋다는 얘기입니다. 사람도 유머스럽게 얘기하는 사람이 인기가 많듯이 글속에 유머러스한 부분이 있으면 충성고객을 확보할 확률이 높을 것입니다. 이모티콘이나 이미지 활용을 하는 것도 좋은 방법일 것입니다.
위에 4가지 "SELF"는 기본적으로 글을 쓸 때 참고해서 해야 하는 부분이고 이제부터는 제목을 쓸 때 임팩트하게 하는 방법인 "PARKING"에 대해서 알아보겠습니다.

알아보기 전에 일반 사람들이 왜 SNS상에서 정보를 검색하는지 생각해 볼 필요가 있습니다. 당연히 자신이 원하는 정보를 해결하고자 스마트폰이나 컴퓨터로 검색을 하는 것입니다. 그러면 어떤 목적으로 검색을 하는지 생각해봤을 때 7가지 측면을 생각해볼 수 있습니다.

그 7가지를 함축해 놓은 단어가 "PARKING"인 것입니다.

▣ "PARKING"
P=Price(가격을 비교하기 위해서 검색합니다.)
A=Answer(자신이 궁금한 것에 대한 해답을 찾고자 검색합니다.)
R=Risk(위험을 회피하기 위해서 검색합니다.)
K=Knowhow(어떤 일에 대한 노하우를 찾고자 검색합니다.)
I=Interest(자신의 흥미나 관심사에 대해서 검색을 합니다.)
N=No(부정이 아니라 반어법 개념입니다.)
G-Genuine(진실이나 사실을 알기 위해서 검색합니다.)

◙ PRICE

상품이나 서비스의 가격은 사람들이 알고 싶어하는 정보 중 하나입니다. 실제로 네이버 카페 등에는 각종 공사 견적서를 공개한다는 콘셉트로 엄청난 회원을 모으며 큰 인기를 누리는 곳도 있습니다.

예시)
★ 32평형 아파트 베란다 확장공사 견적사례들
★ 만 35세 이상 자동차 보험료 책정간
★ 갤럭시 노트4 깨진 액정 매입 평균 가격대
★ 프라다 100불에 사는 법
★ 하루 24시간 사용해도 1달 유지비는 3,900원

◙ ANSWER

사람들이 네이버에서 검색을 하는 근본적인 이유를 생각해보면 대부분 무엇인가 궁금하거나 정보가 필요하기 때문에 검색을 할 것입니다.
이렇게 정보가 필요한 사람들은 제목에 들어가는 어휘 자체가 "정보제공형"일 경우 클릭할 확률이 높습니다.

예시)
★ 쭈꾸미 제대로 손질하는 방법
★ 모공 속까지 깨끗하게 클렌징하는 방법
★ 출산 후 탈모 막는 좋은 방법
★ 남자 옆머리 뻗침 기가 막힌 해결책
★ 처진 엉덩이 해결방법

◙ RISK

손해보기 좋아하는 사람은 아무도 없습니다. 어찌 보면 사람들이 인터넷에서 정보를 검색하는 이유도 가능한 손해를 줄이기 위해서일지 모릅니다. 사람들의 이러한 심리를 이용해서 안보면 마치 손해를 볼 것 같다는 느낌을 준다면 클릭율을 높일 수 있을 것입니다.

예시)
★ 아파트 배란다 확장공사 피해사례
★ 선글라스 잘못 고르면 백내장 걸리는 이유
★ 식품 원재료 표기에 속지마세요
★ 사람들이 쉬쉬하는 OOO제품 부작용
★ 모르는게 약이라구요? 모르면 당신만 손해봅니다

◙ KNOWHOW

'방법,노하우'는 고객의 관심을 끌 수 있는 매우 효과적인 수단입니다. 제품에 대한 관심과 구매 의사의 정도가 높든 낮든 일정한 관심을 가진 고객이라면 누구나 '방법,노하우'에 눈이 갑니다. 우선 구매 여부와 관계가 없으므로 부담이 적고 사람들은 누구나 정보와 지식에 대한 욕구가 있기 때문입니다.

예시)
★ 저비용으로 우수 고객을 확보하는 방법
★ 청소 경력 9년 전문가의 청소 창업 노하우
★ 중고차 저렴하게 구매하기 위한 5가지 노하우
★ 휴가철에도 한적한 동해안 피서지 공개
★ 옥상텃밭으로 채소값 아끼는 아파트 노하우 공개

◩ INTEREST
사람들의 흥미나 호기심을 일으킬 만한 사연이나 스토리가 있다는 점을 제목에 어필하면 클릭율을 높일 수 있습니다. 기법중에 하나인 '말끝 흐리기'는 1960년대 미국의 기념비적인 광고로부터 비롯된 기법입니다.
이 광고에는 "내가 피아노 앞에 섰을 때 모두들 나를 비웃었다. 하지만 내가 연주를 시작하자…"라는 헤드 카피를 사용했는데 생각보다 엄청난 효과가 있었다.

예시)
★ 뱃살을 없애는 쉽고 빠른 방법. 그것은 바로…
★ 꼴지를 전교 1등으로 이끈 학습법은 바로….
★ 주식투자의 결정판. 그것은 바로….
★ 갑자기 날씬해진 친구 알고보니….
★ 단열뽁뽁이 성능 어느 정도길래….

◩ NO
메일이나 포스팅의 제목은 보통 긍정적인 표현으로 이루어집니다. 그런데 부정적이면서도 단정적인 표현이 사용되면 뜻밖이라는 '의외성'을 느끼게 됩니다. 이러한 의외성은 정확한 흡인력을 가지면서 그런 표현에 대한 궁금증과 호기심을 유발합니다. 또한, 단정적인 표현에서 강한 자신감을 느끼게 합니다.

예시)
★ 편경탕은 만병통치약이 아닙니다
★ 다른 건 몰라도 건어물은 마트에서 사지 마세요
★ 이 리포트를 읽기 전에는 해외여행 떠나지 마세요
★ ㅇㅇㅇㅇ제품이 무조건 좋은 건 아닙니다.

◩ GENUINE
진실은 방법이나 노하우보다 더 강력한 유인 효과가 있어서 그 분야에 관계가 없는 사람의 관심까지 끌어들일 수 있습니다. 또한 타인이 사용한 진실에 대해서 궁금해하면 지인들의 경험을 통해 구매를 결정하는 경우가 많습니다.

예시)

★ 김과장 초고속 승진의 비밀

★ 만년 대리 김대리가 갑자기 승진한 이유는?

★ 미백화장품의 비밀. 꼭 알고 사용하십시오

★ OOOO 수입 침구류 일주일 사용해봤어요

★ 파주 출판단지 다녀왔어요

▣ 나만 모르는 글쓰기 자료 모으기

누구나 글을 잘쓰고 싶어하지만 대부분은 한줄 글을 쓰는데도 엄청난 스트레스를 받은 경우가 많습니다. 글쓰기는 지속적으로 훈련을 해야 성과를 볼 수 있는 분야인데 바쁜 소상공인들이 시간을 내서 따로 배우기에는 어려운 경우가 많습니다.

▶ 일상생활속에서 글쓰기 자료나 카피문구를 쉽게 구할 수가 있는데 몇가지에 대해서 설명하고자 합니다.

1. 시집 : 지역 도서관에 가면 책들이 많은데 그 중에 시집을 보면 미사여구들이 많아 글쓰기 하는데 많은 도움이 됩니다.

2. 광고카피 : 구글이나 네이버 포털사이트에서 "기발한 광고카피" 라고 검색하면 수많은 자료들이 나오는데 참고해서 자신만의 키워드 목록을 만들어 놓는것도 좋습니다.

3. 기발한 간판 : 상점 및 업체 간판들을 보면 전국적으로 기발한 간판 광고나 브랜드이름들이 많습니다. 참고하면 제목을 정하는데 많은 도움이 될것입니다.

4. 마케팅, 세일즈, 카피라이팅 책 : 서점이나 도서관뿐만 아니라 온라인상에서도 많은 자료들을 찾아볼 수 있는데 유용한 문구나 키워들은 따로 정리해 놓으면 좋습니다.

5. 영화, 드라마, 예능 등 TV 콘텐츠 : 각종 방송에서 나오는 카피문구들을 보면 기발한 카피들이 많이 있습니다. 분명 SNS 콘텐츠를 제작하실 때 기발한 카피들을 응용해서 자신만의 키워드로 사용하시면 지금보다 더 많은 고객들의 호응을 얻어낼 수 있을것입니다.

▣ 최고의 마케팅 글쓰기 비법

빌려쓰기 하라!

일반인들에게 가장 좋은 공부는 주변에서 사용하고 있는 내용을 빌려쓰기하라는 것입니다. 앞에서도 잠간 업급했지만 글을 쓰는데 있어서 제목을 정하거나 자신의 콘텐츠를 홍보하기 위해서 카피문구를 작성하는것은 힘든 일중에 하나입니다. 이럴 때 다른 사람들이 사용했던 문구들을 참고해서 응용해서 사용하면 보다 쉽게 자신이 원하는 결과물들을 얻어낼 수 있을 것입니다.

▶ 빌려쓰기(Borrow)-찾기(Catch) + 베껴쓰기(Copy) + 바꿔쓰기(Change)

"올 여름 비키니를 입고싶다면 양파를 먹자"

2008년 양파협회 슬로건인데 여기에서 양파대신 "사과" 라든지 "고구마" 키워드로 대체해도 좋을 것입니다.

즉석에서 메모하라

사람들은 누구나 많은 아이디어를 생각하게 되는데 시간과 정소에 따라 생각나는 아이디어가 다릅니다. 아이디어가 생각나면 스마트폰에다가 바로 녹음하거나 메모를 해두면 귀중한 자료로 사용할 수 있을 것입니다.

강의를 하다 보면 사업을 오랫동안 하신 분들도 자신이 하는 일에 대해서 제대로 분석을 해보신 분들이 의외로 많지 않은 경우를 보게 됩니다.

다음부터 설명하고자 하는 내용은 자신의 콘텐츠에 대해서 스토리텔링을 할 수 있는 자료이기도 하고 SNS 마케팅을 하는데 있어 글쓰기를 보다 쉽고 빠르게 작성하고 고객을 제대로 유혹하고 메슬을 증대시키는데 많은 도움을 줄 내용들입니다.

◉ 마케팅 글쓰기 대본 만들기

1. 마케팅 글쓰기 믹스 4Ws

마케팅 글쓰기의 믹스란 잘 팔리는 한마디를 쓰기 위해 정리해 두어야 할 요소를 말합니다.
고객(who),제품(what),이득(whim), 경쟁력(why you)의 네가지 요소입니다.

이 네가지 기본 요소에 대해 생각이 정리되어 있지 않으면 쓸거리를 구체화하는 것도, 빌려쓰기 할 만한 재료를 구하는 것도 어려울 것입니다.

다음 질문에 답하면서 자신이 판매하는 제품/서비스가 지닌 마케팅 요소 4Ws를 정리해보도록 합니다.
▶ Who. 당신의 고객은 누구인가?
▶ What.당신의 제품/서비스는 무엇인가?
▶ WIFM.당신의 제품/서비스가 갖는 이득, 혜택은 무엇인가?
▶ Why you.당신의 제품/서비스의 경쟁력은 무엇인가?

2. 내 고객 바로 알기

고객을 명확하게 정의하고 그들의 욕구가 내가 판매하는 제품/서비스와 어떻게 연관되는가를 정리해 두어야 합니다. 자신의 고객이 누구인지 제대로 알고 있어야 고객을 유혹하든, 사게 만들어서 매출을 증대시킬 수 있을 것입니다.

◉ 고객을 명확히 정의한다.
▶ 당신의 제품/서비스는 누가 사는가?
▶ 그들이 당신의 제품/서비스를 필요로 하는 이유는 무엇인가?
▶ 그들이 해결해야 할 가장 큰 문제는 무엇인가?
▶ 그들은 자신의 문제에 대한 답을 어떤 방식으로 찾는가?
▶ 그들이 자주 사용하는 단어와 말투는 무엇인가?

◨ 제품/서비스와의 연관성을 밝힌다
▶ 내 상품이 어떤 고객과의 어떤 문제를 해결해줄 수 있는가?
▶ 내 상품이 고객의 어떤 문제를 피하게 해주는가?
▶ 내 상품이 고객에게 주는 이득은 무엇인가?
▶ 나의 해결책이 효과가 있다는 것을 보여주는 방법은 무엇인가?
▶ 다른 경쟁사의 것에 비해 어떤 차이가 있을까?
▶ 이 모든 것을 입증할 만한 자료는 어떤 것이 있는가?

3. 내가 판매하는 제품 및 서비스 제대로 파악하기(제품 또는 서비스 상품의 마케팅 FAB전략)

제품과 서비스의 FAB(FEATURE, ADVANCED, BENEFIT)의 전략이 마케팅에서는 필수 요소입니다.
제품이나 상품 또는 서비스를 제공함에 있어서 고객은 어떤 상황으로 부터 상품에 대한 확신을 얻어야 비로소 구매 결정을 하게 됩니다.

이때 FAB전략을 세우게 되면 고객을 유혹하고 매출을 증대시키는 많은 도움이 될것입니다.

여기서 쉽게 FAB를 구분해본다면
▶ FEATURE(특징)은 타 제품에는 없는 성능을 말합니다. 함께 있으면 특징이라고 보지 않습니다.
▶ ADVANCED(장점)은 타 제품과 함께 기능이 있으나, 타 제품보다 기능이 우수하다라는 것입니다.
▶ BENEFIT(이득)은 고객이 상품이나 제품의 특징이나 장점을 이해하고 비로소 내가 타제품과 비교했을때 이득이 얼마 더 생기겠다라는 결정이 서면 구매를 하게 되는 것입니다.

▶ FAB 프레임 실전 연습 해보기
Feature(특징)-당신의 사업, 제품, 서비스에 관한 사실이나 차별화 된 특성을 말함

★ 이것은_____이다.

Advantage(이점)-그 특성이 제공하는 장점
★ 이것은_____하도록 돕는다.

Benefit(이득)-구체적인 대상에게 제공하는 구체적인 이점
★ 이것은_____에게 _____해서 좋다.

◨ FAB(파브) 예시
만약에 산소소주의 메시지를 파브 프레임으로 바꾸어 보자.

▶ Feature(특징) : 산소가 많은 소주다.

▶ Advantage(이점) : 100퍼센트 천연원료로 만들어 깨끗한데다가 산소가 3배나 많아 술이 빨리 깬다.
▶ Benefit(이득) : 회식한 다음 날에도 아침 일찍 출근하여 일해야 하는 애주가들의 체면을 살려주는 소주다.

4. 제품/서비스를 메시지로 표현하기

이제, 당신의 제품/서비스를 왜 구매해야 하는지 고객에게 쉽게 설명하는 방법을 알아보겠습니다.
ITB 프레임을 활용하면 어렵지 않게 할 수 있습니다.
한 문장으로 정리할 때는 70자를 넘지 않게끔 간단명료하게 정리하는 것이 좋습니다.

1. If(만일 ~하다면) – 제안의 전제
2. Then(~하라) – 제안의 핵심
3. Because(왜냐하면 ~ 하므로) – 제안의 배경

▣ ITB 프레임으로 정리하기
산소소주 예를 들자면
만일 회식 다음날 새벽에 임원단 프레젠테이션을 해야 한다면 회식에서는 산소소주를 마시자.
왜냐하면 산소소주는 100퍼센트 천연원료로 만들어 깨끗한데다 산소가 3배나 많아 술이 빨리 깨기 때문이다.

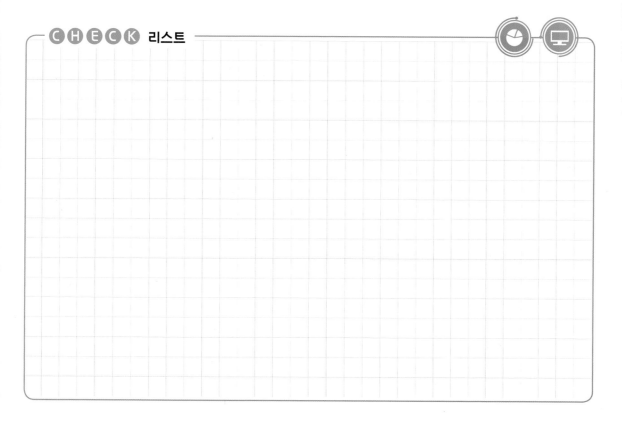

3강. 블로그 마케팅 기본 완전 정복하기

① 블로그 개념 이해하기

블로그는 웹(web)과 로그(LOG) 두 단어가 합쳐진 합성어로 1997년에 처음으로 사용되기 시작하였습니다.

블로그의 특징으로는 새로 올리는 글이 상단에 위치하는 점을 들 수 있으며 큰 준비물이나 사전 지식 없이 인터넷에 자유롭게 일기·기사·칼럼의 역할을 수행하고 있으며 근래에는 개인 출판·개인 방송·커뮤니티 등의 영역까지 확장하고 있습니다. 이런 역할이 가능한 이유로는 사전 지식 없이 개인적인 홈페이지를 운영할 수 있다는 점과 인터넷 특유의 폭넓고 자유로운 환경과 맞물려 손쉽게 사용할 수 있는 개인 미디어 매체로 인식되었기 때문입니다.

블로그를 해야 하는 이유 3가지

남녀노소 누구나 유튜브에서 많은 정보를 검색하고 시청하고 있지만 비즈니스 목적에서 소상공인들이 네이버 블로그를 해야 하는 3가지 이유가 있습니다.

1. 국내 검색은 네이버가 대세다!

남녀노소 누구나 유튜브에서 많은 정보를 검색하고 시청하고 있는 가운데 대한민국에서 네이버가 차지하는 검색엔진 사용 비중이 줄어가고 있지만, 그래도 인터넷 사용자의 절반 이상은 네이버에서 검색(2019년 58.16%, 2020년 58.88%)을 합니다. 검색을 하지 않더라도 네이버 안에서 포스트, 블로그, 카페, 네이버 TV 등을 잡지 보듯 보기도 합니다. 상황이 이렇기 때문에 비즈니스를 하는 사람들이 뭔가를 알리고 싶으면 네이버 블로그를 사용해야 합니다.

2. 자신의 콘텐츠를 생산하기 쉬운 SNS 채널입니다.

블로그는 기본적으로 글로 정보를 전달하기 때문에 정보의 생산이 상당히 쉽습니다. 아무리 네이버 블로그가 광고판이 되었다 하더라도 사용할 수밖에 없는 가장 큰 이유이기도 합니다. DSLR 카메라가 아무리 좋아도 여행 갈 땐 결국 스마트폰으로만 찍게 되는 것과 동일합니다.

블로그는 스마트폰이나 PC에서 전달하고 싶은 콘텐츠를 글, 이미지, 동영상, 이모티콘, 링크주소, 책, 쇼핑 등 다양한 콘텐츠를 쉽고 빠르게 업로드하고 공유할 수 있습니다.

이처럼 블로그의 편리성은 무시할 수 없습니다.

일반 SNS 사용자들은 인스타그램과 유튜브도 많이 사용하는데 그 이유는 인스턴스 시대에 블로그보다는 더 트렌드 하기 때문일 것입니다.

하지만, 인스타그램은 이미지 중심이라 전달할 수 있는 내용의 종류가 한정됩니다. 유튜브는 다양한 내용을 전달할 수 있지만 영상을 만들어서 올려야 하기 때문에 콘텐츠를 만드는데 시간이 너무 많이 들어갑니다.

그래서 빠른 시간에 정보를 생산하기엔 네이버 블로그만 한 게 없습니다.

3. 사용하기 편하고 검색이 잘됩니다.

블로그를 할 때 네이버 블로그가 아니면 티스토리 블로그를 이용해야 합니다. 그런데 티스토리를 사용해보면 네이버가 확실히 편하기는 합니다.

글을 쓰고 사진을 올려보면 PC든 App이 든 네이버가 확실히 안정적이고 편합니다. 티스토리는 카카오에서 별로 신경을 안 쓰고 있다가 최근 들어 신경을 쓰기 시작한지라 편리성을 따라잡으려면 시간이 좀 걸릴 거 같습니다.

네이버 블로그는 글을 쓰고 '공개' 설정만 하면 별도의 등록 절차 없이 네이버에서 검색이 됩니다. 이것이 상당히 중요합니다.

아무도 안 보는 글을 쓰는 사람은 거의 없을 것입니다. 대부분 글을 쓰는 목적은 보여주기 위해서이기 때문입니다.

반면 티스토리 블로그는 네이버 정책상 이유로 네이버에서 검색이 거의 되지 않습니다. 다음에서만 검색이 자동으로 됩니다.

일반적으로 다음을 검색엔진으로 쓰는 경우가 별로 없기에 노출을 원한다면 구글에 의존해야 합니다.

구글에는 따로 등록을 해야 합니다. 구글 서초 콘솔에 등록해야 하는데, 블로그를 검색엔진에 등록하는 것 자체가 일반인들에게 낯선 과정입니다. 어찌어찌 등록을 하더라도 구글에서 내 글이 검색 결과로 나오는 데까지는 적어도 2개월의 시간이 걸립니다. 글만 쓰면 늦어도 1주일 이내 검색이 되는 네이버에 비하면 상당히 불편한 일입니다.

유튜브가 시대의 대세라도 아직은 대한민국 국민이라면 네이버에서 검색하는 사람들이 대부분이고, 정보를 만드는 방법이 쉽고, 사용자 입장에서는 글만 쓰면 되니까 네이버 블로그가 건재할 수밖에 없는 상황입니다. 이런 몇 가지 이유만으로 라도 소상공인들은 자신의 콘텐츠를 홍보하기 위해서 네이버 블로그는 필수적으로 해야하는 것입니다.

2 블로그 프로필 만들기

뉴미디어 마케팅 교육 전문 SNS소통연구소

1 블로그의 기본 정보를 통해 어떤 성격의 블로그인지를 알 수 있습니다. 블로그 첫 화면입니다.

①상단 카테고리에서 [**내 메뉴**]를 클릭합니다.

②내 메뉴를 클릭한 하위 메뉴 중 [**관리**]를 클릭합니다.

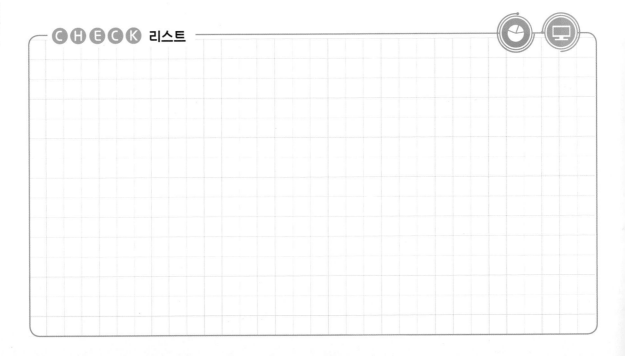

CHECK 리스트

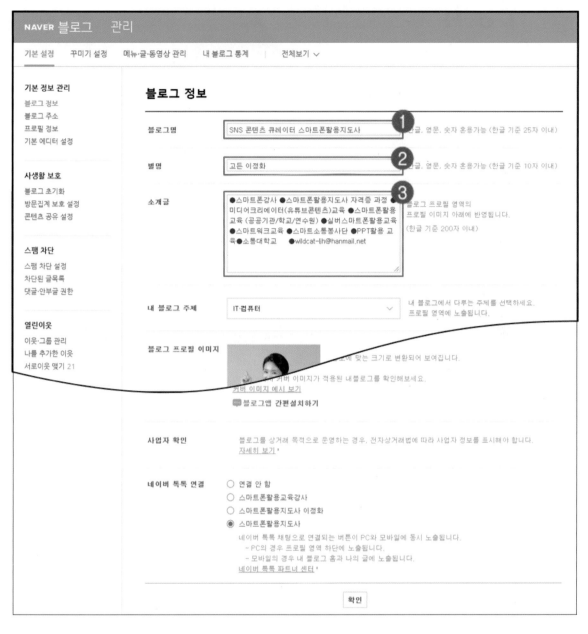

고품격 시니어 실버들을 위한 소통대학교

① ① [**블로그명**]은 25자 이내로 한글, 영문, 숫자를 섞어서 만들 수 있습니다.

② [**별명**]은 프로필 하단에 들어가는 이름으로 10자 이내로 만들 수 있습니다.

③ [**소개글**]은 내 블로그를 잘 표현할 수 있는 내용으로 200자 이내로 간략하게 기입합니다.

1 ①앞서 블로그 정보에서 작성한 [**소개 글**]이 보입니다.

②자신을 더 구체적으로 표현할 수 있는 나만의 프로필을 작성하기 위해 [**프로필**]을 클릭합니다.

1 [**내 프로필 만들기**]를 클릭합니다.

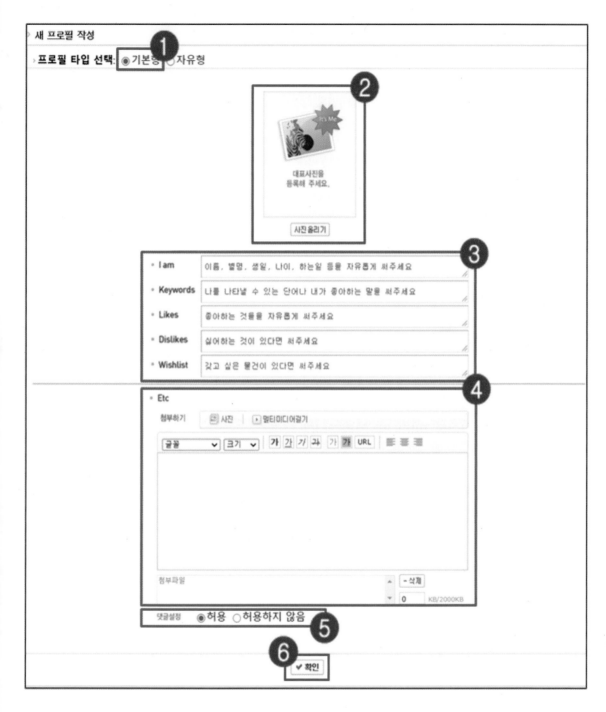

1 ①블로그 프로필 타입에는 '기본형'과 '자유형'이 있습니다. [**기본형**]을 클릭합니다.

②자신을 표현 할 수 있는 [**대표 사진**]을 올릴 수 있습니다.

③[**기본 질문**]을 입력합니다.

④[**자유 형식**]으로 자신의 블로그를 표현할 수 있습니다.

⑤내 프로필에 댓글 허용을 선택할 수 있습니다.

⑥[**확인**]을 클릭합니다.

▣ 블로그 첫 화면에서 상단의 [내 메뉴] 클릭 후 [관리]클릭해서 온 화면입니다.

①[꾸미기 설정]을 클릭합니다.

②디자인 설정에서 [타이틀 꾸미기]를 클릭합니다.

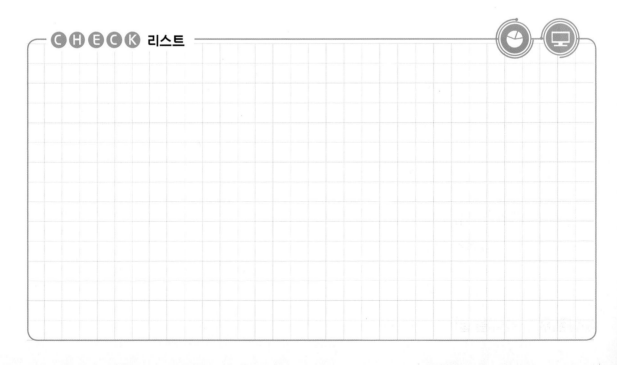

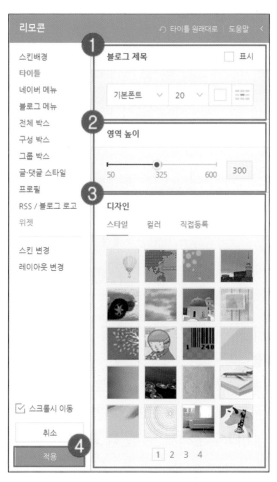

1 블로그 타이틀을 자유자재로 쉽게 꾸밀 수 있는 리모콘 기능이 실행됩니다.

① [블로그 제목]의 표시 여부와 글꼴, 크기, 색상, 위치를 지정할 수 있습니다.

② 블로그 제목 [영역 높이]를 지정할 수 있으며, 50~600px까지 가능합니다.

③ [타이틀]의 디자인과 색상을 바꾸거나 직접 제작한 타이틀 이미지를 삽입할 수 있습니다.

④ 설정 후 [적용]을 클릭하여 완료합니다.

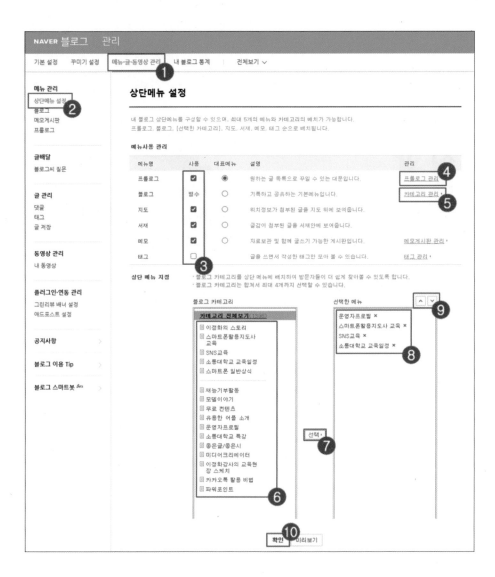

뉴미디어 마케팅 교육 전문 SNS소통연구소

1 ①[메뉴 · 글 · 동영상 관리]에서 블로그 상단 메뉴를 설정해 봅니다.

②[상단 메뉴 설정]을 클릭합니다.

③메뉴 사용 관리에서 어떤 메뉴를 사용할 것인지 [V]로 선택합니다.

④[프롤로그 관리]는 원하는 글 목록으로 블로그 첫 화면을 꾸밀 수 있습니다.

⑤[카테고리 관리]에서 카테고리 추가, 삭제, 순서변경, 공개설정 변경을 할 수 있습니다.

카테고리는 최대 4개까지 선택 가능하며 상단 메뉴로 지정하려면

⑥지정할 카테고리 제목을 선택합니다.

⑦[선택]을 클릭합니다.

⑧선택된 카테고리 리스트를 볼 수 있습니다.

⑨화살표로 선택된 카테고리 순서배치를 정할 수 있습니다.

⑩[확인]을 클릭하여 설정을 완료해줍니다.

1 [내 블로그 통계]를 통해 내 블로그를 방문하는 사람들의 성향을 정확히 파악하고 분석할 수 있습니다. 일간 현황에서 조회 수, 동영상 재생 수, 공감 수, 댓글 수, 이웃증감 수를 확인할 수 있습니다. 방문 분석에서 일간, 주간, 월간 방문 기복을 분석해서 보여줍니다.
사용자분석에서는 방문자들이 어떤 방식으로 들어왔는지 어떤 시간 때에 주로 내 블로그에 방문하는지 연령대와 성별은 어떠한지 살펴볼 수 있습니다.

1 네이버 블로그 에디터 활용 방법 알아봅니다. ①[내 메뉴]를 클릭합니다. ②[글쓰기]를 클릭합니다.

4 블로그 에디터 정복하기

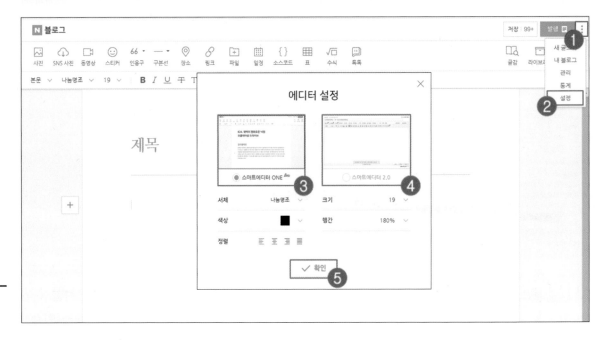

1️⃣ 블로그 에디터 설정에 관해 알아봅니다. 글쓰기 첫 화면입니다.

①상단 우측 끝에 [점 세 개]를 클릭합니다.
②[설정]을 클릭합니다.
(에디터 설정은 관리 → 기본 설정 → 기본 에디터 설정에서도 할 수 있습니다.)
③[스마트에디터 ONE]이 블로그 기본 글쓰기 버전이며
④[스마트에디터2.0]은 위젯을 만들 때 HTML 코드를 사용해야 하는 이전 버전의 글쓰기 에디터
입니다.
⑤내 글쓰기에 맞는 에디터 설정 후 [확인]을 클릭합니다.

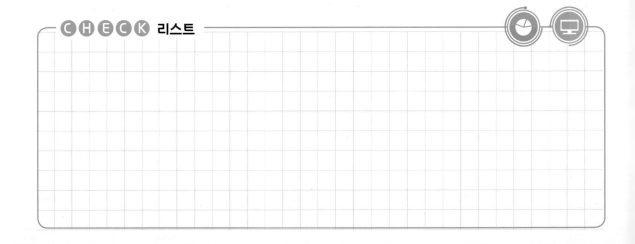

1 처음 블로그를 시작하면서 어떻게 써야 좋아 보일지 고민을 하고 있는 분이라면 네이버 블로그에서 추천해주는 템플릿을 활용하면 글쓰기에 도움이 될 것입니다.

①글쓰기 첫 화면 우측 상단에 [템플릿]을 클릭합니다.
②추천 템플릿, 부분 템플릿, 내 템플릿이 있는데, [부분 템플릿]을 활용하여 특정 문단에 원하는 템플릿을 적용시킬 수 있습니다.
③내가 표현하고 싶은 글쓰기 형식과 비슷한 템플릿을 선택하면 사진과 같이 템플릿이 바로 적용됩니다.

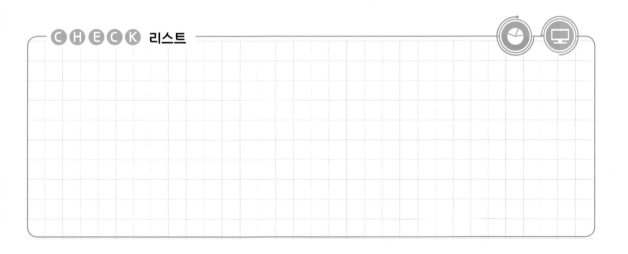

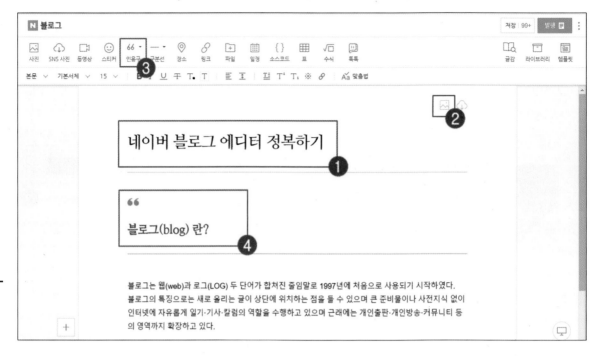

1 ①블로그 글쓰기에서 가장 중요한 [제목]을 입력합니다.

②제목 배경에 [대표 이미지]를 넣을 수 있습니다.

③에디터 메뉴 중 [인용구]는 6가지 스타일이 있으며 단어나 문장을 인용구로 강조할 수 있습니다.

④소제목 또는 강조하고 싶은 부분을 표현할 때 인용구를 활용하면 좋습니다.

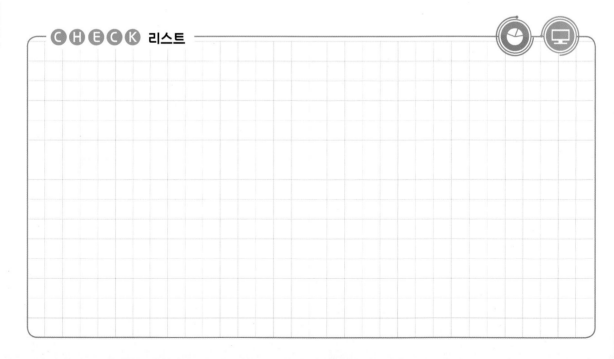

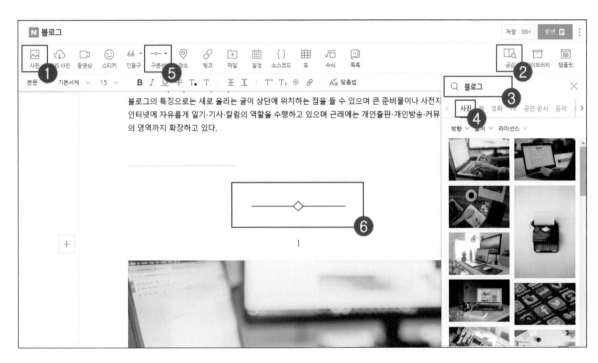

1 에디터 기본 도구 활용법 알아봅니다.

①[**내 컴퓨터**]에 저장된 사진을 첨부할 수 있습니다.

②네이버 블로그에서 제공하는 [**글감**]을 통해 사진과 파일을 첨부할 수 있습니다.

③원하는 [**키워드**]를 입력하면

④탭에 해당하는 키워드의 [**사진**]을 첨부할 수 있습니다.

⑤에디터 기본 도구에서 [**구분 선**]을 활용하여

⑥상단의 내용과 하단의 내용을 구분 할 수 있습니다.

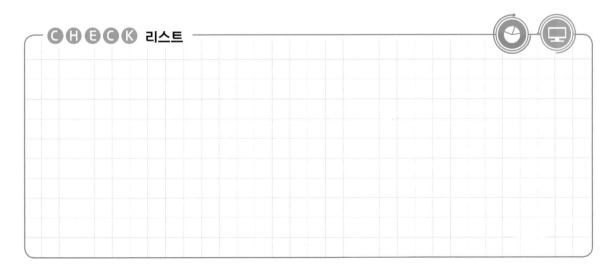

CHECK 리스트

1 블로그 글 작성 중 링크 기능을 사용하거나 URL 주소를 입력하면 이미지와 본문을 미리 살펴볼 수 있습니다.

①[링크]를 클릭하면 링크 주소를 넣을 수 있는 창이 열립니다.
②유튜브 사이트에서 첨부하고 싶은 영상의 링크 주소를 복사하여 ①번 창에 [붙여넣기]합니다.
③[검색] 아이콘을 클릭하여 첨부할 영상의 미리보기 화면을 확인합니다.
④[확인]을 클릭합니다.

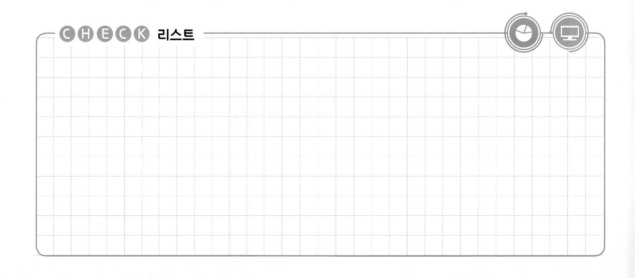

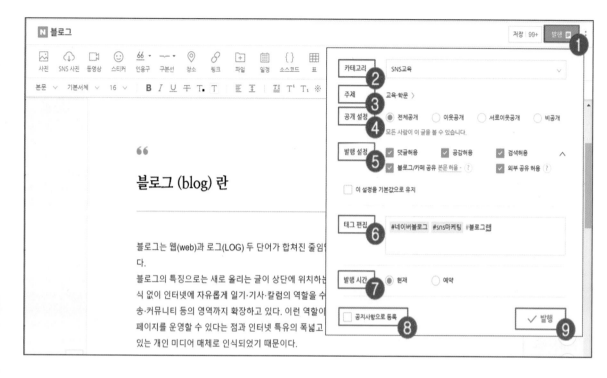

① ① 완성된 글 등록을 위해 우측 상단 [발행]을 클릭하면 설정 창이 열립니다.

② [카테고리]를 설정하면 글이 카테고리별로 자동 분류됩니다.

③ [주제]를 구분 할 수 있습니다.

④ [공개 설정]에서 공개, 비공개를 설정 할 수 있습니다.

⑤ [발행 설정]에서 댓글허용, 공감허용, 검색허용, 카페 공유허용, 외부 공유 허용을 설정 할 수 있습니다.

⑥ [태그 편집]에 핵심 키워드로 30개까지 추가할 수 있습니다.

⑦ [발행 시간] 예약 발행도 가능합니다.

⑧ [공지사항으로 등록]을 클릭하여 블로그 공지사항으로 바로 등록할 수 있습니다.

⑨ [발행]을 클릭하면 등록 완료됩니다.

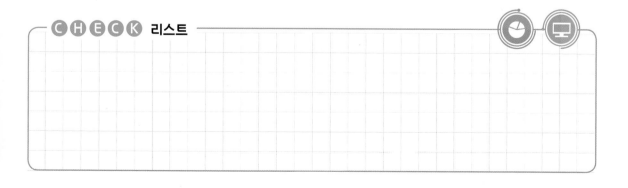

5 스마트폰 블로그 정복하기

네이버 블로그는 네이버 가입만으로 기본으로 생성됩니다.
구글 play 스토어에서 블로그 앱을 다운로드할 수 있습니다.
처음 블로그 앱을 실행하면 '이웃 새 글' 화면이 보입니다.
블로그 홈 편집을 위해 화면 우측 하단에 '내 블로그' 아이콘을
터치하여 블로그 첫 화면으로 이동합니다.

1 [블로그 커버 사진]을 편집 할 수 있습니다.
2 금일 방문자와 총방문자 수를 확인 할 수 있습니다.
3 [블로그 제목]을 편집 할 수 있습니다.
4 [블로그 프로필 이미지]를 편집 할 수 있습니다.
5 [블로그 별명]을 편집 할 수 있습니다.
6 [홈 편집]을 클릭하여 편집을 진행합니다.

'홈 편집'을 터치한 화면입니다.

1 [이미지 변경]을 터치하여 변경 가능하며 이미지 기본
값은 980 px 세로는 3:4 정도의 비율을 추천합니다.
2 [커버 스타일]을 터치하면 8가지 커버 스타일 중에서
마음에 드는 커버를 선택할 수 있습니다.
3 [블로그명] 편집은 25자 이내로 한글, 영문, 숫자를
섞어서 만들 수 있습니다.
4 [블로그 프로필 이미지]는 일반 사진과 GIF로 첨부할 수
있습니다.
5 [블로그 별명]은 10자 이내로 한글, 영문, 숫자를 섞어
서 만들 수 있습니다.

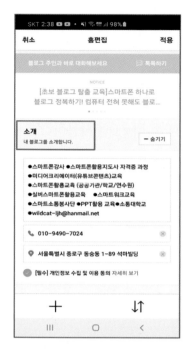 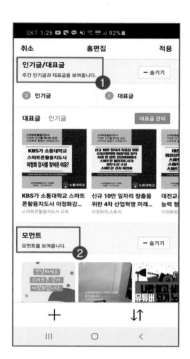 

1️⃣ 내 블로그가 어떤 성격의 블로그인지 표현 할 수 있는 글로 200자 이내로 [소개]란에 기입합니다.
2️⃣ ①[인기글 / 대표글] 우선순위를 정할 수 있습니다. 3️⃣ ①다양한 [외부채널] 링크를 연결할 수 있습니다. ②[적용]을 터치하여 홈 편집 설정을 완료해 줍니다.

1️⃣ 블로그에 작성한 글을 [검색]할 수 있습니다.
2️⃣ [삼선] 아이콘을 터치하여 환경설정으로 들어가면 글쓰기 설정, 카테고리 설정, 알림 설정 등을 바꿀 수 있습니다.
3️⃣ [카테고리] 리스트가 보이며 수정 · 삭제 기능합니다.
4️⃣ [안부글] 방명록처럼 이웃과 소통하는 곳
5️⃣ [이웃 목록] 자신과 이웃 또는 서로 이웃을 맺은 사람들의 목록을 확인 할 수 있습니다.
6️⃣ [통계] 내 블로그를 방문하는 사람들의 성향을 정확히 파악 하고 분석할 수 있습니다.
7️⃣ [네이버 톡톡] 블로그 방문자와 실시간으로 상담을 할 수 있습니다.

① [이웃 새 글] 이웃의 새 소식을 확인 할 수 있으며 이웃 새 글을 켜고 끌 수 있습니다.

② [추천] 네이버에서 추천하는 블로그

③ [글쓰기] 블로그 앱의 기본 글쓰기 에디터는 스마트에디터 ONE으로 설정되어 있습니다. (이전 에디터 2.0을 사용하려면 환경설정에서 바꿀 수 있습니다.)

④ [알림] 내 블로그의 활동 소식을 바로 체크 할 수 있으며 댓글, 이웃 추가, 이웃 신청, 공감 활동 등을 바로 확인하고 관리할 수 있습니다.

⑤ [내 블로그] 스마트폰 블로그 홈 화면으로 이동하고자 할 때 터치합니다.

CHECK 리스트

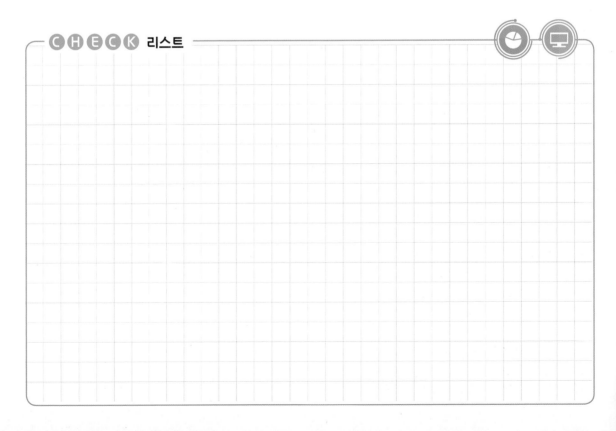

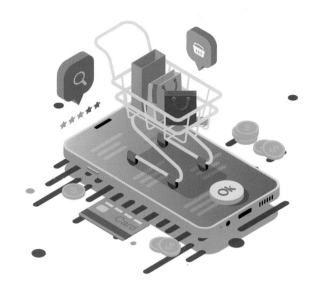

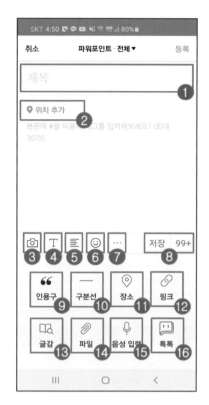

① [제목] 글쓰기에 가장 중요한 제목을 입력합니다.

② [위치 추가] 장소를 검색하여 위치 정보를 넣을 수 있습니다.

③ [사진] 스마트폰에 있는 사진과 동영상을 올릴 수 있습니다.

④ [텍스트] 글꼴, 크기, 줄 맞추기, 두껍게, 밑줄, 글자 색깔, 박스, 링크 등 다양한 서식을 지정할 수
있습니다.

⑤ [정렬] 글의 정렬을 정할 수 있습니다.

⑥ [스티커] 재미있는 스티커를 본문에 넣을 수 있습니다.

⑦ [더 보기] 화면 아래에 링크, 장소 등을 삽입할 수 있는 추가메뉴가 나타납니다.

⑧ [저장] 저장을 클릭하여 글을 임시저장 할 수 있으며 이미 임시저장 된 글을 가져오려면 저장
버튼 오른쪽에 있는 숫자를 터치하여 찾아올 수 있습니다.

⑨ [인용구] 단어나 문장을 인용구로 강조할 수 있습니다.

⑩ [구분 선] 읽기 편하게 글을 구분하는 선입니다.

⑪ [장소] 내 위치정보 기능을 사용하거나, 국내, 국외 장소명을 입력해 장소를 표시할 수 있습니다.

⑫ [링크] 지정한 글이나 사진에 영역을 지정하여 링크를 삽입할 수 있습니다.

⑬ [글감] 책, 영화, TV 방송, 음악 등 연관 글감을 추가할 수 있습니다.
추가하는 글감에 따라 주제 분류가 자동으로 변경됩니다.

⑭ [파일] 네이버 클라우드의 파일이나 내 스마트폰의 파일을 첨부할 수 있습니다.

⑮ [음성 입력] 텍스트를 음성으로 입력할 수 있습니다.

⑯ [톡톡] 네이버 톡톡 서비스가 신청이 되어 있다면 블로그 본문에 삽입해서 고객과 실시간으로
채팅 및 자료를 주고 받을 수 있습니다.

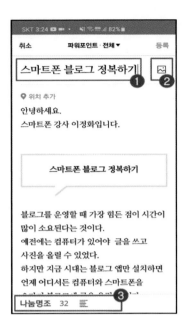

1 글쓰기 첫 화면입니다. ①[제목]을 입력합니다. ②제목에 배경 [이미지]를 넣을 수 있습니다.
③제목의 폰트, 크기, 정렬을 설정할 수 있습니다. **2** ①글쓰기 화면 하단 기본 도구 메뉴에서
[인용구]를 클릭하면 6가지 스타일 중 말풍선을 선택했습니다. ②말풍선 안에 글을 입력합니다.
③인용구 글 설정 메뉴입니다. **3** ①글을 입력 후 원하는 글 영역을 [드래그] 합니다.
②글의 폰트, 크기, 정렬, 굵기, 색상, 기울기 등 편집할 수 있는 [편집 메뉴]가 생깁니다.

1 [사진] 아이콘을 터치하여 스마트폰에 있는 사진과 동영상을 업로드할 수 있습니다.
2 ①글쓰기 화면 하단 기본 도구 메뉴에서 [점 3개]를 터치합니다. ②하위 메뉴 중 [글감]을
터치합니다. **3** ①글감 탭에서 [책]을 선택했습니다. ②책 제목을 [키워드]로 입력 후 ③ [검색]을
터치합니다. ④원하는 글감을 찾아 터치합니다.

고품격 시니어 실버들을 위한 소통 교육학교

1 글쓰기 화면 하단 기본 도구 메뉴에서 [점 3개] 아이콘을 터치합니다. 하위 메뉴 중 [링크]을 터치합니다. **2** 유튜브에서 링크를 복사해서 [URL] 자리에 붙여넣기 합니다. **3** 첨부할 영상의 미리 보기 화면을 확인 후 [확인]을 터치합니다.

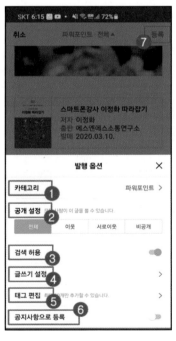

①[카테고리]를 설정하면 글이 카테고리별로 자동 분류됩니다.
②[공개 설정]에서 공개, 비공개를 설정 할 수 있습니다.
③[검색 허용] 검색 허용, 비허용을 설정 할 수 있습니다.
④[글쓰기 설정] 댓글 허용, 공감 허용, 카페 공유, 외부 공유 허용을 설정 할 수 있습니다.
⑤[태그 편집]에 핵심 키워드로 30개까지 추가할 수 있습니다.
⑥[공지사항으로 등록]을 터치하여 블로그 공지사항으로 바로 등록할 수 있습니다.
⑨[등록]을 클릭하면 등록 완료됩니다.

1 ①[저장]을 클릭하여 글을 임시저장 할 수 있습니다.
②[발행 옵션]을 터치합니다.

4강. 자신만의 멋진 블로그 만들기 외

1 네이버 블로그 타이틀 만들기

1 파워포인트 2013버전 이상은 자동으로 픽셀이 전환됩니다.

①인터넷 검색 창에 픽셀을 센티로 변환 가능한 프로그램 [pixelto.net]를 검색합니다.

네이버 블로그 타이틀 사이즈가 가로 966px X세로 50~600px입니다. PPT 작업 시 센티로 크기를

정하므로 [pixelto.net]에서 변화해 주는 과정입니다.

②966 픽셀 값을 입력합니다. ③변환 아이콘을 클릭합니다. ④966px의 센티 값이 나옵니다.

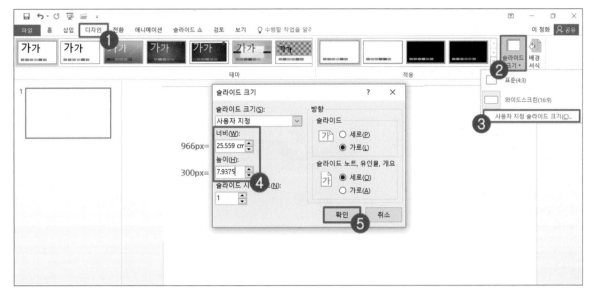

◨ 파워포인트를 활용하여 블로그 타이틀 이미지를 만듭니다.

①파워포인트 첫 화면에서 [디자인] 탭을 클릭합니다.

②[슬라이드 크기]를 클릭합니다.

③하위 메뉴 중 [사용자 지정 슬라이드 크기]를 클릭합니다.

④슬라이드 크기 팝업 창에 pixelto.net에서 변환해 온 [너비, 높이 수치]를 입력합니다.

⑤[확인]을 클릭하여 다음 화면으로 이동합니다.

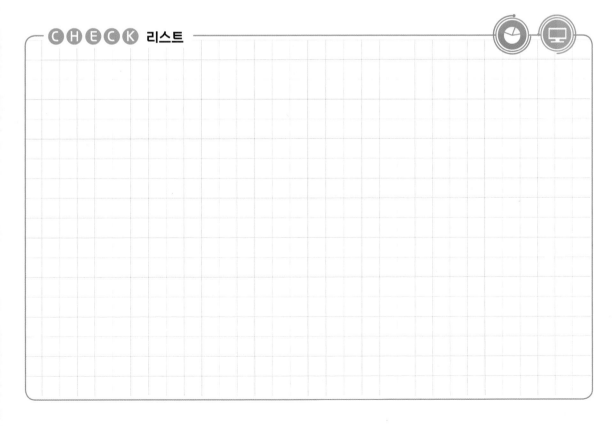

© H E © K 리스트

1 슬라이드에 맞게 크기 조정을 위해 [**최대화**]을 클릭합니다.

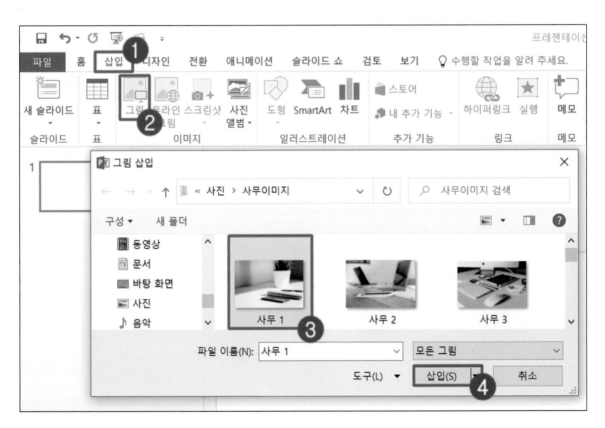

1 ①[**삽입**] 탭을 클릭합니다.

②필요한 이미지를 찾아오기 위해 [**그림**]을 클릭합니다.

③[**이미지 파일**]을 클릭합니다.

④[**삽입**]을 클릭합니다.

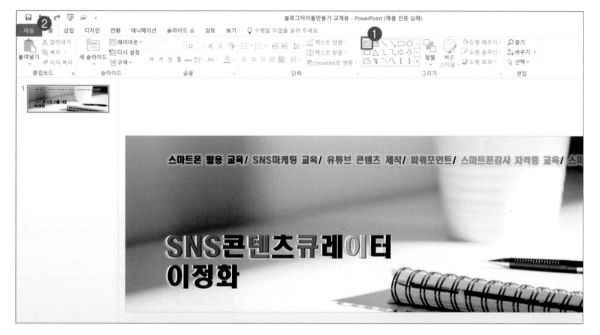

① 이미지를 슬라이드 영역에 맞게 자르기 하여 맞춰줍니다.

①[가로 글 상자]를 클릭하여 원하는 문구를 입력합니다.

②[파일] 탭을 클릭하여 이미지를 Png 파일로 저장합니다.

① 파워포인트에서 완성된 이미지를 블로그에 적용해봅니다

①네이버 블로그를 [로그인]합니다.

②[내메뉴]를 클릭합니다.

③[세부 디자인 설정]를 클릭하여 다음 화면으로 이동합니다.

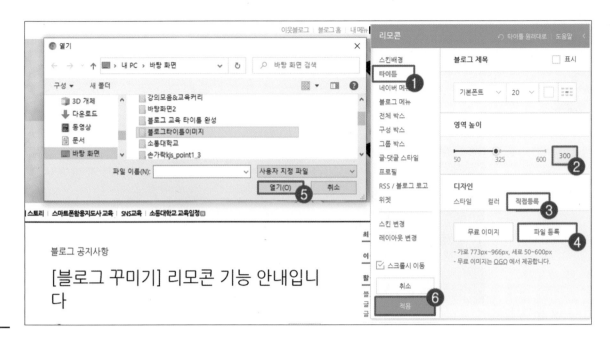

뉴미디어 마케팅 교육 전문 SNS소통연구소

1 ①리모콘 메뉴에서 [**타이틀**] 탭을 클릭합니다. ②이미지의 영역 높이를 [300]으로 입력합니다. ③[**직접 등록**]을 클릭합니다. ④[**파일 등록**]을 클릭하여 미리 제작한 이미지를 ⑤[**열기**] 합니다. ⑥[**적용**]을 클릭합니다.

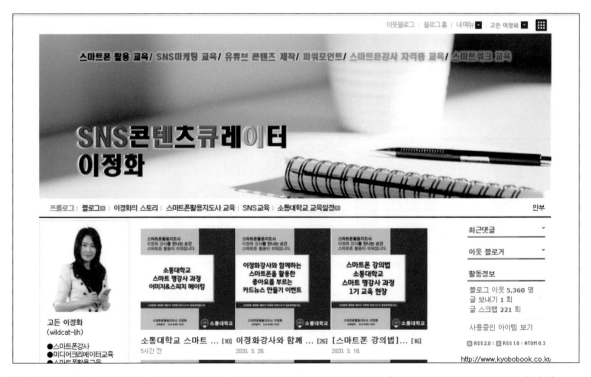

1 966X300 사이즈로 네이버 블로그 타이틀 이미지를 적용시킨 화면입니다. 직접 등록 이미지 사이즈는 가로 773px~966px, 세로 50px~600px 이므로 자유롭게 제작할 수 있습니다.

☑ 네이버 블로그 이미지 위젯 만들기

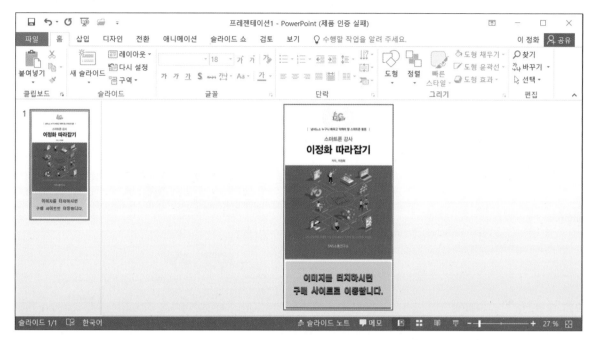

☑ 네이버 블로그에 바로가기 링크를 걸 수 있는 이미지 위젯을 만들어 보겠습니다. 파워포인트, 포토 스케이프, 포토샵 등 이미지 제작이 가능한 프로그램으로 이미지를 만들어 줍니다.
위에 예시로는 파워포인트로 책 구매 링크를 위한 이미지를 만들어 저장해 두었습니다.

☑ 이미지를 만들었다면 우선 네이버 블로그를 로그인 한 후 스마트에디터2.0 글쓰기를 활용해 이미지를 저장하고 링크를 가져와 보겠습니다. ①현재 블로그 글쓰기는 스마트에디터 ONE 화면으로 우측 상단에 [점 세 개] 아이콘을 클릭합니다. ②하위 메뉴 중 [설정]을 클릭합니다.
③에디터 설정 창에서 [스마트에디터 2.0]를 클릭합니다. ④[확인]을 클릭합니다.

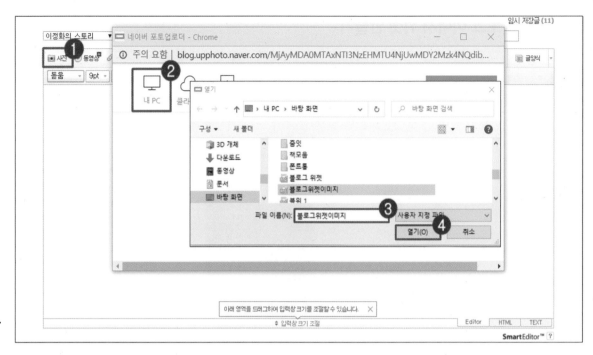

1 ①변경된 스마트에디터 2.0 글쓰기에서 [사진]을 클릭합니다.

②[내 PC]를 클릭합니다.

③저장해둔 이미지를 불러옵니다. ④[열기]를 클릭합니다.

1 ①불러온 이미지가 맞는지 확인합니다.

②[올리기]를 클릭합니다.

1 이미지에 걸 링크 주소를 복사합니다.

위에 예시는 책 구매 링크를 복사 했습니다.

1 이미지를 클릭하여 위젯의 크기를 조절합니다.

위젯 크기는 가로170px, 세로 600px까지 지원됩니다

①이미지를 클릭하면 위젯 [설정]창이 열립니다. ②가로[170]를 입력합니다.

뉴미디어 마케팅 교육 전문 SNS소통연구소

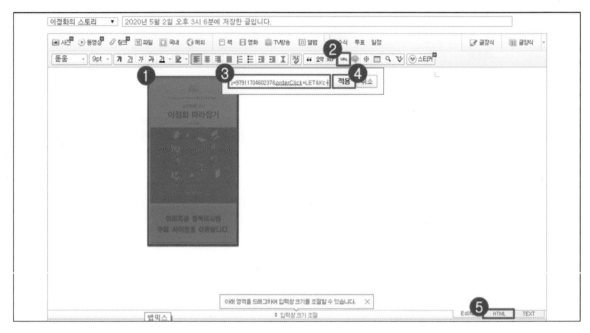

1 ①이미지를 [드래그]해서 그림과 같이 파랗게 활성화시켜줍니다.

②상단 메뉴에서 [URL]를 클릭합니다.

③앞에서 책 구매 링크 주소 복사한 것을 http:// 지운 후 [붙여넣기] 합니다.

④[적용]를 클릭합니다.

⑤화면 하단에 [HTML]를 클릭합니다.

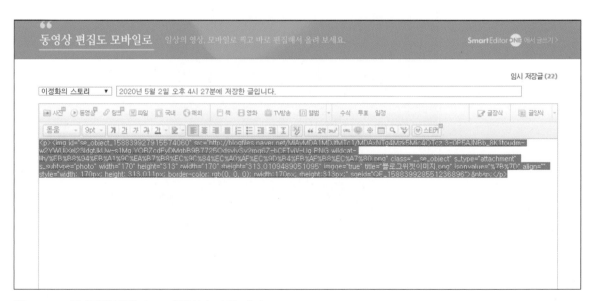

1 HTML를 클릭하면 소스 화면이 나옵니다.

나오는 소스를 모두 선택 드래그해 [복사]합니다.

다음은 하단 화면으로 이동합니다.

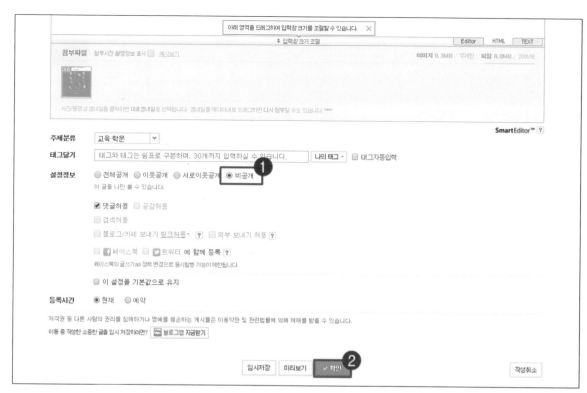

1 ①설정 정보에서 [비공개]로 설정합니다.

②[확인]을 클릭합니다. 여기까지가 이미지를 저장하는 과정입니다.

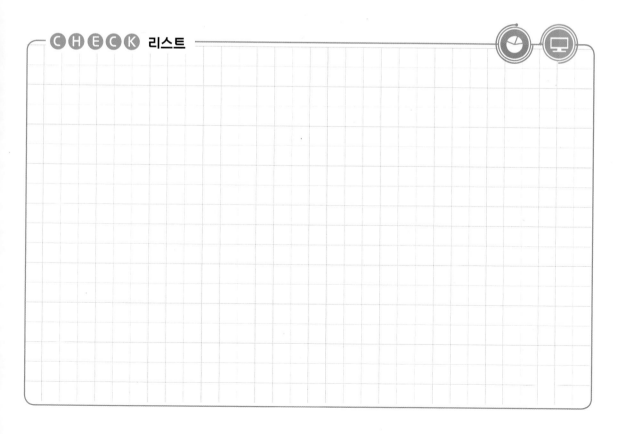

☑ 위젯 등록을 위해 내 블로그 상단에 ①[내메뉴]를 클릭합니다.

② 하위 메뉴에서 [관리]를 클릭합니다.

☑ 다음 카테고리 중 [꾸미기 설정]를 클릭합니다.

☑ 꾸미기 설정 스킨 선택 메뉴 중 [레이아웃 설정]을 클릭합니다.

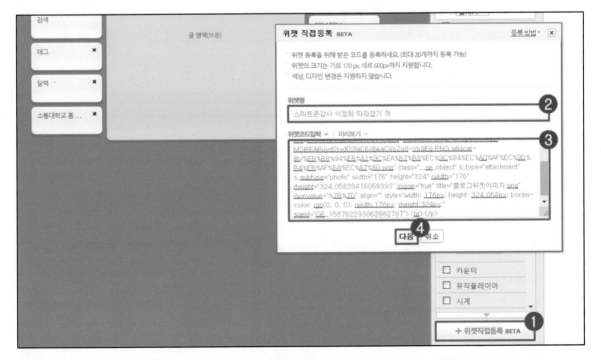

☑ ①레이아웃 위젯 설정 화면에서 [+위젯직접등록]을 터치합니다. ②[위젯명] 입력합니다.

③앞에서 복사해 온 [위젯코드]를 붙여넣기 합니다. ④[다음]을 클릭합니다.

뉴미디어 마케팅 교육 전문 SNS소통연구소

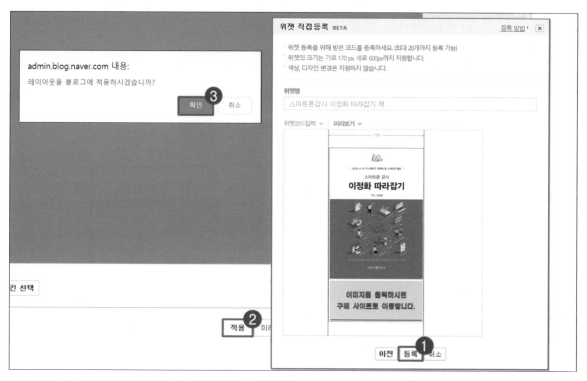

1 위젯 코드를 적용하면 위젯 이미지가 보입니다. ①[등록]을 클릭 후 하단에 ②[적용]을 클릭합니다. ③[확인]을 클릭하면 이미지 위젯 만들기가 완료됩니다.

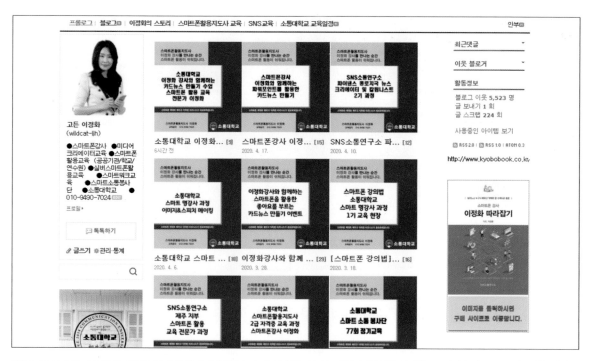

1 블로그에 이미지 위젯이 설정된 화면입니다. 위젯 이미지를 클릭하면 책 구입 화면으로 이동합니다.

이미지 위젯은 내가 원하는 위치에 설정할 수 있습니다.

이미지 위젯 크기는 가로 [170px 세로 600px]까지 지원합니다.

❸ 블로그 대표 썸네일 이미지 만들기

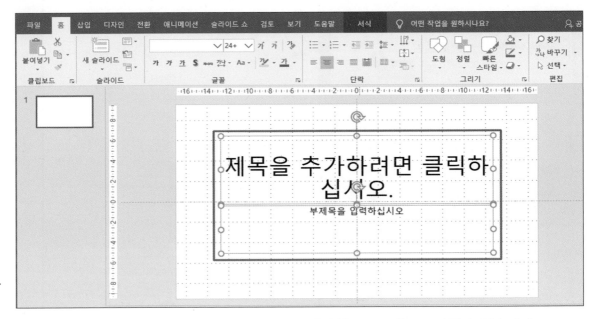

[1] 블로그 대표 썸네일은 포토샵, 포토 스케이프 등 다양한 프로그램으로 만들 수 있습니다.
여기에서는 파워포인트로 만들어 보겠습니다. **[파워포인트 (PowerPoint)]**를 실행합니다.
새 슬라이드에 기본 텍스트 창을 지워줍니다.

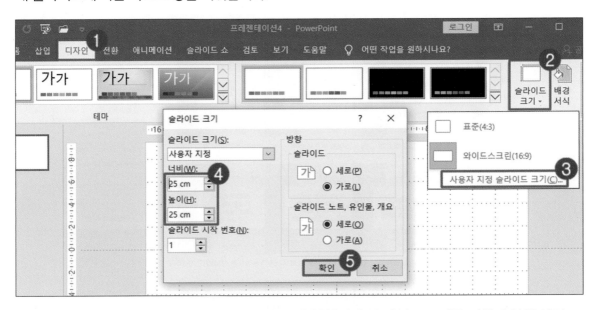

[1] 블로그 대표 썸네일 사이즈는 기본 1:1 비율을 추천합니다. 슬라이드 크기를 정하기 위해 상단
메뉴에서 ①**[디자인]**을 클릭합니다. ②디자인 탭 하위메뉴 우측 **[슬라이드 크기]**를 클릭 후
③**[사용자 지정 슬라이드 크기]**를 클릭합니다. ④슬라이드 크기 팝업창에 **[너비와 높이]**를 입력합
니다. (슬라이드 크기는 1:1이므로 너비와 높이 값을 동일하게 설정해줍니다)
⑤**[확인]**을 클릭합니다.

뉴미디어 마케팅 교육 전문 SNS소통연구소

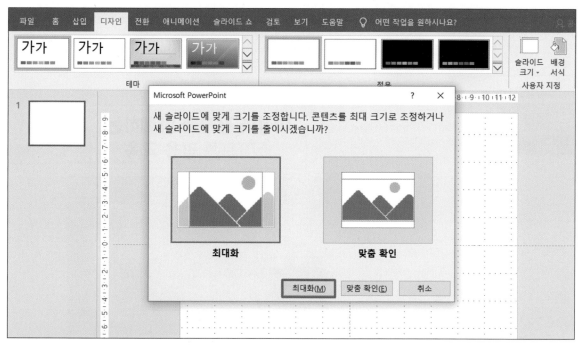

1 [**최대화**]를 클릭해 슬라이드 크기를 변환합니다.

1 슬라이드에 사진을 첨부해보겠습니다.

①상단 메뉴에서 [**삽입**] 탭을 클릭합니다. ②삽입 하위메뉴에서 [**그림**]을 클릭합니다.

③내 PC에서 내 사진을 가져올 수 있습니다.

④온라인 그림을 가져올 수 있습니다. ⑤사진을 첨부해 슬라이드 하단에 배치합니다.

■ 텍스트를 입력하기 위해 ①[텍스트 상자]를 클릭합니다.

②텍스트 상자에 필요한 문구를 입력합니다.

③[글꼴 상자]의 메뉴를 활용하여 글꼴, 글 크기, 글 효과를 주어 문구를 꾸며줍니다.

■ 이번에는 이미지에 테두리를 해보겠습니다. 도형 상자에서 ①[액자] 도형을 클릭합니다.

②슬라이드 사방 모서리에 맞춰 드래그합니다. ③[노란색 포인트]를 조절해 테두리 두께를 조절합니다. ④테두리 도형 [색상]을 정하고 테두리 도형의 [윤곽선]을 삭제해 마무리합니다.

뉴미디어 마케팅 교육 전문 SNS소통연구소

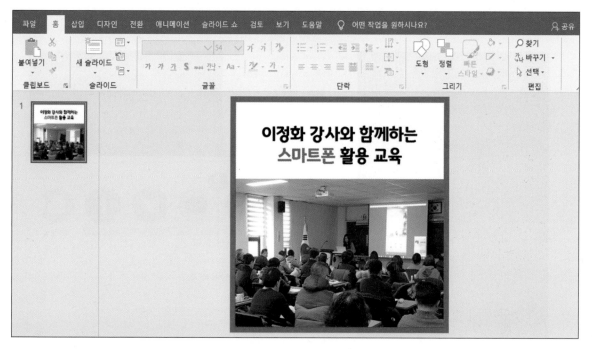

1️⃣ 완성된 블로그 대표 썸네일 입니다.

개인의 개성에 따라 블러 처리 및 도형추가 등 다양하게 꾸밀 수 있습니다.

한번 만들어 놓은 썸네일은 사진과 텍스트를 수정하여 계속 사용할 수 있습니다.

4️⃣ 유튜브와 블로그 연동하기 (PC버전)

1️⃣ 유튜브에서 블로그로 연동할 영상을 선택합니다. 위에 예시는 유튜브에 내 채널 화면입니다.

1 연동할 영상을 플레이한 후 화면 하단에 ①[공유]를 클릭합니다.

②공유 사이트 메뉴에서 [Naver]를 클릭합니다.

1 내 블로그로 공유하기 화면입니다.

①[제목]을 입력합니다.

②영상을 설명하는 [내용]을 입력합니다.

③[카테고리]를 선택합니다.

④[공개설정]을 설정합니다.

⑤[글쓰기]을 클릭하면 블로그에 유튜브 영상 공유가 완료됩니다.

⑤ 유튜브와 블로그 연동하기 (모바일 버전)

① 모바일 유튜브 첫 화면에서 우측 상단에 [계정] 아이콘을 터치합니다. ② 계정 화면에서
[내 채널]을 터치합니다. ③ 네이버 블로그로 연동할 [동영상]을 선택하여 터치합니다.

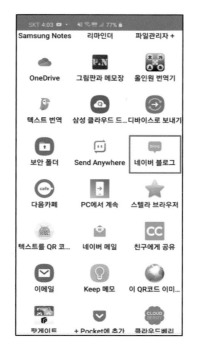

① 연동할 영상을 플레이한 후 화면 하단에 [공유]를 터치합니다. ② 공유 사이트 메뉴에서
[네이버 블로그]를 터치합니다. ③ 내 블로그로 공유하기 화면입니다. ①[제목]을 입력합니다.
②영상을 설명하는 [내용]을 입력합니다. ③[카테고리 및 공개여부]를 설정합니다. ④[등록]을
터치하여 영상 공유를 완료합니다.

5강. 네이버 광고 시스템 활용하기

1 네이버 검색 광고 활용하기

[네이버 검색 광고]

네이버 검색 광고는 이용자가 검색창에 키워드를 검색했을 때, 혹은 내 광고와 연관성이 높은 콘텐츠 페이지에 이용자가 방문했을 때 광고주님의 사이트로 연결될 수 있는 홍보 채널을 제공하는 광고입니다.

1. 네이버 사이트 검색광고란?

네이버 검색창에 특정 키워드를 검색했을 때, 검색 결과에 제목과 설명, 사이트 URL이 나열된 것을 보실 수 있는데요. 이것이 바로 네이버 검색 광고 대표 상품인 '사이트 검색 광고(구. 클릭초이스)'입니다.

예를 들어, 성남에서 운전학원을 운영하는 원장님이 네이버 통합검색 결과에 우리 학원을 홍보하고 싶다면, 네이버 검색 광고를 집행할 수 있는데요. '성남 운전학원' 키워드를 구매하고, 이용자가 네이버 검색창에 '성남 운전학원'을 검색했을 때, 우리 학원 사이트 주소와 소개 글이 보이게끔 하는 것입니다.

2. 사이트 검색 광고, 어디에 노출되나요?

사이트 검색 광고는 네이버 통합검색 결과 '파워링크, 비즈 사이트 영역' 뿐 아니라 블로그, 지식 iN, 카페 등의 네이버 서비스 영역과 네이버 검색 광고와 제휴를 맺은 외부 사이트에도 노출됩니다.

한 번 등록해두면 다양한 영역에 동시 노출되는 것으로 광고를 어디에 노출하고 노출하지 않을지는 광고주가 직접 자유롭게 선택하고 수정할 수 있습니다.

3. 사이트 검색 광고, 어떤 모습으로 노출되나요?

사이트 검색 광고는 기본적으로 제목 15자 + 설명 45자 + 사이트 주소로 구성되어 아래와 같은 모습으로 노출됩니다. 단, 모바일에서는 아래와 같이 노출 영역에 따라 조금씩 다른 모습으로 광고가 노출됩니다.

4. 사이트 검색 광고는 몇 개까지 노출되나요?

광고 개수 또한 노출 영역에 따라 다릅니다. 네이버 통합검색 결과에서는 파워링크 영역에 최대 10개, 비즈 사이트 영역에 최대 5개의 광고가 노출되고 하단 광고 '더보기' 버튼을 클릭하면 등록된 광고가 추가적으로 더 노출됩니다. 또한 VIEW, 지식 iN, 외부 제휴 사이트 등 노출되는 곳에 따라 개수가 다릅니다.

5. 광고 노출은 어떤 방식으로 결정되나요?

기본적으로 광고 노출은 각각의 광고주들이 그 키워드에 얼마의 입찰가를 입력했느냐에 따라 입찰 경쟁 방식에 의해 키워드마다 광고 노출 순서가 결정됩니다. 단, 광고 노출 여부와 순위는 입찰가만 100% 고려하여 결정되는 것이 아닌데요. '품질 지수'라고 해서 각 광고마다 부여되는 광고 품질 측정 기준이 있습니다. 최종적으로 광고주가 입력한 입찰가와 품질 지수를 종합적으로 고려하여 광고 노출 여부와 노출 순서가 결정됩니다.

아래 이미지의 70원, 80원과 같은 입찰가는 내 광고를 이용자가 한 번 클릭할 때마다 최대 얼마까지 지불할 수 있는지를 의미하는 클릭당 최대 금액을 말합니다. 입찰가는 키워드별로 설정할 수 있으며 최소 70원~최대 10만 원까지 광고주가 직접 입력할 수 있습니다.

6. 광고비는 얼마가 되는 것인가요?

사이트 검색광고는 클릭이 일어난 횟수만큼 비용을 지불하는 방식입니다. 이용자가 내 광고를 몇 번이나 클릭했는지와 클릭당 비용을 곱하여 광고비를 산정하고 있습니다.

여기에서 클릭당 비용은 각 키워드에 광고주들이 입력한 입찰가와 여러 조건을 고려하여 최종 결정됩니다. 즉, 내가 입력한 입찰가가 실제 지불 비용이 되는 것이 아니라, 내 광고 아래 순위(차순위) 광고의 입찰가 및 품질 지수를 고려하여 클릭 비용이 결정됩니다. 단, 이때 클릭당 비용은 내가 입력한 입찰가를 초과하지 않습니다.

예를 들어 '청바지'라는 키워드를 구매했는데 키워드의 클릭당 비용이 200원이고 이용자가 내 광고를 100번 클릭했다고 가정한다면, 내가 지불해야 하는 광고비는 200원과 100번을 곱하여, 총 2만 원이 됩니다.

단, 광고비는 선불 혹은 후불 계산하는 방식이 아니라, 내 계정에 원하는 만큼 일정 금액을 미리 충전해 놓으면 해당 금액에서 광고 클릭이 발생했을 때 그때그때 차감되는 방식입니다. 따라서 계정에 잔액이 없으면 광고 노출이 자동으로 중단되게 됩니다.

온라인교육 · 고객센터 · **광고**상품안내 · 직접운영안내 · 오프라인교육 · 공식대행사 · **광고**등록기준
네이버 광고 소개, 사이트검색광고, 쇼핑검색광고, 콘텐츠검색광고, 브랜드검색 안내.

1️⃣ 네이버 검색창에 [네이버 광고]라고 입력한 후 클릭합니다.

1️⃣ ①[자세히 보기]를 클릭하시면 광고 유형별 상품 및 검색 광고 마케팅 성공사례들을 볼 수 있습니다. ②카테고리별로 클릭해보면 광고 종류에 대해서 자세히 알 수 있으며 [운영안내]를 클릭하면 [직접 운영]과 [공식 대행]에 대해서도 자세히 알 수 있습니다. ③ 네이버 광고를 시작하기 위해서 [신규 가입]을 클릭합니다.

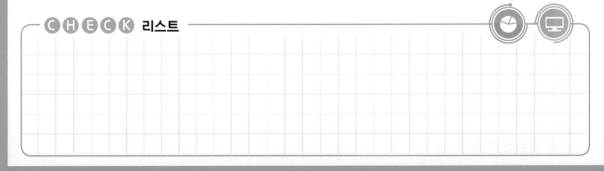

ⒸⒽⒺⒸⓀ **리스트**

뉴미디어 마케팅 교육 전문 SNS소통연구소

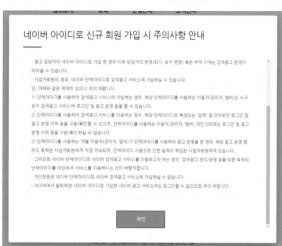

1️⃣ [네이버 아이디로 신규 회원 가입]을 클릭합니다. 2️⃣ [확인]을 클릭합니다.

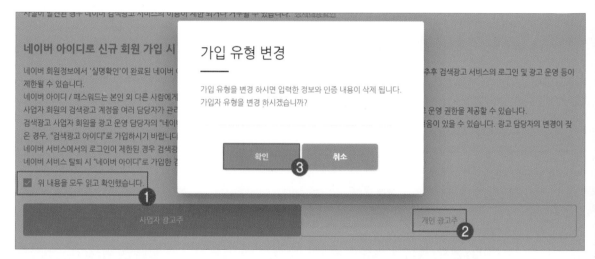

2️⃣ ①체크 박스에 체크합니다. 사업자가 있지 않은 경우 ②[개인 광고주]를 선택합니다.

③[확인]을 클릭합니다.

기본 정보		
아이디	N urisesang71	
이름	이종구	
이메일	urisesang71 @ naver.com	네이버 검색광고 관리를 위한 정보를 받을 메일 주소입니다. 광고의 상태 변경 및 비즈머니 잔액, 세금계산서가 네이버 메일 주소로 발송됩니다.
전화번호	010 ▼ 9967-6654	
휴대전화번호	휴대전화번호 인증	네이버 검색광고 관리를 위한 정보를 받을 휴대전화 번호를 입력하십시오. 휴대전화에 스팸설정을 하신 경우 메시지가 도착하지 않을 수 있으니 스팸설정을 변경하여 주시기 바랍니다.
주소	우편 번호를 검색해주세요	우편번호 검색

3️⃣ 기본 정보 입력 후 [휴대전화 번호] 입력 후 [휴대전화 번호 인증]을 클릭합니다.

1️⃣ 인증을 받기 위해 [**인증키발송**]을 클릭합니다. 2️⃣ 인증 번호 입력한 후 [**인증**]을 클릭합니다.

3️⃣ ①[**홍보성 메일/문자/톡톡**] 서비스는 네이버 광고를 지속적으로 한다면 필요하니 체크를 하는 게 좋습니다. ②[**가입**]을 클릭합니다.

4️⃣ [**신규 광고주를 위한 광고 집행 가이드**]를 참고하시면 [**네이버 광고**]에 대해서 자세히 알 수 있습니다.

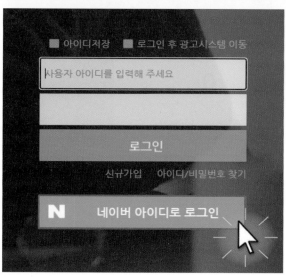

1️⃣ ①[Self Study 바로가기]를 클릭하면 네이버 비즈니스의 모든 온/오프라인 교육 과정을 한눈에 확인할 수 있습니다. ②[교육 일정 보러가기]를 클릭하면 다양한 무료 교육을 신청할 수 있습니다. ③[네이버 검색 광고 시작하기]를 클릭합니다. 2️⃣ 네이버 광고를 시작하기 위해서 [네이버 아이디로 로그인]을 클릭합니다.

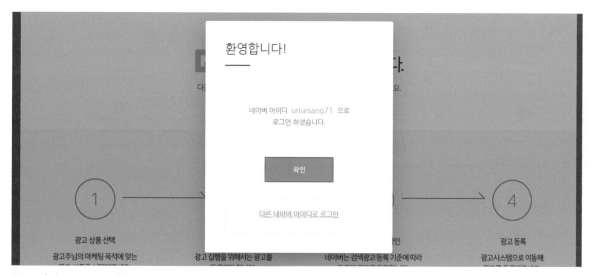

3️⃣ [확인]을 클릭합니다.

4️⃣ 처음 광고를 시작할 때 팝업창이 뜨는데 우측 상단에 [X]를 클릭합니다.

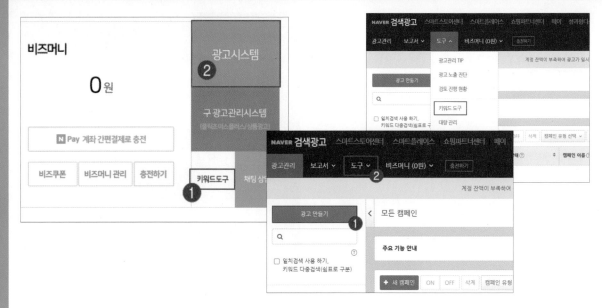

1 ①[키워드 도구]를 클릭하면 연관 키워드를 조회할 수 있습니다.

②[광고 시스템]을 클릭합니다.

2 ①[광고 만들기]를 클릭하면 바로 광고 소재를 만들고 노출 신청을 할 수 있습니다.

광고하기 전에 연관 키워드를 조회하기 위해 ②[도구]를 클릭합니다.

3 [도구]를 클릭하면 하위로 메뉴들이 나오는데 [키워드 도구]를 클릭합니다.

4 자신이 취급하는 제품 및 컨텐츠와 관련된 키워드를 입력합니다.

여기서는 ①[사과]를 입력한 후 ②[조회하기]를 클릭합니다.

③[사과 유명한 곳]을 추가하고 싶다면 [추가]를 클릭합니다.

④[사과 유명한 곳]이 선택한 키워드 영역에 보입니다.

⑤[월간 예상 실적 보기]를 클릭하면 입찰가에 따른 한 달 예상 성과를 조회해 볼 수 있습니다.

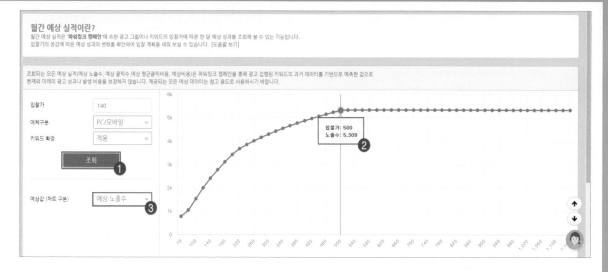

고령자 시니어 실버들을 위한 소통대학교

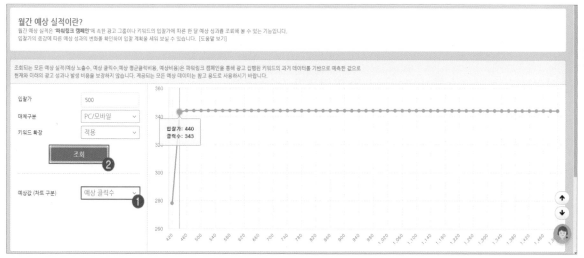

▨ [사과 맛있는 곳] 키워드에 대한 [입찰가], [매체 구분], [키워드 확장]등을 선택하고

①[조회]를 클릭합니다.

②마우스 커서를 원형 점에 갖다 대면 예상 [입찰가]와 한 달간 평균 [노출수]를 알 수 있습니다.

③기본은 [예상 노출 수]인데 [예상 클릭 수] 현황을 보고 싶다면 아래 방향 화살표를

클릭합니다. 위 데이터는 키워드 광고할 때 참고사항으로 보시면 됩니다.

▨ ①[예상 클릭 수]를 선택합니다.

입찰가 500원으로 조정하고 [매체 구분], [키워드 확장]등을 선택하고 ②[조회]를 클릭합니다.

마우스 커서를 원형 점에갖다 대면 예상 [입찰가]와 한달간 평균 [클릭 수]를 알 수 있습니다.

위 데이터는 키워드 광고할 때 참고사항으로 보시면 됩니다.

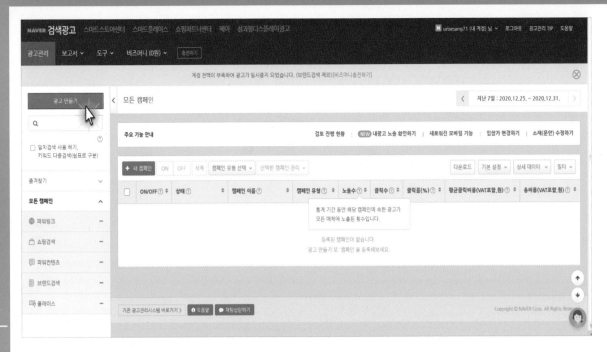

☑ 사이트 검색 광고를 하기 위해서 **[광고 만들기]**를 클릭합니다.

☑ ①**[자세히 보기]**를 클릭하면 캠페인에 대해서 자세히 알 수 있습니다.

②**[캠페인 유형 ?]**을 클릭하면 해당캠페인의 목적에 대해서 간략히 설명하고 있습니다.

여기서는 네이버 통합검색 및 네이버 내외부의 다양한 영역에 텍스트와 사이트 링크를 노출하는

기본형 검색광고인 ③**[파워링크 유형]**을 선택합니다.

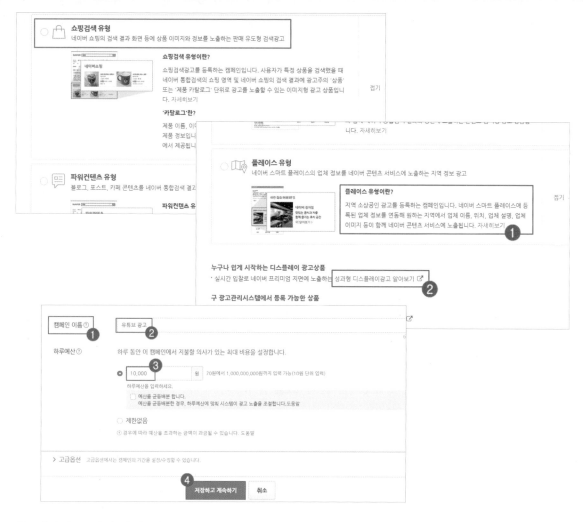

고품격 시니어 실버들을 위한 소통대학교

1️⃣ 네이버 쇼핑의 검색 결과 화면 등에 상품 이미지와 정보를 노출하는 판매 유도형 검색 광고를 하고 싶다면 **[쇼핑 검색 유형]**을 선택합니다.

2️⃣ ①플레이스 유형이란? 지역 소상공인 광고를 등록하는 캠페인입니다. 네이버 스마트플레이스에 등록된 업체 정보를 연동해 원하는 지역에서 업체 이름, 위치, 업체 설명, 업체 이미지 등이 함께 네이버 콘텐츠 서비스에 노출되기에 상점이나 식당 등 지도 영역에 노출되는 것이 좋은 업종이라면 꼭해야 할광고 서비스입니다. 네이버 밴드 앱등 프리미엄 지면에 광고하고 싶다면 **[성과형 디스플레이광고 알아보기]**를 클릭합니다.

3️⃣ ①캠페인 이름은 광고에 실제 노출되지 않고, 광고 관리 목적으로만 사용됩니다. 여기서는 유튜브 관련된 광고를 할것이기에 ②**[유튜브 광고]**라고 입력합니다. ③캠페인 유형에 따라 최소금액과 최대 금액 변경이 됩니다. 여기서는 10,000원을 입력합니다. ④**[저장하고 계속하기]**를 클릭하면 새 광고 그룹을 만들 수 있습니다.

하루예산 ⑦　하루 동안 이 캠페인에서 지불할 의사가 있는 최대 비용을 설정합니다.

● 10,000　　　　　　　　원　70원에서 1,000,000,000원까지 입력 가능(10원 단위 입력)

하루예산을 입력하세요.

☐ 예산을 균등배분 합니다.
　예산을 균등배분한 경우, 하루예산에 맞춰 시스템이 광고 노출을 조절합니다.도움말

○ 제한없음

ⓘ 경우에 따라 예산을 초과하는 금액이 과금될 수 있습니다. 도움말

∨ 고급옵션　고급옵션에서는 캠페인의 기간을 설정/수정할 수 있습니다.

기간 ⑦　해당 캠페인의 광고노출 기간을 설정합니다.

○ 오늘부터 종료일 없이 계속노출

● 시작 및 종료 날짜 설정　2021-01-01　📅　~　2021-01-01　📅

저장하고 계속하기　　취소

1 [고급 옵션]을 클릭합니다.

②네이버 광고 [시작 및 종료 날짜 설정]을 할 수 있습니다.

③[저장하고 계속하기]를 클릭합니다.

✓ 캠페인 만들기　　　2 광고그룹 만들기　　　3 광고만들기 (키워드/소재)

2 새 광고그룹 만들기

광고 그룹은 광고의 운영과 효과 분석, 입찰을 진행하는 단위입니다.　　　　자세히 보기
광고 그룹을 기준으로 누구에게(타게팅) 무엇을 보여 줄 것인가(소재)를 확인한 다음 광고 그룹을 생성하세요.

광고그룹 이름　유튜브 광고_광고그룹#1

13/30

URL ⑦　　URL　http:// ∨　blog.naver.com/urisesang71

등록하시는 비즈채널이 성인사이트 혹은 비회원은 이용할 수 없는 회원전용 사이트입니까?

○ 네　　● 아니오

URL 사용

2 ①노출하고 싶은 웹사이트 주소를 입력합니다. 자신의 블로그 주소를 입력해도 됩니다.

②[URL 사용]을 클릭합니다.

① 기본 입찰가를 직접 설정할 수 있는데 키워드마다 입찰 가격에 따라 노출되는 순서가 다르므로 일단 기본 입찰가격 70원으로 한 다음에 광고그룹을 만들고 자신이 광고하고 싶은 키워드의 네이버에서 노출 순서를 보면서 입찰가격을 올리면 된다.

② ①하루에 최대 지출되는 광고비용을 지정할 수 있습니다.

②[고급 옵션]을 클릭합니다. [고급 옵션] 기능에는 광고를 노출할 매체, 지역, 요일 / 시간 등을 설정할 수 있습니다. ③[저장하고 계속하기]를 클릭합니다.

뉴미디어 마케팅 교육 전문 SNS소통연구소

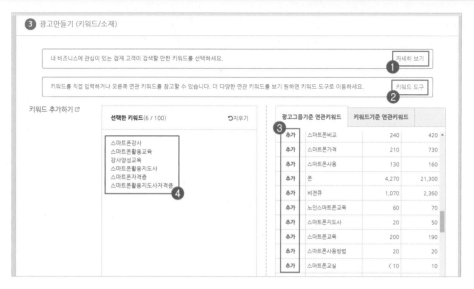

1 ①[**대표 키워드**]와 [**세부 키워드**]에 대해서 자세히 알 수 있습니다.

②원하는 키워드에 대해서 연관 키워드나 월별 진행 상황 등을 보고 싶다면 [**키워드 도구**] 화면으로 이동합니다.

[**광고그룹 기준 연관 키워드**]는 광고그룹을 만들 때 지정한 키워드와 연관된 키워드가 추천됩니다.

③원하는 키워드 좌측에 [추가]를 클릭하면 [**선택한 키워드**] 영역에 한 줄에 하나씩 나열되어 보여집니다. ④선택된 키워드들은 수정과 삭제가 가능합니다. 키워드를 일부 수정하면 좌측에 연관된 키워드들이 다시 보여집니다.

2 ①[**키워드 기준 연관 키워드**]는 자신이 직접 입력하는 키워드와 연관된 키워드를 나열해서 보여줍니다.

②여기서는 [**유튜브 크리에이터**]라고 입력합니다. ③[**조회**]를 클릭합니다.

④연관 키워드들이 보여지는데 추가하고 싶은 키워드가 있다면 좌측에 [**추가**]를 클릭합니다.

1 검색 시 보여주는 광고 문안과 광고를 클릭할 때 연결할 페이지의 URL 등 소재 정보를 입력합니다. ①여기서는 [**유튜브 크리에이터 전문 지도사**]라고 입력합니다. ②설명 부분에는 말 그대로 설명을 할 수도 있지만, 쉼표로 구분해서 관련 키워드들을 입력하는 것이 좋습니다. 20자 이상 입력해야 합니다. ③특별한 경우가 아니라면 [**아니오**]를 클릭합니다. ④[**광고 만들기**]를 클릭합니다.

2 [**소재 생성 오류**]라고 경고문구가 보여지는 경우가 있습니다. 이런 경우는 [**설명**]부분에서 키워드를 나열하는 경우 키워드 입력 후 [**쉼표**]를 입력하고 한 칸 띄운 후 다른 키워드를 입력해야 합니다. [**설명**] 부분에 말 그대로 설명문을 기재하는 경우에는 [**소재 생성 오류**] 문구가 보이지 않을 것입니다.

1 ①[설명] 부분에 키워드를 입력하고 [쉼표] 찍은 후 한 칸 띄우고 다른 키워드를 입력합니다.
②[광고 만들기] 클릭합니다.

2 네이버 파워링크 영역에 보면 노출되는 광고중에서 텍스트만 보이는 경우도 있고 이미지도
보이는 광고가 있는데 [파워링크 이미지 확장 소재의활용 모습] 팝업창이 보여집니다.
[확인]을 클릭합니다.

1 ①광고 노출을 위해서는 [비즈 머니]를 충전해야 합니다. ②[충전하기]를 클릭합니다.

2 ①[충전할 금액]을 선택합니다.
처음에는 10,000원부터 시작해봅니다.
②결제할 카드를 선택합니다.
③[충전하기]를 클릭합니다.

3 ①[고객 식별정보 처리에
동의합니다] 클릭
②[동의]를 클릭합니다.

4 [신용/체크카드]
클릭하고
[충전하기]를 클릭해서
결제를 하게 되면
비즈머니가 충전됩니다.
충전금액이 1천 원
미만으로
떨어지면 문자로
충전하라는 메시지가
옵니다.

1 광고 만들기 영역에

[유튜브 광고 _광고그룹]을 클릭하면 우측에 등록할 키워드들이 나열되어 보여집니다.

입찰가를 변경하고 싶다면

①해당 키워드를 체크합니다.

②[입찰가 변경]을 클릭하면 입찰가를 일괄 변경할 수도 있고 개별 변경을 할 수도 있습니다.

뒤에서 자세히 살펴보도록 하겠습니다.

뉴미디어 마케팅 블록 전문 SNS소통연구소

2 ①기존 광고그룹을 수정하기 위해서 [소재]를 클릭합니다. ②기존 소재를 편집하고자 한다면 클릭합니다. ③새로운 광고그룹을 만들기 위해서 [새 소재]를 클릭합니다. 그럼 하단처럼 [새 소재 생성하기] 화면이 나옵니다.

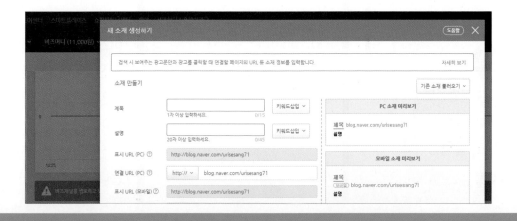

1 ①[확장 소재]를 클릭하면 파워링크 이미지를 삽입해서 방문자들의 클릭을 유도할 수 있습니다.
②[새 확장 소재]를 클릭합니다.
③[파워링크 이미지]를 클릭합니다.

2 이미지를 드래그하거나 클릭해서 등록할 수 있습니다.

1 ①[고급 옵션]을 클릭하면 확장 소재의 일정과 노출 기간을 설정할 수
있습니다. ②[저장 후 닫기]를 클릭합니다.

2 [편집 후 새로 등록]을 클릭하면 수정할 수 있습니다.
확장소재의 [파워링크 이미지]는 2개까지 생성할 수 있습니다.

☑ [키워드] 영역에서 입찰가를 변경해 보도록 하겠습니다.
①입찰가를 변경하고 싶은 키워드를 선택합니다.
②[입찰가 개별 변경]을 클릭합니다.

② ①해당 키워드를 [체크]합니다. ③입찰 가격을 수동으로 입력해도 됩니다.
여기서는 ②[조회하기]를 클릭하면 ③현재 입찰가도 보다 훨씬 많은 금액이 입력됩니다.

입력된 금액은 최고가는 아니고 적정한 추정 금액이 입력되게 됩니다.
④입찰가를 조정할 수 있는 메뉴들입니다.
무조건 최상단에 노출을 원한다면 무조건 높은 입찰가를 입력하면 되겠지만 입찰가를 조금씩 올려
가면서 노출 순위를 살펴보는것이 좋습니다.

1 ①입찰가 변경을 원하는 키워드 [스마트폰 활용지도사]에 체크를 하고 ②[입찰가 일괄 변경]을 클릭하면 보다 디테일하게 입찰가 설정을 할 수 있습니다.

입찰가를 조정하면서 노출 현황을 보고 싶다면 ③[보기]를 클릭합니다.

2 "스마트폰활용지도사" 키워드의 노출 현황보기 화면이 보여집니다. ①[PC 통합검색] 화면이 보여지고 현재 네이버 파워링크 영역에서 최상단에 노출되어 있는 광고들이 보여집니다. 현재 최상단에 보여지는 ②[스마트폰 활용지도사 자격증]의 경우 저자의 다른 계정에서 입찰가 [720원] 정도로 설정이 되어 있는데 사용자들이 그렇게 많이 찾는 키워드가 아니기에 최상단에 노출이 되는 것입니다. 경쟁이 심한 키워드의 경우에는 클릭당 몇천 원에서 많게는 10만 원까지도 클릭당 소진되는 경우가 있습니다. ③[모바일] 영역만 따로 보고 싶으면 클릭합니다. ④광고 등록할 때 [고급 옵션] 에서 지역도 설정을 할 수 있어 [노출 지역]도 검색을 해볼 수 있습니다.

1 고객들이 [유튜브 크리에이터]
키워드로 검색했을 때 네이버 파워링크
상단에 노출되도록 해보겠습니다.

네이버에서 검색을 해보면 PC 홈 화면 파워
링크 영역 첫 번째 페이지에
광고들이 보여집니다.
파워링크 영역 하단에 [더보기]를
클릭합니다.

2 네이버 파워링크에 등록된 광고들만
보여지는데 1번 화면 하단에
[유튜브 크리에이터 전문지도사] 광고가
보여지는데 이것은 저자가 기존에 등록한
계정으로 광고를 한 것입니다.

지금 책에서 설명하고 있는 광고가
노출되도록 해보겠습니다.

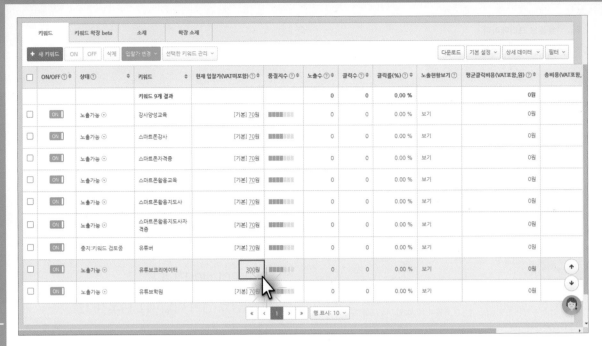

1️⃣ 네이버 파워링크 영역에 노출시키고자 한다면 입찰가를 올려가면서 노출 현황을 지켜봐야 합니다. 입찰가를 변경하고 나서 보통은 3-5분 사이에 바로 적용됩니다.

노출시키고자 하는 키워드가 [유튜브 크리에이터]라면 해당 키워드 부분에 입찰가를 클릭합니다.

2️⃣ ①입찰가를 300원에서 500원으로 올려보겠습니다. ②[선택한 키워드 입찰가 저장]을 클릭해야 변경한 입찰가가 적용이 됩니다. 네이버 방문자가 네 광고를 클릭하면 평균 500원이 비즈 머니 충전금액서 소진된다고 보시면 됩니다.

☐	ON	중지:키워드 검토중	유튜버	[기본] 70원 ▮▮▮▮▯▯	0	0	0.00 %	보기		0원
☐	ON	노출가능 ⊙	유튜브크리에이터	700원 ▮▮▮▮▮▮	0	0	0.00 %	보기		0원
☐	ON	노출가능 ⊙	유튜브학원	1200 ﹀ 변경 취소	0	0	0.00 %	보기		0원

현재 입찰가의 171% 입니다.
기본 입찰가(70원) 적용
을 클릭하면 기본 입찰로 적용됩니다.

행 표시: 10 ﹀

1 입찰가를 500원으로 올렸는데도 노출이 되지 않는다면 그 이상으로 올려봅니다.

보통은 50원에서 100원 단위로 올려보면서 노출 추이를 보는 것이 좋습니다.

여기서는 1,200원으로 올려보겠습니다.

프리랜서 마켓은 어디? 탈잉

http://taling.me

유튜브콘텐츠 · 영상기획 · 인스타촬영 · 인스타운영

꼭 필요한 강의를 듣고 싶을때! 각 분야 전문가들의 노하우공개! 강의 50% 할인

광고집행기간 37~60개월 ▮▮▮

한화DTC

https://dreamplus.io/dtc

여행크리에이터를 꿈꾸는 청년들을 위한 한화그룹 인재육성 CSR프로그램 입니다.

광고집행기간 4~12개월 ▮▮

유튜브 크리에이터 전문지도사

http://blog.naver.com/urisesang71

유튜브크리에이터, 유튜버, 미디어크리에이터, 1인방송, 유튜브자격증, 유튜브학원

광고집행기간 0~3개월 ▮

유튜브 콘텐츠제작, 엣지22 · 맞춤영상 제작 전문

http://edge22.co.kr

엣지회사소개 · 포트폴리오 · 상담신청하기

유튜브 어려워하지 마세요, 숫자로 증명하는 영상, 고객이 찾아보는 영상Edge22

광고집행기간 13~24개월 ▮▮▮

2 입찰가를 올리고 난 후 네이버에서 [**유튜브 크리에이터**] 키워드를 검색해보니 파워링크 영역에 노출이 되긴 하지만 첫 페이지에는 노출이 되지 않고 있습니다.

그리고 다른 광고들은 파워링크 이미지가 있는데 저자가 올린 광고는 텍스트 형태만 보여지고 있습니다.

파워링크 이미지는 확장 소재에서 업로드 하는 것인데 기존에 했는데도 보여지지 않는다면 확인을 해볼 필요가 있습니다.

■ ①[확장 소재]를 클릭합니다. ②[확장 소재 노출 제한]이라고 문구가 보이는 경우
저작권 등에어긋나는 경우 노출이 제한될 수 있습니다. ③[편집 후 새로 등록]을 클릭해서 다른
이미지로 교체해보겠습니다.

뉴미디어 마케팅 교육 전문 SNS소통연구소

② 기존 이미지 우측 상단에 [삭제]를 클릭합니다. 삭제한 후 다시 이미지를 가져올 수 있습니다.

1 이미지 변경이 완료되면 [저장 후 닫기]를 클릭합니다.

2 [확장 소재 검토 중]이라고 문구가 보이는데 보통 관리자가 승인하는데 1일 정도 소요됩니다.

1️⃣ 노출시키고 싶은 키워드 [유튜브 크리에이터]를 네이버 파워링크 영역 첫 번째 페이지에 노출 시키기 위해 입찰가를 4,000원으로 상향 변경해보겠습니다.

2️⃣ 입찰가를 4,000원으로 변경한 후 네이버에서 [유튜브 크리에이터] 변경을 해봤더니 첫 페이지에 노출되는 것을 확인할 수 있습니다. **네이버 파워링크**는 클릭만 하면 충전된 금액이 소진되기 때문에 경쟁사에서 의도적으로 클릭하는 경우도 발생을 합니다.(물론 같은 IP에서 여러 번 클릭하는 건 1번으로 인정됩니다.) 하지만, 자신의 사이트나 제품을 홍보하고자 하는 분들이라면 다양한 방법으로 네이버 검색 광고를 통해 파워링크 유형, 쇼핑 검색 유형, 파워컨텐츠 유형, 브랜드 검색 유형, 플레이스 유형등에 광고를 해야 할 것입니다. 사업을 하시는 사장님들이 직접 광고를 관리하지 않더라도 어느 정도 이해를 하고 계시는 상태에서 대행사와 일을 하신다면 일의 효율성과 효과성을 극대화하실 수 있을 것입니다.

1 소상공인들의 경우 자신의 홈페이지나 블로그 및 유튜브 채널 등을 명함이나 브로슈어 같은 곳에 표기하는 경우가 많습니다.

그럼 고객들은 보통은 네이버에서 검색해보게 됩니다.

이런 경우에는 고객들이 많이 찾지 않는 키워드라면 저렴한 금액으로 네이버 최상단 영역에 노출을 시킬 수 있습니다.

자신의 제품이나 콘텐츠를 홍보하기 위해서는 기회비용을 높이기 위해서라도 네이버 광고를 통해 파워링크 등록을 할 필요가 있습니다.

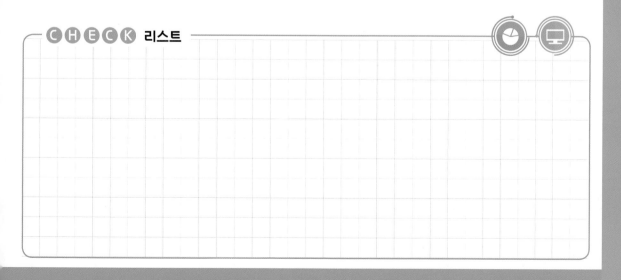

6강. 네이버 서비스 마케팅 제대로 활용하기

1 네이버 스마트 플레이스 마케팅

네이버 스마트 플레이스는 네이버 지도를 뜻합니다. 스마트 플레이스는 모바일 검색량이 증가하면서 주변 지역에서 업체, 서비스를 찾는 고객에게 자신의 업체, 서비스를 노출할 수 있다는 장점이 있습니다.

등록을 하게 되면 업체명, 설명, 영업시간, 예약, 전화번호, 이미지 등의 정보를 제공할 수 있고, 위치 정보를 통해 근처에 있는 고객에게 보다 효율적으로 홍보할 수 있다는 장점이 있습니다. 또한 플레이스 정보를 통해 네이버 지식 iN 카드를 제작하여, 지식 iN 서비스를 이용하는 사람들에게 업체를 홍보할 수 있습니다.

네이버 스마트 플레이스 상위 노출을 하기 위해 기본적으로 갖추어야 할 6가지

1. 스마트 플레이스 필수 정보와 상세정보를 검색 이용자가 만족할 수 있도록 꼼꼼히 작성할 것

스마트 플레이스를 등록하다 보면 업체명, 설명, 위치, 영업시간, 홈페이지,블로그, 카페 등 입력하라는 내용이 많습니다. 입력할 수 있는 내용을 최대한 입력하고 서비스, 업체에 대해 구체적인 설명이 들어가는 것이 좋습니다.

2. 대표 키워드 5개를 모두 입력하여 검색어와 연관도를 높일 것

스마트 플레이스 등록 시 키워드를 5개 설정하라고 나옵니다. 이때 키워드를 아무것이나 설정하기보다는 노출하고 싶은 키워드를 잘 고민해서 등록하는 것이 좋습니다.

3. 사진으로만 봐도 매력적인 이미지를 네이버 플레이스 이미지로 사용하는 것이 좋습니다.

돈을 아무리 안 쓰고 한다고 해도 사진만큼은 투자하시길 추천 드립니다. 업체 사진과 메뉴 사진의 경우 전문 작가를 통해 누가 봐도 매력적으로 느낄 만한 사진을 등록해야 고객들의 눈을 사로잡을 수 있습니다.

요즘 스마트폰 카메라의 경우 카메라 설정에 들어가면 [파일 형식 및 고급 옵션]에서 [RAW 파일]로 설정을 활성화하고 [프로모드]에서 촬영하면 해상도가 높은 양질의 결과물을 얻을 수 있습니다.

4. 네이버의 다른 서비스 채널들과 연동하면 고객 유입이 늘어납니다.

네이버 예약, 네이버 톡톡, Modoo, 스마트 주문, N 페이 등 다양한 네이버 서비스 채널과 연동 하면 고객 유입을 늘리는데 도움이 됩니다.

5. 양질의 방문자 리뷰와, 블로그 리뷰

숫자 늘리기보다는 방문자(영수증, 예약자, 테이블 주문 리뷰) 좋은 평점과 긍정적인 글과 사진, 단순 배포가 아닌 노출이 어느 정도 되는 블로그를 사용해서 홍보한다면 고객들의 유입을 증가 시킬 수 있습니다. 예를 들어 SNS 마케팅 대행업체를 통해서 [블로그 체험단]을 운영해 본다거나 지인들을 통해 SNS 마케팅 협업시스템을 구축해서 활용하는 것도 많은 도움이 될 것입니다.

6. 고객들의 리뷰에 답글로 소통

SNS는 Social Network Service의 약자인데 Network의 의미는 소통의 의미입니다. SNS마 케팅 성공의 관건은 고객과 제대로 소통하는 것입니다. 고객들의 리뷰 글에 답글로 소통한다는 것은 그만큼 경영자가 매장을 관리하고 있다는 것을 보여주는 지표입니다. 소비자들은 이런 매장 들에 좀 더 신뢰를 가질 수밖에 없습니다. 이런 신뢰가 지속되다 보면 단골이 많이 생기고 매출도 증대될 것입니다.

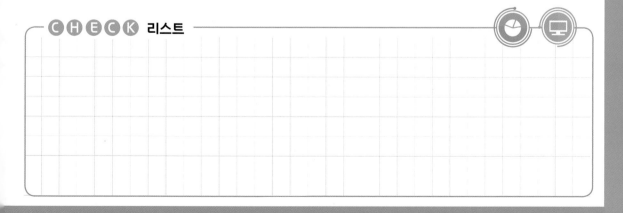

뉴미디어 마케팅 교육 전문 SNS소통연구소

1️⃣ 네이버 검색창에 [네이버 스마트 플레이스]라고 검색한 후 해당 사이트 주소를 클릭합니다.

1️⃣ 업체등록을 위해서 [네이버 스마트 플레이스 홈페이지] 화면 상단 메뉴 중 [신규등록]을 클릭합니다.

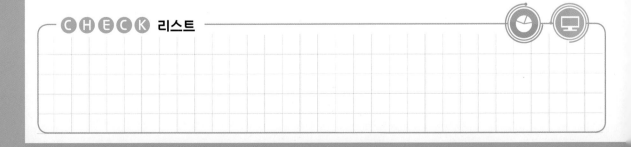

ⒸⒽⒺⒸⓀ 리스트

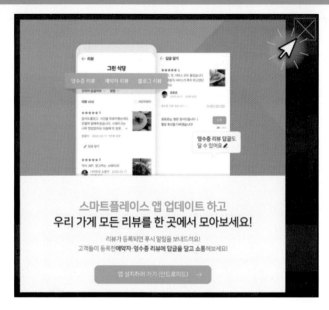

1 [스마트 플레이스] 관련 팝업 광고가 나오는데 우측 상단에 [X]를 클릭합니다.

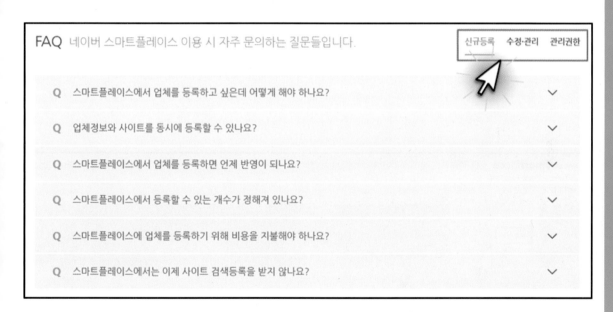

1 [네이버 스마트 플레이스] 홈페이지 중간에 보면 [네이버 스마트 플레이스] 서비스를 이용할 때 자주 문의하는 질문들을 살펴볼 수 있습니다.

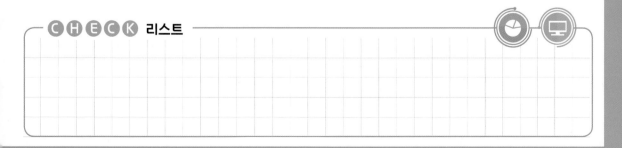

⊘ 네이버에 새롭게 등록하려는 업체가 등록되어 있는지 확인하는 단계입니다.

최근 '네이버' 혹은 '네이버 대행사/제휴사'를 사칭한 일부 업체들이 네이버를 이용하시는 사업주님들을 대상으로
부당한 대행계약을 권유하며 금전적 피해를 발생시키는 사례가 확인되고 있습니다.
스마트플레이스에 업체정보 등록을 준비중인 사업주님께서는 각별히 주의해 주시기 바랍니다.

업체명	에스엔에스소통연구소
전화번호	010 ▼ 9967 6654
주소 ⑦	서울특별시 종로구 대학로12길 주소검색
	63 위치확인/지도보기
업종	[[교육,학문][학원][교습학원][보습학원] 업종검색 ①

네이버에 이미 등록된 업체가 있는지 확인해 보세요 ②

1 ①[**업종 검색**]을 클릭해서 자신의 업체에 맞는 업종을 선택합니다.

②[**등록업체 확인**] 버튼을 터치합니다.

1 기존에 등록한 업체의 경우 수정을 원한다면 [**등록 내역**]을 클릭합니다.

뉴미디어 마케팅 교육 전문 SNS소통연구소

주소 ⑦	서울특별시 종로구 대학로12길	주소검색
	63	위치확인/지도보기
업종	II교육,학문II학원II교습학원II보습학원	업종검색

로그인하신 ID(*urisesang71*)로 이미 관리 중인 업체(업체명)가 있습니다.
변경된 정보가 있으면 수정 또는 삭제를 진행해 주세요.
이미 등록된 업체와 동일한 전화번호로는 업체 등록을 할 수 없습니다. ❶

SNS소통연구소 예약연동 | 플레이스노출
010-9967-6654
서울특별시 종로구 대학로12길 63

수정 ❷ 삭제 관리 권한 위임 ❸

직접 관리 중 (ID: urisesang**)

· 이 업체는 스마트 플레이스와 예약 서비스의 관리자가 동일합니다. 스마트 플레이스에서 관리되는 정보는 예약 파트너센터에서도 함께 반영이 됩니다.
· 이 업체는 [SNS소통연구소] 외 2개의 예약서비스와 연동되어 있습니다.

1 ①이미 등록한 업체의 경우는 [**동일한 전화번호**]로는 새로이 업체 등록을 할 수 없습니다.
기존 업체의 경우 바로 수정을 하고자 한다면 ②[**수정**]을 클릭합니다.
③마케팅 대행업체 등에의뢰할 때는 [**관리 권한 위임**]을 클릭합니다.

등록내역 조회

⊘ 조회방법을 선택해주세요.

◉ 전화번호   [010 ▼] [9967] [6654]
　　　　　　　업체의 대표 전화번호를 입력하세요 ❶

○ 사업자등록번호 [　　　　　　　　　]
　　　　　　　기존에 사업자등록증이 첨부되어있지 않은 경우, 사업자등록번호로 조회되지 않을 수 있습니다

○ 업체명 [네이버에서 검색된 업체명과 동일하게 입력해주세요.]

❷
✓ 조회하기

1 ①[**전화번호**], [**사업자 등록번호**], [**업체명**] 3개 중에 1개를 선택해 입력한 후 ②[**조회하기**]를
클릭합니다.

뉴미디어 마케팅 교육 전문 SNS소통연구소

1 등록한 내역이 보여집니다. 수정을 하고자 하면 [수정]버튼을 클릭합니다.

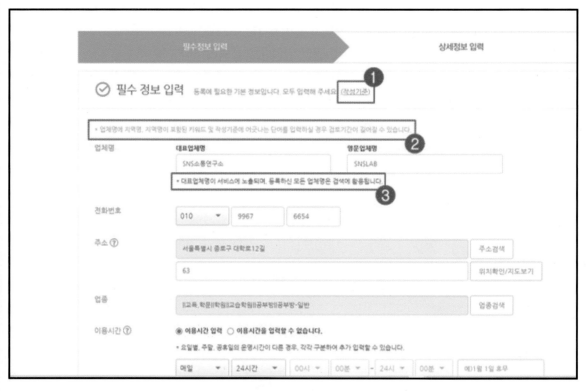

1 ①[작성기준]을 클릭하면 [스마트 플레이스] 작성에 대한 자세한 내용을 볼 수 있습니다.
②업체명에 지역명을 사용하는 경우에는 사업자등록증에 표기된 업체명에 지역명이 포함되어 있어야
합니다. 사업자 등록증이 없는 업체는 간판 사진 및 증빙자료를 제시하면 반영 가능합니다.
③지역에서 주로 영업을 하는 업체라면 사업자 등록증에 표기되어 있는 업체명을 고객들이 자주 찾는
키워드를 분석해서 수정할 필요도 있습니다.

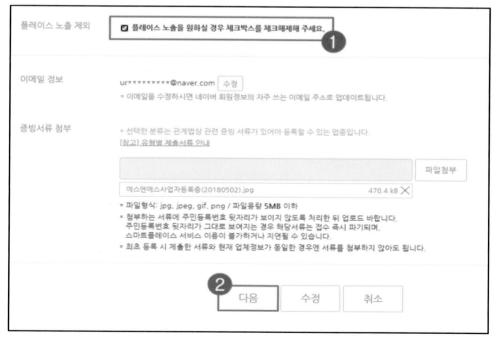

1 ①[가격정보]를 클릭하면 내 업체에서 제공하는 서비스 또는 상품의 가격정보를 어떻게 입력하는지 자세히 알 수 있습니다. ②1건의 가격정보에는 최대 5개의 사진을 등록할 수 있습니다.

③가격정보를 입력할 때도 고객이 자주 찾는 키워드를 분석해서 메뉴명을 정하는 것도 하나의 요령이라고 볼 수 있습니다. ④[대표 키워드]를 입력할 때도 자신만의 제품명도 좋지만 고객들이 자주 찾는 키워드를 정하는 것이 좋습니다.

1 ①스마트 플레이스를 보완 중일 경우에는 노출 제외를 체크하면 노출이 되지 않습니다.

[증빙서류 첨부] 메뉴 중 [유형별 제출서류 안내] 메뉴를 클릭하시면 사업유형별로 필요한 서류들을 자세히 보실 수 있습니다. ②[다음]을 클릭하면 [상세정보 입력]을 할 수 있습니다.

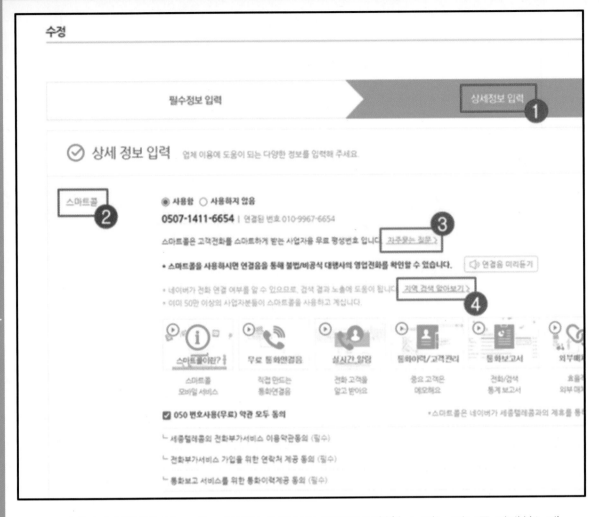

① [상세정보 입력]은 말 그대로 상세하게 자신의 업체를 표현할 수 있는 정보를 기재하는게 좋습니다.

② [스마트콜]은 네이버 스마트 플레이스 등록 사업자라면 누구나 무료로 사용할 수 있으며 자신이 원하는 번호로는 할 수 없습니다.

③ 스마트콜에 대해서 [자주 묻는 질문]에 대해서 볼 수 있습니다.

④ 스마트콜을 이용하면 네이버가 전화 연결 여부를 알 수 있어 검색 결과 노출에 도움이 됩니다.

CHECK 리스트

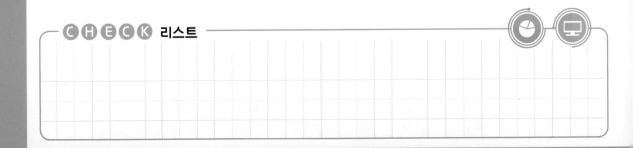

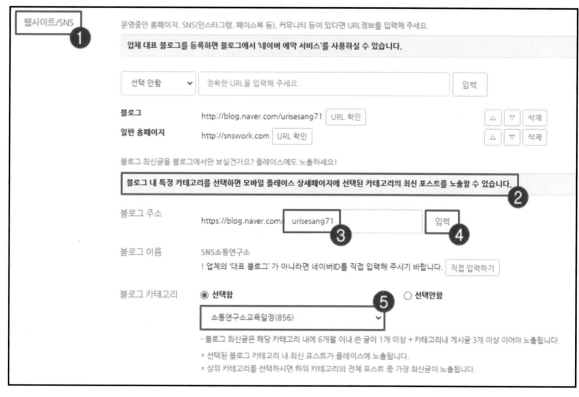

1 ①[웹사이트/SNS] 섹션은 자신이 운영 중인 홈페이지나 SNS 채널을 연동하는 부분인데 무조
건 많이 연결한다고 좋은것은 아니니 고객들에게 제대로 홍보할 수 있는 SNS 채널만 연결하는 것이
다좋을 것입니다

②네이버 예약 서비스에 가입되어 있는 경우 블로그에서 [네이버 예약 서비스]를 이용할 수 있습니다.

③블로그 주소 부분에서는 네이버 ID를 입력한 후

④[입력]을 클릭합니다.

⑤블로그 카테고리를 [선택함]으로 체크하면 자신의 블로그에 있는 특정 카테고리를 노출시킬 수
있습니다.

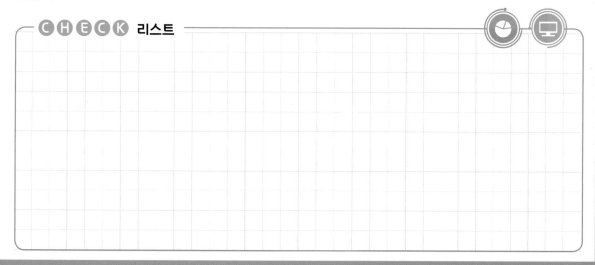

운영중인 홈페이지, SNS(인스타그램, 페이스북 등), 커뮤니티 등이 있다면 URL정보를 입력해 주세요.

업체 대표 블로그를 등록하면 블로그에서 '네이버 예약 서비스'를 사용하실 수 있습니다.

선택 안함 ▾	정확한 URL을 입력해 주세요.	입력

선택 안함
일반 홈페이지
블로그
페이스북
인스타그램
네이버 카페
모두
스마트스토어

http://blog.naver.com/urisesang71 [URL 확인]　△ ▽ 삭제
http://snswork.com [URL 확인]　△ ▽ 삭제

에서만 보실건가요? 플레이스에도 노출하세요!

리를 선택하면 모바일 플레이스 상세페이지에 선택된 카테고리의 최신 포스트를 노출할 수 있습니다.

https://blog.naver.com/	urisesang71	입력

블로그 이름　　SNS소통연구소
! 업체의 '대표 블로그' 가 아니라면 네이버ID를 직접 입력해 주시기 바랍니다. [직접 입력하기]

블로그 카테고리　● 선택함　　　　　　　　　　○ 선택안함

소통연구소교육일정(856) ▾

- 블로그 최신글은 해당 카테고리 내에 6개월 이내 쓴 글이 1개 이상 + 카테고리내 게시글 3개 이상 이어야 노출됩니다.
※ 선택된 블로그 카테고리 내 최신 포스트가 플레이스에 노출됩니다.
※ 상위 카테고리를 선택하시면 하위 카테고리의 전체 포스트 중 가장 최신글이 노출됩니다.

① 웹사이트/SNS 등록을 할 때 [선택 안 함] 우측에 [아래로 방향키]를 클릭하면 다양한 SNS 채널이 보여집니다.

홈페이지나 쇼핑몰 등을 등록할 때는 [일반 홈페이지]를 클릭한 후 등록하면 됩니다.

관련 사이트 주소를 입력한 후 확인을 위해서 [URL 확인]을 클릭하면 제대로 연결이 되었는지 확인할 수 있습니다.

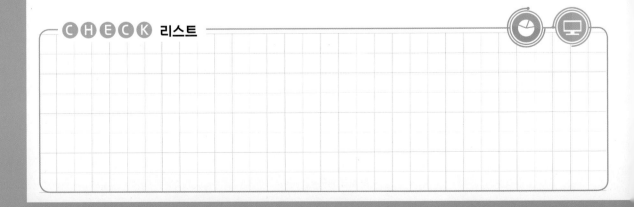

CHECK 리스트

제공서비스	제공하는 서비스를 선택해 주세요. (중복선택가능) *업종을 선택하시면 제공서비스 목록이 보여집니다. ❶				
	☐ 단체석	☑ 주차	☐ 발렛파킹	☐ 포장	☐ 배달	☐ 방문접수/출장
	☐ 예약	☑ 무선 인터넷	☐ 반려동물동반	☐ 유아시설(놀이방)	☑ 남/녀 화장실 구분	☑ 장애인 편의시설
	☐ 지역화폐(지류형)	☐ 지역화폐(카드형)	☐ 지역화폐(모바일형)	☐ 제로페이		

가격표 사진 ⑦ ❷

가격표 사진 첨부 (최대 10장)

업체사진 ⑦ ❸

업체사진 첨부 (최대 120장)

상세설명

스마트폰교육,스마트폰활용지도사교육,스마트폰자격증교육,SNS마케팅교육,블로그마케팅교육,페이스북마케팅교육,인스타그램마케팅교육,
포스트마케팅,지식인마케팅,카페마케팅 등등

찾아가는 길

자가용, 대중교통, 도보 등으로 쉽게 찾아올 수 있는 방법을 안내해 주세요.
예시) 역삼역 6번 출구에서 나와 200m 직진하면 우측에 보이는 주유소 바로 옆 건물의 1층입니다.

고품격 시니어 실버들을 위한 소통대학교

1️⃣ ①업종을 선택하면 제공 서비스 목록이 보여지는데 제공할 수 있는 서비스는 상세하게 체크하는 것이 좋습니다.

②[**가격표 사진**]의 경우에는 업체에서 제공하는 서비스 및 제품의 가격정보를 한눈에 확인할 수 있는 사진을 등록해 주는 게 좋습니다.

③[**업체 사진**]의 경우 업체의 전경이나 간판, 음식, 제품 등의 사진을 등록해 주는것이 좋습니다. 고객의 눈을 한눈에 사로잡을 수 있는 임팩트한 사진을 기획해보는것이 좋습니다.

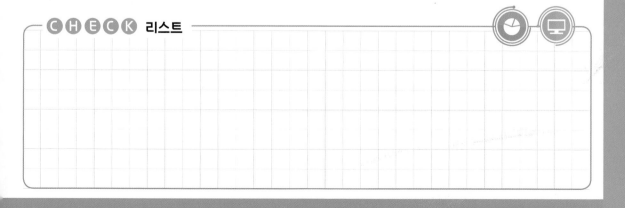

ⒸⒽⒺⒸⓀ 리스트

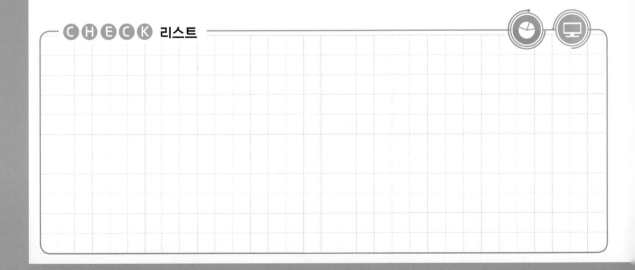

1 ①[**제공 서비스**]에서 [**예약**] 부분을 체크하면 바로 하단에 [**네이버 예약**] 서비스 관련된 내용에 대해 팝업식으로 보여집니다.

②[**예약 서비스 무료 제작**]을 클릭하면 바로 네이버 예약 서비스를 신청할 수 있습니다.

CHECK 리스트

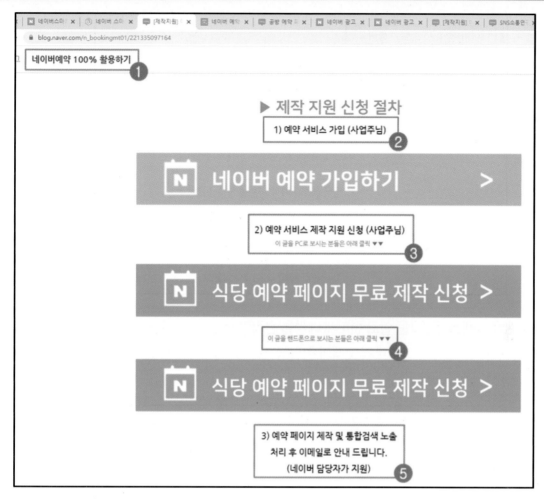

1 ①[네이버 예약 100% 활용하기]는 현재 식당이나 공방업종만 지원을 해주고 있습니다.

②이 부분은 식당 사업자만 가입가능합니다.

③PC에서 보시는 분들은 예약 서비스 제작 지원 신청을 원하시면 클릭합니다.

④스마트폰에서 보시는 분들은 예약 서비스 제작 지원 신청을 원하시면 클릭합니다.

⑤처리 후 5-7일 이내에 이메일로 안내가 옵니다.

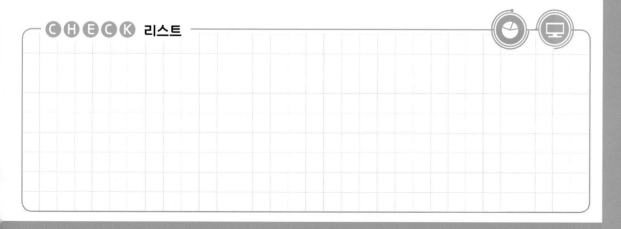

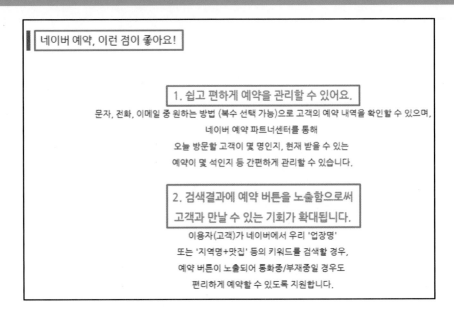

1 [네이버 예약 서비스 장점]은 쉽고 편하게 예약을 관리할 수 있습니다.

검색 결과에 예약 버튼을 노출함으로써 고객과 만날 수 있는 기회비용을 높일 수 있습니다.

1 ①[지역명+맛집 검색 시 노출화면]에 [예약] 버튼이 보여집니다.

②[업체명 검색 시 노출화면]에 [예약] 버튼이 보여집니다.

상세설명	스마트폰교육,스마트폰활용지도사교육,스마트폰자격증교육,SNS마케팅교육,블로그마케팅교육,페이스북마케팅교육,인스타그램마케팅교육, 포스트마케팅,지식인마케팅,카페마케팅 등등
찾아가는 길	자가용, 대중교통, 도보 등으로 쉽게 찾아올 수 있는 방법을 안내해 주세요. 예시) 역삼역 6번 출구에서 나와 200m 직진하면 우측에 보이는 주유소 바로 옆 건물의 1층입니다.
지역소상공인광고	**지역소상공인광고**는 원하는 동(洞)에만 노출하는 지역정보 지역정보 광고(**유료**)입니다. 자세히 알아보기 >

SNS소통연구소의 지역소상공인광고가 미노출 상태 입니다.

노출 정보 설정

※ 스마트플레이스에서는 광고 노출 정보 설정만 가능합니다.
※ 광고 설정/구매는 광고시스템에서 진행하여 주세요. (내 등록내역의 '광고 설정 및 구매' 버튼 이용)

[이전]   [수정]   [취소]

1️⃣ [지역 소상공인 광고]는 원하는 지역에만 노출하는 지역 정보 유료 광고입니다.
[노출 정보 설정]을 클릭하면 광고문구나 광고 이미지 등을 입력할 수 있습니다.
현재는 플레이스 음식점, 생활편의, 학원, 스포츠 / 레저 / 체험 업종을 대상으로 하며, 이후 점차
확대할 예정이라고 합니다.

오프라인 가게를 알리고 싶은 지역 소상공인이 쉽게 집행할 수 있는 광고 상품입니다. 가게 오픈
소식, 이벤트 내용, 신규 메뉴 등을 알리고 싶은 경우, 주변의 잠재 고객에게 노출하여 홍보는 물론
매장 방문까지 유도할 수 있습니다.
노출 영역은 네이버의 뉴스 / 블로그 컨텐츠 서비스 페이지에 업체명, 업체 이미지, 위치, 설명 문구
등이 노출됩니다.

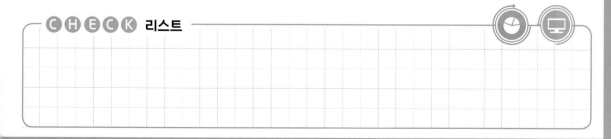

CHECK 리스트

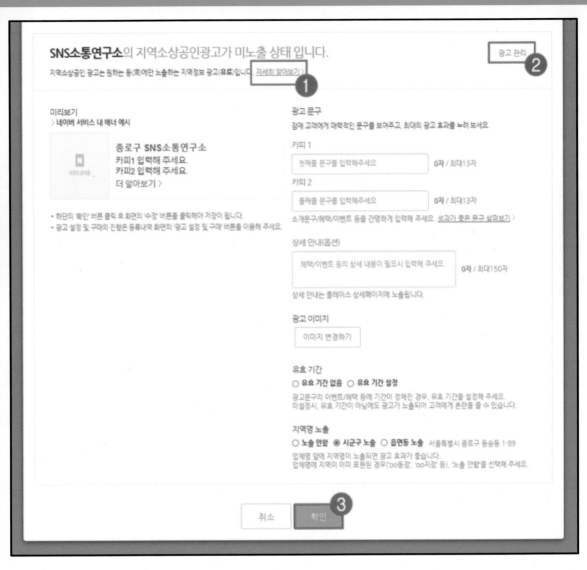

◼ ①[자세히 알아보기]를 클릭하면 [지역 소상공인 광고] 관련된 자세한 내용을 볼 수 있습니다.
②[광고관리]를 클릭하면 [네이버 검색 광고] 화면으로 바로 이동해서 광고를 바로 집행할 수
있습니다. 광고문구부터 이미지 삽입 및 지역명 노출까지 설정하고
③[확인]을 클릭하면 기본적인 [광고 노출 정보] 설정은 됩니다. 광고 설정 / 구매는 광고시스템
에서 진행하면 됩니다.

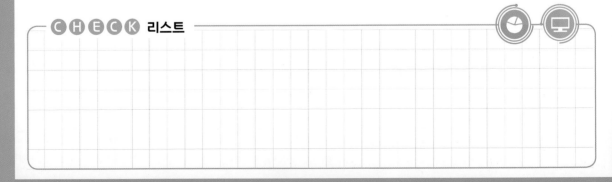

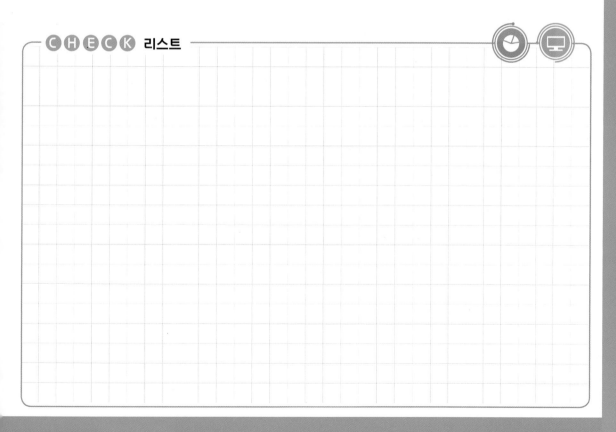

1 [수정 신청 완료] 화면이 보이고 처리 결과는 등록한 이메일로 1일 이내로 발송됩니다.

CHECK 리스트

❸ 네이버 지식인 마케팅

지식인 마케팅 특징

1. 지식인 광고 마케팅은 효과가 매우 큽니다.
2. 지식인 마케팅 같은 경우는 바로바로 구입 확율이 높습니다.
3. 두텁고 튼튼한 고객층을 만들 수 있습니다.
4. 지식인은 무료입니다.

지식인 마케팅 특징

1. 지식인 광고 마케팅은 효과가 매우 큽니다.

네이버에서 지식인을 검색하는 사람들은 본인이 진짜 궁금해하는 내용들의 키워드로 직접 검색을 하기 때문에 명확한 목적을 갖고 있습니다.

그래서 지식인 같은 경우에는 확실한 대상이 생기는 것이기 때문에 마케팅의 효과가 아주 클 수밖에 없습니다.

특히나 요즘에는 스마트폰으로 언제 어디서나 모든 것을 다 하고 있기 때문에 정보수집 검색 공부 여가생활 등등 못 하는 게 없기에 내 콘텐츠를 홍보하는 사람들에게는 기회비용이 더 높아질 수밖에 없습니다.

언택트 시대! 정보화 시대! 스마트폰이 필수인 세상에 지식인과 같은 SNS 마케팅 도구는 사업하는 사람들에게는 필수 도구입니다.

2. 지식인 마케팅 같은 경우는 바로바로 구입 확율이 높습니다.

지식인 마케팅 같은 경우는 다른 홍보성이 짙은 글과는 달리 대상의 질문에 맞게 대답을 하고 정확한 목적성을 띄고 있기 때문에 원하는 정보를 바로바로 얻을 수 있는 장점이 있어 구입할 확율이 매우 높습니다.

통계를 보면 최종적으로 구입할 때 지식인을 검색하시는 분들이 아주 많습니다.

지식인 마케팅을 꾸준하고 지속해서 하다 보면 자연스러운 노출을 통해서 상품 구입을 이끌 수 있는 장점이 있습니다.

일의 효율성과 효과성을 극대화하기 위해서는 꾸준히 지식인에 글을 올리고 매일 매일 관리 하는 것이 아주 중요합니다.

3. 두텁고 튼튼한 고객층을 만들 수 있습니다

지식인을 통해서 질문이 들어오면 진심으로 답변을 할 때에 고객들은
바로 원하는 정보를 얻을 수 있고 이런 일들이 지속되다 보면 신뢰가 쌓이게 됩니다.
신뢰가 쌓이다 보면단골들이 많이 생기게 되는데 소상공인들에게는 이런 단골들이
매우 중요하다는 것은 누구나 아는 바입니다.

4. 지식인은 무료입니다.

지식인 마케팅은 무료로 쉽고 빠르게 키워드 전략만 잘 구성해도 일의 효율성과 효과성
을 극대화할 수 있습니다.
지식인 질문을 하는 데 는 비용이 들지 않고 답변을 다는 것도 비용이 들지 않는 다는 것
입니다.
이 부분만 보더라도 지식인 마케팅을 안 할 수가 없는 것입니다.

결론은 지식인 마케팅은 일반 사람들도 어렵지 않게 할 수 있는 방법이긴 하지만 상위노
출이 되거나 내공이 쌓여야지만 제대로 효과를 볼 수 있기 때문에 그전까지는 꾸준히 업
로드와 답변을 달면서 지식인 마케팅 지수를 높여가야 합니다.

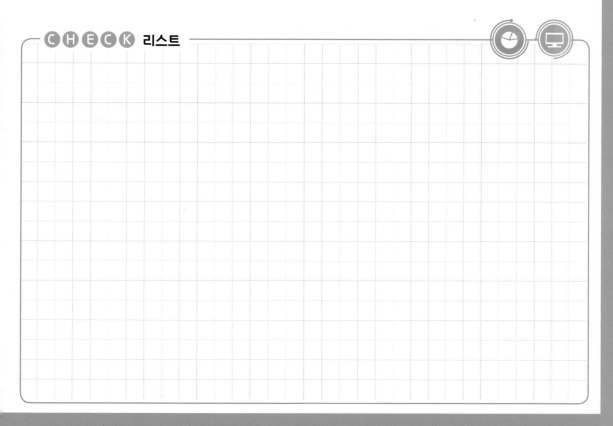

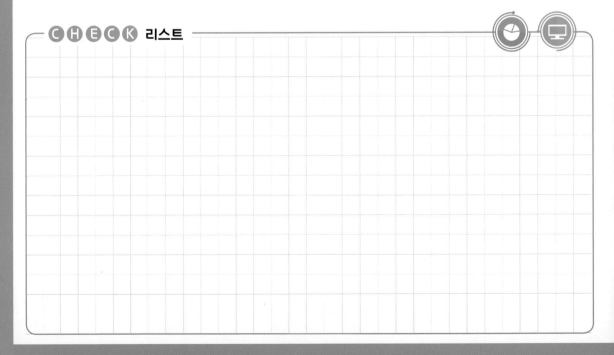

뉴미디어 마케팅 교육 전문 SNS소통연구소

1 네이버에서 웬만한 키워드를 검색하는 경우 블로그, 카페, 쇼핑, 이미지, 동영상, 뉴스 등 다양한 영역에서 노출이 되지만 스마트폰이든 PC에서 가장 많이 노출되는 영역이 [지식 iN] 영역입니다.

예를 들어 [스마트폰 강사], [농산물 직거래] 키워드를 검색하는 [지식 iN] 영역에 노출되는 것을 확인할 수 있습니다. 자신의 제품을 홍보하기 위해서는 필수적으로 [지식 iN]을 활용은 필수입니다.

2 구글[Play 스토어]에서 [지식 iN]을 설치해서 [열기]를 터치합니다.

C H E C K 리스트

1️⃣ 우측상단에 [점 3개]를 터치한 후 [관심 분야 설정]을 터치합니다. [관심 분야], [관심 키워드], [관심 지역]을 설정해 놓으면 추후에 [답변하기]에서 자신의 잠재고객들의 질문에 답변을 할 수 있습니다.

2️⃣ ①[관심 분야]를 추가하기 위해 터치합니다. ②[교육]이 관심 분야라면 입력한 후 돋보기 아이콘을 터치합니다. ③[학원/온라인 교육]이라면 [+]를 터치합니다.

3️⃣ [관심 키워드]도 검색창에 입력한 후 우측에 [+]버튼을 터치하면 추가됩니다

CHECK 리스트

뉴미디어 마케팅 교육 전문 SNS소통연구소

 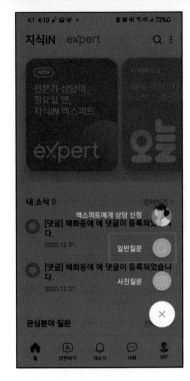 

1️⃣ 지식인에 질문을 하기 위해 [볼펜 아이콘]을 터치합니다. 추후에는 하단 메뉴들도 천천히 살펴보시면 쉽게 활용할 수 있습니다. 2️⃣ [일반 질문]을 터치합니다. [엑스퍼트에게 상담 신청]을 터치하면 분야별로 전문가에게 기본적인 상담은 무료이고 그 이후에는 상황별로 유료 상담을 신청할 수 있습니다. 3️⃣ [제목]을 터치합니다. 지식인 마케팅을 서로 협업을 해서 효과를 보고 싶다면 제목 이든 본문내용에 자신이 취급하는 제품 및 콘텐츠와 관련된 키워드를 잘 구성해서 입력하면 좋습니다.

CHECK 리스트

  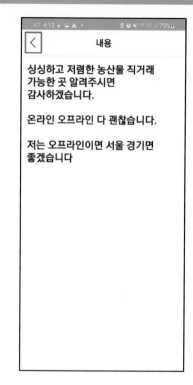

① ①제목을 [농산물 직거래 가능한 곳]이라고 입력합니다.

[저장] 버튼이 별도로 있지는 않습니다. ②좌측 방향 아이콘을 터치합니다.

② [무엇이 궁금한가요?]를 터치하면 질문에 관련된 내용을 입력할 수 있습니다.

③ 본문 내용을 입력한 후 [좌측 방향 아이콘]을 터치합니다.

CHECK 리스트

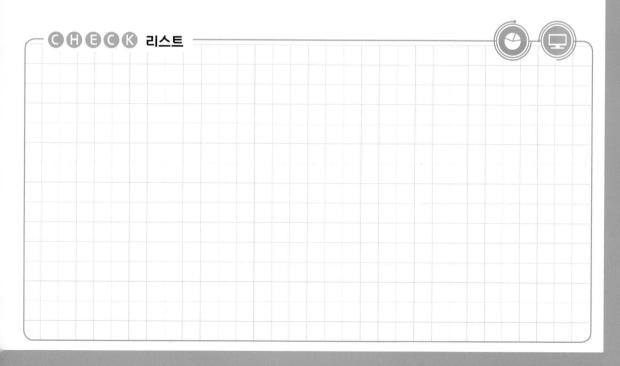

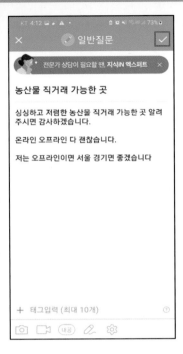
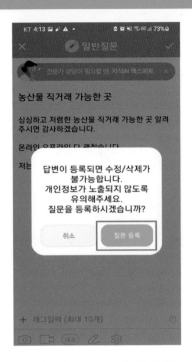

1️⃣ 질문에 대한 제목과 본문 내용을 작성하였으면 [우측 상단 체크 표시] 아이콘을 터치합니다.
우측으로 보이는 [흐린 사각형 체크 표시]는 임시저장을 할 경우 체크하면 됩니다. 2️⃣ [질문등록]을
터치합니다. 3️⃣ 자동추천된 질문 분야에서 1개를 선택한 후 [질문 보내기]를 터치합니다.

1️⃣ [Ai 추천 답변]이 나오는데 참고만 하시고 우측상단 [X]를 터치합니다.
2️⃣ [공유 아이콘]을 터치합니다. 3️⃣ 자신이 운영하는 SNS 채널에 공유를 해서 지인들에게 답변을
유도할 수 있습니다. 여기서는 4️⃣ [카카오톡]을 터치합니다. 공유하고 싶은 채팅방을 하나 선택합니다.

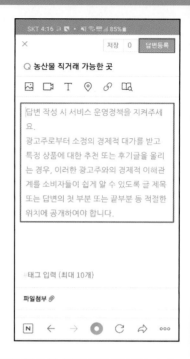

1️⃣ 지식인에 등록한 질문이 공유됩니다. 자신이 아닌 다른 사람이 [**네이버 앱으로 열기**]를 터치합니다.

2️⃣ 우측 하단에 [**답변하기**] 메뉴가 보이는데 터치해서 질문에 답변을 등록합니다.

3️⃣ 다른 사람이 답변을 등록할 때도 질문 제목과 본문 내용에 관련된 키워드들을 조합해서 답변을
입력하는 것이 노출효과를 극대화 할 수 있습니다.

ⒸⒽⒺⒸⓀ **리스트**

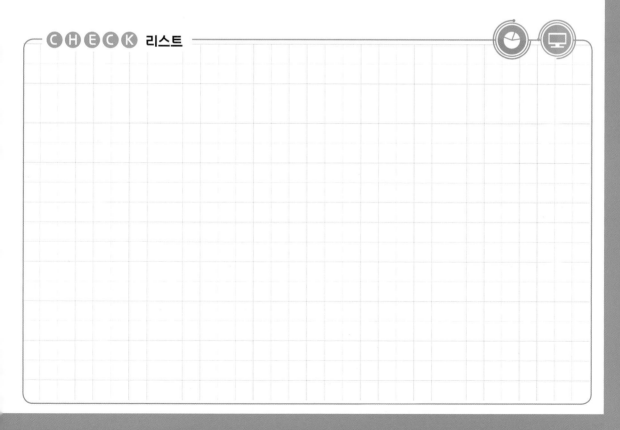

NAVER

5인 이상 모임은 조금만 미뤄요

📧 메일　카페　블로그　지식iN　쇼핑　Pay　▶TV　사전　뉴스　증권

1️⃣ 노트북이나 컴퓨터에서 [네이버]에 접속하면 상단바에 네이버 서비스 메뉴들이 보여지는데 [지식 iN]을 클릭합니다.

NAVER 지식iN　⌄ 🔍

홈　Q&A　답변하기　지식기부　사람들 🔟　베스트　명예의전당　│ 프로필 │　파트너센터

2️⃣ [지식 iN] 화면에 보이는 메뉴 중에 [프로필]을 클릭합니다.

3️⃣ ①[질문하기]를 클릭하면 스마트폰에서 한 것처럼 [질문]을 할 수 있습니다.

②[수정]버튼을 클릭하면 자신의 [지식인 네임 카드]를 수정할 수 있습니다.

③[?] 아이콘을 터치하면 지식인 활용에 대한 자세한 내용을 볼 수 있습니다.

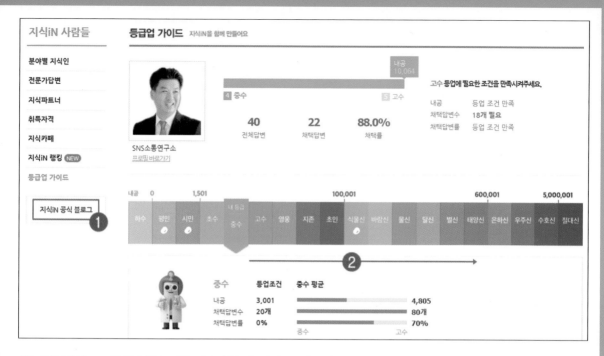

① [지식 iN 공식 블로그]를 클릭하면 지식 iN에 대한 많은 정보들을 볼 수 있습니다.

②지식 iN 내공별로 등급을 나누었는데 마케팅 관점에서 보면 등급이 높으면 높을수록 자신이 원하는 키워가 상위에 노출될 확률이 높으니 질문과 답변을 꾸준히 해서 등급을 올리는 것이 마케팅 관점에서 보면 필수적인 요소입니다.

등급 만족 조건이란?

지식 iN 활동을 본격적으로 시작하는 초수 등급 이상부터 요구되는 기본 자격 요건입니다. 해당 등급으로 올라가기 위해 기본으로 만족해야 하는 조건으로 아래와 같습니다.

① 내공
② 채택 답변수(질문자, 지식iN 채택)
③ 답변 채택률

위 3가지 조건의 각 등급별 요구 수준은 다르며, 해당 조건 중 1개라도 불만족시에는 모두 만족할 때까지 등업이 일시 보류됩니다. 등급 조정은 매일 자정 이후 내공 및 등급만족조건에 따라 자동으로 이루어집니다.

등급별 등업 만족 조건표

	내공	채택 답변수	답변 채택률
초수	1,501	3	
중수	3,001	20	
고수	7,001	40	
영웅	15,001	80	0%
지존	35,001	200	
초인	65,001	400	
식물신	100,001	1,000	
바람신	130,001	1,300	
물신	170,001	1,700	
달신	230,001	2,300	
별신	300,001	3,000	
태양신	400,001	4,000	50%
은하신	600,001	6,000	
우주신	1,000,001	10,000	
수호신	2,000,001	20,000	
절대신	5,000,001	50,000	

빠른 등업을 위한 가이드

등업에 꼭 필요한 내공!
매주 보너스 내공 받고 더욱 빠르게 등업 해보세요!

① 보너스 내공이란?

지식iN 답변을 얼마나 열심히, 꾸준히 했는지에 따라 추가로 획득하는 내공으로 주 1회 월요일마다 지난주 활동을 집계하여 지급됩니다.

② 보너스 내공 이렇게 계산하세요!

보너스 내공 = 지난주 답변활동 내공 + 열심답변자 선정 내공

지난주 답변 활동 내공				열심답변자 선정내공		
지난주 답변수에 따른 내공	5개 이상 50점	10개 이상 100점		열심답변자 선정 내공	300점	
지난주 답변 일수	1일	50점	100점	연속 선정된 수	1회	300점
	2일	100점	200점		2회	600점
	3일	150점	300점		3회	900점
	4일	200점	400점		4회	1,200점
	5일	250점	500점		5회	1,500점
	6일	300점	600점		6회	1,800점
	7일	350점	700점		...	300 x N회

보너스 내공은 한번에 **최대 1만점**까지 받을 수 있으며, 1만점 도달 후 열심답변자에 선정되어도 최대 1만점이 지급됩니다.

더 자세한 내용은 지식iN 도움말을 참고하세요!

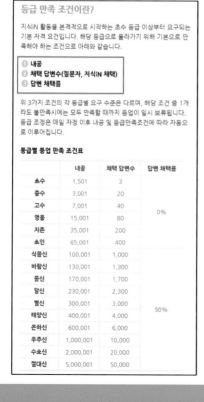

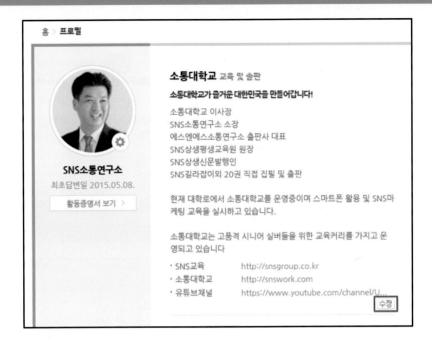

1 자신의 [지식 iN네임 카드]를 수정하기 위해 [수정] 버튼을 터치합니다.

2 [내소개] 영역은 자신이 홍보하고 싶은 콘텐츠에 맞게 관련된 키워드나 문구를 잘 고민해서 작성하는 것이 좋습니다.

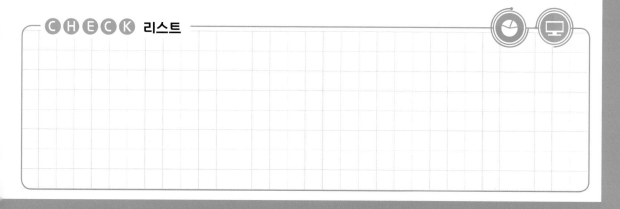

① [외부 검색 허용] 메뉴는 지식 iN 이 수정 중이거나 미흡하다고 생각되는 경우에는 [비허용]에 체크합니다.

② 첫 번째 사이트는 가장 자산이 홍보하고 싶은 콘텐츠와 맞는 홈페이지 주소를 입력합니다.

③ [네이버 플레이스]에 등록을 했다면 해당 URL(인터넷 주소)을 복사해서 입력합니다.

또는, 네이버 톡톡이나 네이버 예약 서비스 신청을 했다면 해당 주소를 복사해서 붙여넣기 해도 됩니다.

④ 자신의 지식 iN네임 카드 작성이 완료되었다면 [동의합니다] 체크합니다.

⑤ [확인]을 클릭하면 완료됩니다.

CHECK 리스트

1️⃣ ①[관심 분야] 메뉴는 지식 iN이 수정 중이거나 미흡하다고 생각되는 경우에는 [비허용]에 체크합니다.

②[관심 키워드] 첫 번째 사이트는 가장 자산이 홍보하고 싶은 콘텐츠와 맞는 홈페이지 주소를 입력합니다.

③[내소식]에 등록을 했다면 해당 URL(인터넷 주소)을 복사해서 입력합니다. 또는, 네이버 톡톡이나 네이버 예약 서비스 신청을 했다면 해당 주소를 복사해서 붙여넣기 해도 됩니다.

④[더보기]를 클릭하면 [나의 답변]에 대해서 [디렉토리별], [연도별]로 보기를 할 수 있으며 [나의 답변]에 대한 자세한 내용들을 살펴볼 수 있습니다.

⑤[질문자 채택] 아이콘입니다. 질문자가 해당 질문에 대해서 답변으로 채택했다는 표시입니다.

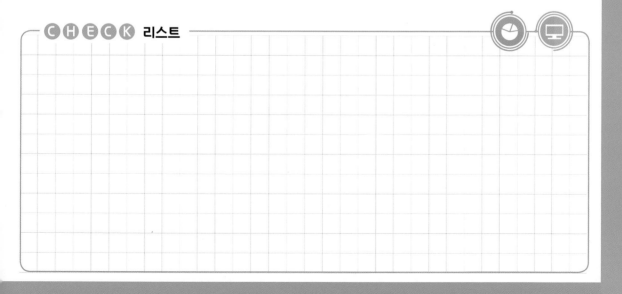

나의 질문 (71) 답변채택을 기다리는 질문이 18개 있습니다. 채택하러 가기 ▸ ①   더보기 ②

제목	디렉토리	채택	답변	표정	작성
농산물 직거래 가능한 곳	농학		0	😊 0	2시간 전
서울시 노원구 종합 복지관 추천 좀 해 주세요	애완용품		1	😊 0	2020.12.18.
강서구에 속독 학원 좀 추천해 주세요	학원, 온라인교육		2	😊 0	2020.12.17.
강서구 영어학원 추천 좀 해주세요 🖼	학원, 온라인교육		5	😊 0	2020.12.17.
스마트폰 활용지도사 자격증 하는데가 많은데 원조가 어디인가...	특수교육	🏅	7	😊 11	2020.09.26.

오픈사전 (0)

작성된 집필지식이 없습니다. 오픈사전으로 지식을 공유해 보세요. 집필하기 ▸ ③

1 ①[채택하러 가기] 메뉴를 클릭하면 내 질문에 대한 답변들을 볼 수 있으며 가장 마음에 드는 것을 채택 할 수 있습니다.

한번 채택 된 질문은 다른 질문으로 변경이 안 되며 한번 채택된 질문에 대해서 다른 사람들은 댓글만 입력 할 수 있습니다.

②[더보기]를 클릭하면 [나의 질문]에 대한 현황들을 자세히 볼 수 있습니다.

③[오픈 사전] 메뉴에서 [집필하기]를 클릭하면 [오픈백과]와 [노하우] 2가지 사전종류를 선택해서 작성할 수 있습니다.

기본적으로 [네이버 백과사전]과 내용이 중복되는 경우는 등록되지 않습니다.

자신만의 노하우가 있다면 꼭 등록해서 고객에게 자신을 알릴 수 있는 기회비용을 높여가면 좋겠습니다.

CHECK 리스트

네이버 톡톡

[네이버 톡톡] 장점

① PC, 모바일 어디서나 나의 간편한 실시간 상담 도구가 되어주는 서비스입니다.

② 새로 친구추가를 하지 않아도 톡톡 버튼으로 바로 고객과 사업주가 대화가 가능합니다.

③ 네이버가 아니 외부 홈페이지에서도 이용 가능합니다.

④ 블로그를 운영 중인 사업주라면 네이버 위젯과 연동해 네이버 톡톡 배너를 설치할 수 있어 비즈니스

⑤ 상담창구로 활용해 블로그 방문자와 실시간 상담을 할 수 있습니다.

⑥ 상담과 예약이 모두 가능하기 때문에 단골 손님 유치는 물론 고객관리에도 도움이 됩니다.

뉴미디어 마케팅 교육 전문 SNS소통연구소

네이버 톡톡이 비즈니스 메신저로 적합한 이유

1. 간편하고 명확한 상담 : 고객의 니즈를 바로 알 수 있습니다.

고객이 어떤 콘텐츠를 보고 문의하는지 요약 정보를 보여주어 빠르게 상담이 진행됩니다.

2. 네이버 노출 효과 : 네이버 안에서 노출 시너지를 낼 수 있습니다.

네이버에서 여러 서비스를 이용 중이라면 하나의 톡톡 계정에 각 서비스를 연결하면 연결된 서비스에는 톡톡 버튼이 노출됩니다.

3. 최적화된 상담 관리 : 채팅 상담의 부담을 줄여드립니다.

실시간 채팅이 부담스럽다면 업무시간 표기 및 부재중 설정, 알림을 받지 않을 에티켓 시간 설정, 자주 쓰는 문구 등 다양한 기능으로 상담 여력에 맞춰 톡톡을 관리할 수 있습니다.

4. 톡톡친구 : 친구를 모아 마케팅할 수 있습니다.

나와 친구를 맺은 고객들에게 단체 메시지 보내기가 가능합니다. 단체 메시지는 목적에 맞게 대상을 타겟팅할 수 있고, 혜택 첨부도 가능합니다.

내 비즈니스를 홍보할 다양한 소식을 보낼 수 있습니다.

5. 사진으로만 봐도 매력적인 이미지를 네이버 플레이스 이미지로 사용하는 것이 좋습니다.

돈을 아무리 안 쓰고 한다고 해도 사진만큼은 투자하시길 추천 드립니다. 업체 사진과 메뉴 사진의 경우 전문 작가를 통해 누가 봐도 매력적으로 느낄 만한 사진을 등록해야 고객들의 눈을 사로잡을 수 있습니다.

요즘 스마트폰 카메라의 경우 카메라 설정에 들어가면 [파일 형식 및 고급 옵션]에서 [RAW 파일]로 설정을 활성화하고 [프로모드]에서 촬영하면 해상도가 높은 양질의 결과물을 얻을 수 있습니다.

6. 네이버의 다른 서비스 채널들과 연동하면 고객 유입이 늘어납니다.

네이버 예약, 네이버 톡톡, Modoo, 스마트 주문, N 페이 등 다양한 네이버 서비스 채널과 연동하면 고객 유입을 늘리는데 도움이 됩니다.

7. 양질의 방문자 리뷰와, 블로그 리뷰

숫자 늘리기보다는 방문자(영수증, 예약자, 테이블 주문 리뷰) 좋은 평점과 긍정적인 글과 사진, 단순 배포가 아닌 노출이 어느 정도 되는 블로그를 사용해서 홍보한다면 고객들의 유입을 증가시킬 수 있습니다. 예를 들어 SNS 마케팅 대행업체를 통해서 [블로그 체험단]을 운영해 본다거나 지인들을 통해 SNS 마케팅 협업시스템을 구축해서 활용하는 것도 많은 도움이 될 것입니다.

8. 고객들의 리뷰에 답글로 소통

SNS는 Social Network Service의 약자인데 Network의 의미는 소통의 의미입니다. SNS 마케팅 성공의 관건은 고객과 제대로 소통하는 것입니다. 고객들의 리뷰 글에 답글로 소통한다는 것은 그만큼 경영자가 매장을 관리하고 있다는 것을 보여주는 지표입니다. 소비자들은 이런 매장들에 좀 더 신뢰를 가질 수밖에 없습니다. 이런 신뢰가 지속되다 보면 단골이 많이 생기고 매출도 증대될 것입니다.

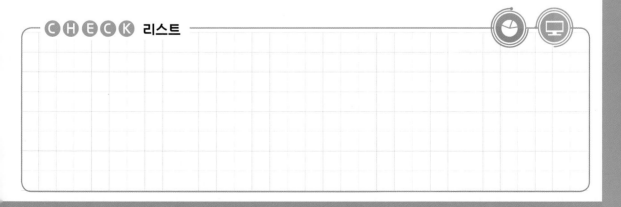

CHECK 리스트

1 네이버에서 [네이버 톡톡 파트너 센터]를 검색한 후 클릭합니다.

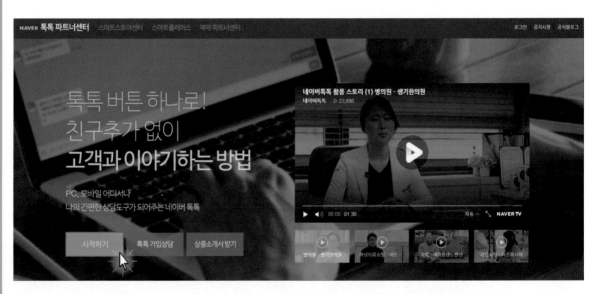

2 [네이버 톡톡 파트너 센터] 홈페이지에서 좌측 하단에 [시작하기]를 클릭합니다.

네이버로 로그인이 되어 있지 않다면 네이버 로그인 화면이 나옵니다.

3 네이버 아이디와 비밀번호를 입력한 후
[로그인]을 클릭합니다.

뉴미디어 마케팅 교육 전문 SNS소통연구소

1 ①검수 결과 및 계정 상태에 대한 알림 발송을 위해 휴대전화 번호를 입력하고 [인증번호 전송] 버튼을 클릭합니다.

②[인증번호 발송] 안내 팝업창이 뜹니다.
[확인]을 클릭합니다.

2 [인증번호]를 입력하고 [인증 완료] 버튼을 클릭한 후 [다음] 버튼을 클릭합니다.

3 [앱 설치 링크 문자로 다시 받기]를 위해 전화번호 입력한 후 [전송] 버튼을 클릭한 후 [확인]을 클릭합니다.

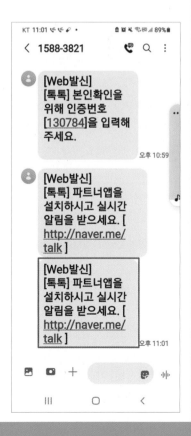

4 실시간 알림을 받기 위해 [네이버 톡톡 파트너] 앱 설치 링크주소가 문자로 온것을 확인할 수 있습니다.

1 휴대폰 번호 인증 및 알림 설정이 완료되면 팝업창이 뜨는데
[닫기] 버튼을 클릭합니다.

2 처음 이용하시는 분들은 [건너뛰기]를 클릭합니다.

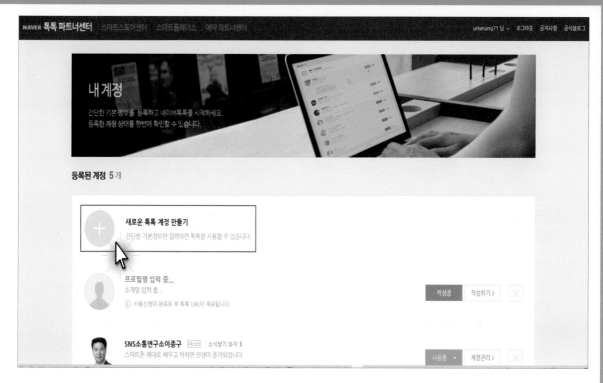

③ 새로운 네이버 톡톡 계정을 만들기 위해 [새로운 톡톡 계정 만들기]를 클릭합니다.

④ 처음에는 [개인] 계정으로 만들어도 추후에 [국내 사업자]로 변경 가능합니다.

계정 만들기

① 서비스 연결(선택) ② 계정대표 정보 입력 ③ 계정 프로필 입력

프로필 정보를 입력해주세요.

| 프로필 가져오기 | 연결된 서비스가 없습니다. ▼ | 새로 작성하기 |

프로필 이미지 필수 [파일찾기] 파일유형 jpg,jpeg,png,gif / 최대파일크기 10MB

프로필명 필수 한글, 영문, 숫자, - (특수문자 하이픈) 포함 0자/20자

소개말 사용자의 간단한 소개말을 입력해 주세요. 0자/45자

홈페이지 http://

전화번호 전국대표 ▼ 나머지 번호를 입력해주세요.

주소 고객이 찾아올 수 있는 주소를 입력해주세요. [주소찾기]

[이전] [사용 신청]

1 녹색으로 [**필수**]라고
되어 있는 부분은 꼭 입력해야
사용신청이 가능합니다.

프로필 정보를 입력해주세요.

| 프로필 가져오기 | 연결된 서비스가 없습니다. ▼ | 새로 작성하기 |

프로필 이미지 필수 [파일찾기] 파일유형 jpg,jpeg,png,gif / 최대파일크기 10MB

프로필명 필수 스마트폰활용지도사 ① 9자/20자

소개말 스마트폰활용지도사가 즐거운 대한민국을 만들어갑니다 27자/45자

홈페이지 blog.naver.com/urisesang71 ②

전화번호 010 ▼ 99676654

주소 서울특별시 종로구 동숭동 1-89 [주소찾기]

[이전] [사용 신청] ③

2 ① [**프로필명**]을 만들 때는
자신의 콘텐츠를 대표할 수 있는
키워드를 정하는 게 좋습니다.

② [**홈페이지**]가 별도로 없는 경우
에는 블로그 주소를 입력해도
됩니다.

③ [**사용신청**]을 클릭하면
완료됩니다.

③ [**사용신청**] 완료 후 2-3일이 지나면 네이버 메일로 네이버 톡톡 서비스가 연결되었다는 알림 메일을 받고 난 후부터는 이용이 가능합니다.

④ 네이버 톡톡 사용신청이 완료되면 스마트폰 블로그 홈 화면에 보면 [**톡톡하기**] 메뉴가 보입니다. 스마트폰 블로그 포스팅할 때도 하단 메뉴 중 [**점 3개**]를 터치하면 [**톡톡**] 메뉴가 보이는데 터치합니다. 네이버 톡톡 계정이 여러 개면 블로그에서 사용하고자 하는 네이버 톡톡 계정을 선택하면 됩니다. [**네이버 톡톡**] 메뉴바가 블로그 본문에 삽입되어 블로그 방문자가 언제든지 터치하면 바로 상담을 할 수 있습니다.

뉴미디어 마케팅 교육 전문 SNS소통연구소

NAVER 블로그 관리

내 블로그   이웃블로그

기본 설정   꾸미기 설정   메뉴·글·동영상 관리   내 블로그 통계 | 전체보기 ∨

기본 정보 관리
블로그 정보
블로그 주소
프로필 정보
기본 에디터 설정

사생활 보호
블로그 초기화
방문집계 보호 설정
콘텐츠 공유 설정

스팸 차단
스팸 차단 설정
차단된 글목록
댓글·안부글 권한

블로그 정보

블로그명	SNS소통연구소	한글, 영문, 숫자 혼용가능 (한글 기준 25자 이내)
별명	스마트폰활용지도사	한글, 영문, 숫자 혼용가능 (한글 기준 10자 이내)

소개글
★스마트폰활용지도사 ★스마트폰강사교육 ★소통 대학교 ★스마트폰활용교육 ★SNS마케팅교육 ★스마트폰 자격증 교육 ★스마트폰활용지도사 교육 ★어르신 스마트폰 활용 교육 ★실버 스마트폰 교육 ★스마트워크 교육 ★스마트 소통 봉사단 ★010-9967-6654

블로그 프로필 영역의
프로필 이미지 아래에 반영됩니다.

(한글 기준 200자 이내)

내 블로그 주제   교육·학문   ∨
내 블로그에서 다루는 주제를 선택하세요.
프로필 영역에 노출됩니다.

블로그 스마트봇 *Beta* 〉

모바일앱 커버 이미지   [등록] [삭제]

커버 이미지는 모바일 기기의 해상도에 맞는 크기로 변환되어 보여집니다.

블로그앱에서 커버 이미지가 적용된 내블로그를 확인해보세요.
커버 이미지 예시 보기
블로그앱 간편설치하기

사업자 확인   블로그를 상거래 목적으로 운영하는 경우, 전자상거래법에 따라 사업자 정보를 표시해야 합니다.
자세히 보기›

[네이버 톡톡 연결]
○ 연결 안 함
○ SNS소통연구소이종구
○ 언타이드이어폰
◉ SNS소통연구소
○ 이종구

네이버 톡톡 채팅으로 연결되는 버튼이 PC와 모바일에 동시 노출됩니다.
 - PC의 경우 프로필 영역 하단에 노출됩니다.
 - 모바일의 경우 내 블로그 홈과 나의 글에 노출됩니다.
네이버 톡톡 파트너 센터›

[확인]

1 네이버 톡톡 사용신청이 완료되면 블로그 PC버전에서 **[관리]** 메뉴로 들어가면
[기본 설정] 카테고리 하단에 **[네이버 톡톡 연결]** 메뉴가 생성되고 블로그와 연동할 계정을
선택하면 PC 블로그 포스팅할 때도 **[네이버 톡톡]** 서비스를 이용할 수 있습니다.

1️⃣ 스마트폰에서 [네이버 톡톡 파트너] 앱을 설치하면 언제든지 상담 알림을 받을 수 있으며 고객과 채팅을 바로 진행할 수 있습니다.[열기]를 터치합니다. 2️⃣ [네이버 아이디]를 터치합니다.

3️⃣ 사용 중인 계정 중 상담 확인을 하고 싶은 계정이 있으면 터치합니다.

 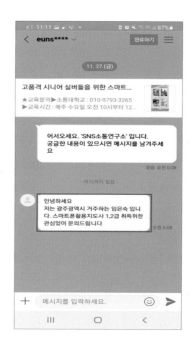

1️⃣ 확인하지 않은 [알림] 숫자가 보이는 [고객 아이디]를 터치합니다.

2️⃣ [네이버 톡톡]에서는 고객과 채팅뿐만 아니라 [자주 쓰는 문구], [이미지 전송], [파일 전송], [이모티콘]등을 이용할 수 있습니다.

7강. 페이스북 마케팅

① 페이스북 개요

[페이스북] 전세계적으로 25억명 이상의 사람들이 사용하는, 여러분이 매일 주변과 소통하고
관심 있는 분야의 정보를 찾아보는 방식에 즐거움을 더해주는 무료 앱입니다.

[페이스북] 앱(App)의 특징 및 활용

🍺 프로필 정보를 통해 어떤 사람인지 알리는 것으로 시작 : 정보 삭제, 수정, 보안 가능, 공개여부
선택가능

🍺 친구를 찾아보고 그들과 교류할 수 있습니다. 나도 모르는 사이 원치 않는 사람과 연결을 피할
수도 있습니다.

🍺 나의 관심사에 따라 선정된 정보로 채워지는 나만의 뉴스피드, 개인화된 공간을 사용합니다.

🍺 지금 무슨 일이 '일어 나고 있는지 소식을 공유하고 친구들과 가족들의 소식을 확인해 보세요.

🍺 좋아하는 연예인, 스포츠 팀, 상점, 브랜드 등의 최신 소식을 손쉽게 접할 수 있습니다.

🍺 손쉽게 사진과 동영상을 공유할 수 있습니다. 여러장 사진 동시 포스팅, 연관된 사진 앨범을
만들 수도 있습니다.

🍺 실시간 알림 기능을 사용할 수 있습니다. '좋아요', '댓글' 작성시 바로 알 수 있습니다.

🍺 그룹 기능을 사용하여 커뮤니티를 형성할 수 있습니다. 공개 그룹, 비공개 그룹으로 원하는
사람들과 공유 가능

🍺 이벤트 기능을 사용하여 중요한 일정을 알리고 준비에 도움을 받을 수 있습니다.

🍺 천재지변과 같이 예상치 못한 순간에도 여러분들의 무사함과 주변 상황을 친구, 지인들에게
알릴 수 있습니다.

🍺 수많은 게임과 앱에 신속하게 연결 가능합니다.

🍺 선택적으로 공유 대상을 설정하여 개인정보를 안전하게 관리할 수 있습니다. 공개 범위 설정

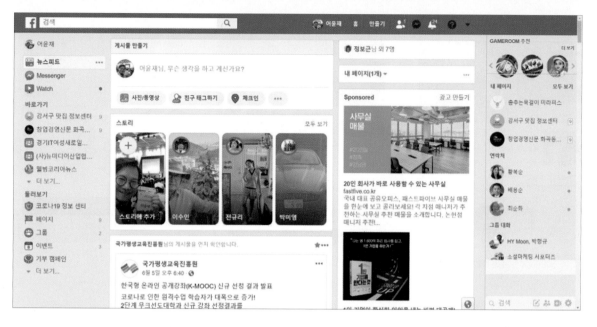

[페이스북] PC 및 모바일 활용이 가능한 전세계 가장 많은 사람들이 사용하는 SNS 선두주자.

🍵 2004년 2월 4일 개설한 전세계 유명 소셜 네트워크 서비스 웹사이트입니다.

🍵 창립자이자 CEO인 마크 저커버그는 개설 당시 19살이었던 하버드대학생으로 학교 기숙사에서 창업하여 40억 달러의 자산 보유하며 2010년 3월 미국의 경제 전문지 <포브스>가 발표한 세계 10대(大) 청년 부호 1위에 오른 바 있습니다.

🍵 2006년 야후가 10억 달러 인수제안을 하였으나 거절하여 이슈가 되기도 하였습니다. 2007년 마이크로소프트 페이스북 지분 1.6% 2억4000만 달러 투자하였습니다. 2012년 인스타그램 SNS 서비스를 10억 달러에 인수하였습니다. 또한 오클라스 VR, AR 기업을 인수하면서 미래를 준비하고 있습니다.

CHECK 리스트

❷ 가입하기

❶ [Play스토어]에서 [페이스북]를 검색하여 설치합니다. ❷ [페이스북] 가입은 전화번호 또는 이메일를 아이디로 하여 가능합니다. ❸ 계정의 원활한 활용을 위해서는 가입시 꼭 실명, 실제 생년월일, 실제 사진을 이용하여야 합니다.

❸ 페이스북 화면

❶ [바탕화면]에서 페이스북 아이콘을 찾아서 실행을 할 수도 있습니다. ❷ [페이스북] 앱 실행시 가장 먼저 보이는 화면을 '뉴스피드 '라고 한다. ❸ 이제부터 각 부분에 대해서 구체적으로 살펴보기로 하겠습니다.

4 뉴스피드

 홈버튼 : 뉴스피드

1 페이스북 앱 실행시 가장 먼저 보이는 화면을 우리는 '뉴스피드'라고 한다. 이와 함께 개인의 공간을 '타임라인'이라고 합니다.

페이스북에서는 '뉴스피드'와 '타임라인' 두 화면밖에 없다고 보면됩니다. 따라서 정확하게 그 기능을 이해하면 페이스북 마케팅의 50%는 달성했다고 해도 과언이 아닐 것입니다. 그렇다면 뉴스피드에는 어떤 게시물들이 보일까요?

첫째, 페이스북 '친구'의 글
둘째, 내가 '좋아요' 팬이 된 '페이스북'의 글
셋째, 내가 가입한 '그룹'의 글
넷째, 페이스북에서 나에게 보여주는 '광고'의 글

내가 올린 글이 다른 사람의 반응에 의해 노출되기도 하고 내가 팔로워 한 사람들의 글이 보이기도 합니다.
이때, 노출순서는 시간의 순서가 아닌, 페이스북 알고리즘에 의해 내가 좀 더 관심이 있고 보고 싶어 할 글을 먼저 보여주게 됩니다.

고품격 시니어 실버들을 위한 소통대학교

CHECK 리스트

5 그룹

그룹 버튼 : 페이스북 그룹 찾기 / 가입 / 만들기 / 설정

1 페이스북 그룹은 네이버 카페와 같은 개념의 커뮤니티 영역입니다.

지금 만들어서 운영도 할 수 있고 검색을 통해 그룹을 찾고 가입도 가능합니다.

그룹 및 회원수에 제한이 없으며 판매기능까지 제공하고 있습니다.

[만들기]

공개 범위 : 공개, 비공개 가능

그룹 유형 : 일반, 판매 / 구매, 게임, 소셜학습, 채용정보, 업무, 육아 각 유형별 그룹에 필요한 기능이 다르게 이용이 되고 있습니다.

[설정]

알림 : 알림 수신 기본 설정 가능

고정 : 즐겨찾는 그룹을 고정하여 더욱 빠르게 엑세스 가능

팔로잉 : 그룹을 팔로우하거나 팔로우 취소하여 뉴스피드 표시 내용 관리

멤버쉽 : 더 이상 관심 없는 그룹 나가기 기능

CHECK 리스트

6 타임라인

 사람 모양 버튼 : 페이스북 개인 계정 타임라인

1 ①**프로필 커버 사진 :** 사진 업로드, 게시물 사진 선택, 아트 이미지 선택

②**프로필 개인 사진 :** 사진 및 동영상 가능, 아바타 프로필 사진 지정

이름 : 실명 이름 사용하기

소개 : TEXT 101자 사용가능

③**프로필 설정 :** 프로필 편집, 스토리 보관함, 활동 로그, 게시물 관리, 타임라인 검토 내 프로필 링크 확인 가능

[타임라인]

페이스북 개인 계정 타임라인은 페이스북에서 '나의 일기장'과 같은 개념

내가 작성한 글들이 시간 순서에 따라 차곡차곡 쌓여 나가는 곳으로 다른 사람이 나에 대해서 알아가며 소통 하는 공간이기도 합니다. 따라서 비즈니스를 위해서는 꼭 실명, 실제 나의 인물 사진을 프로필로 사용하여야 하며, 나를 좀 더 알릴수 있는 커버사진 및 게시물을 작성하여야 합니다.

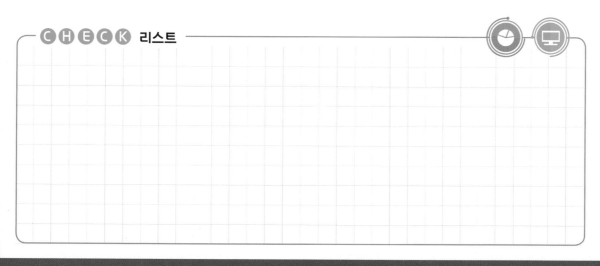

CHECK 리스트

7 글쓰기

1 무슨 생각을 하고 계신가요?

이곳이 바로 페이스북 개인계정 타임라인에 게시물 작성 공간으로 TEXT, 사진, 동영상 등과 함께 다양한 기능을 활용하여 글을 작성할 수 있습니다.

'데이터 vs 정보'를 이야기하면서 최근 '빅데이터'라는 단어를 많이 사용을 하고 있다. 엄청난 많은 데이터를 수집하고 분석하여 나의 비즈니스에 맞게 활용해야 되는 것이 중요해 졌습니다.

무슨 생각을 하고 계신가요?
페이스북에서는 현재 우리의 활동 뿐만 아니라 마인드, 생각까지도 물어보고 있다. 이용자들의 생각까지도 파악을 해서 비즈니스에 활용하는 사람들에게 빅데이터 정보를 제공해 준다면 여러분들은 당연히 받아서 활용해야 되지 않겠습니까?

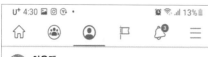

 페이스북 글쓰기

어윤재
9월 7일 오후 1:43 · ⊙

이제 지역을 위해 뭔가 해 보고싶은 욕심이 생겼습니다.
그래서~ #강서구 #SNS서포터즈 1기 모집한다기에
신청했는데, 선정되어 위촉장과 함께 마스크3장(아싸
득템 ㅋ) 우편으로 왔네요. 코로나 아니면 발대식도
했을껀데.. 아쉽습니다.

제가 관심이 있는 곳은 지역... 더 보기

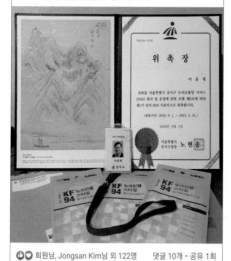

👍❤️ 회원님, Jongsan Kim님 외 122명   댓글 10개·공유 1회

❤️ 최고예요   💬 댓글 달기   ↪ 공유하기

1 비즈니스에 도움 되는 글쓰기 방법

1. TEXT 글쓰기 보다는 사진 및 동영상을 함께 올리는
   것이 좋습니다.
2. #해시태그는 30개 까지 사용이 가능하지만, 5개 정도가
   적당하다. 나를 표현하는 해시태그 만들기
3. #해시태그는 인덱싱 기능 및 본문에 활용하여 #강조형
   으로 사용가능
4. 종교 / 정치적으로 한쪽으로 치우친 글은 작성하지 않는
   것이 좋습니다. 나의 비즈니스, 아이템이 특정 집단만의
   전유물이 아니기 때문입니다.
5. 공지사항이 아니라 소통하는 곳입니다. 그에 맞는 글을
   씁시다.
6. 광고성 스팸형태의 글이 아닌, 홍보성 정보형태의 글을
   씁니다.

👍 좋아요	💬 댓글 달기	↪ 공유하기

1 '좋아요' 꾹 누르면 나타나는 아이콘 활용하여 좋아요 눌러주기

8 게시물 노출 원리

1 앞서 타임라인 / 뉴스피드를 언급하였습니다. 타임라인은 나의 글이 시간의 흐름에 따라 쌓여 가는 공간이며, 뉴스피드는 페이스북 접속시 처음 보이는 화면으로 친구, 페이지, 그룹의 소식 뿐만 아니라 광고가 보이는 화면으로 타임라인은 '나의 이야기', 뉴스피드는 '우리들의 이야기' 라고 볼 수 있습니다.

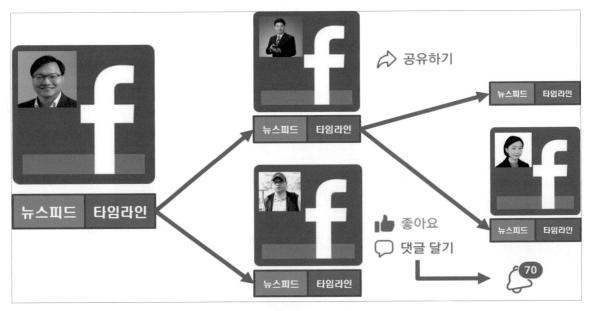

1 [페이스북 확산 알고리즘] 내가 글을 쓰면 페이스북 타임라인에 글이 올라가면서 친구들의 뉴스피드에 노출이 됩니다. 이때 친구가 좋아요 및 댓글을 달면 그 친구의 친구들에게 알림으로 알리게 되고 그 친구들은 알림에서 클릭을 통해 나의 글을 볼 수 있게 됩니다. 또한, 나의 글을 자신의 타임라인에 공유하였다면 그 친구의 친구들의 뉴스피드에 해당 글이 보여지게 됩니다. 이렇게 페이스북 게시물은 또 다른 누군가의 좋아요, 댓글, 공유하기를 통해서 널리 알려지게 됩니다.

9 페이스북 친구 추가하기

1 [친구추가] 친구로 맺기 원하는 사람의 프로필, 타임라인에서 친구추가 버튼을 클릭합니다.

2 [친구 요청함] 친구에게는 친구요청 알림이 뜨게 되면서 수락의 단계를 거치게 됩니다.

3 [친구 수락] 상대가 수락을 해 주면 비로서 페이스북 친구가 됩니다.

[좋아요/댓글/공유 多]

1 페이스북 확산 알고리즘을 통해서 좋아요, 댓글, 공유하기의 의미를 알았다면 친구가 많아야 좋은 이유는 별도로 설명할 필요도 없을 것입니다. 그럼 5000명 페이스북 친구는 어떤 사람이 되어야 할것인가요?

[친구 추가&수락시 체크사항]

실제 프로필 사진 사용하는지?
실제 이름을 사용하고 있는지?
실제 사용하는 계정인지?
나의 비즈니스에 도움이 되는지?

2 [페이스북 친구 추가하기] 나의 비즈니스에 도움이 되는 사람으로 친구를 확보하는 것이 중요합니다.
나의 비즈니스, 아이템을 좋아할 것 같은 타겟고객과
잠재고객을 중심으로 친구를 추가하고 소통할 것을 권합니다.
①타겟 인물, 페이지, 그룹에서 '좋아요'를 한 사람들을 확인, ②친구 추가를 합니다.

⑩ 페이지

 깃발 버튼 : 페이스북 페이지 찾기 / 만들기 / 둘러보기 / 초대 / 좋아하는 페이지

뉴미디어 마케팅 교육 전문 SNS소통연구소

페이스북 페이지는 '좋아요' 팬이라는 관계를 통하여 페이스북 사용자들과 소통하는 공간으로, 페이지 수 및 좋아요 팬 수는 무제한이며 샵이라는 쇼핑몰 기능을 이용하며 전자상거래까지 가능한 기업 / 마케팅용으로 사용되는 영역입니다. 또한 이곳을 통해서만 페이스북 광고를 집행할 수 있습니다.

만들기 : 페이지를 직접 만들고 관리 할 수 있습니다.
둘러보기 : 내가 아직 좋아요를 하지 않은 페이지 중에서 내가 좋아할 것으로 예상되는 페이지를 추천해 줍니다.
인기 추천
초대
1) 대기 중인 초대 : 페이스북 친구가 나에게 페이지의 좋아요를 요청한   리스트가 보여진다. 초대받은 페이지 리스트
2) 추천 페이지 : 페이스북에서 나에게 추천하는 페이지 리스트
좋아하는 페이지 : 내가 좋아하는 페이지 리스트

CHECK 리스트

⑪ 페이지 만들기

① [페이지 만들기]를 통해서 나만의 비즈니스, 아이템, 회사 홈페이지를 개설할 수 있습니다.

② [페이지 이름 지정] 이름 변경이 가능하지만, 페이스북의 승인(3일 이내)를 받아야 하며, 수정 후 7일 이내 다시 변경 불가합니다.

③ [페이지 카테고리 선택] 설정하고 다음으로 이동. 수정가능하며, 3개까지 추가할 수 있습니다.

① [카테고리에 따라] 추가 입력이 필요할 수 있습니다. 향후 [정보] 메뉴를 통해 수정 가능합니다.

② [프로필사진 추가] 휴대폰에 저장되어 있는 사진을 선택하여 프로필 사진 지정 가능 / 건너뛰기 가능 ③ [프로필사진 변경] 프로필 사진 보기, 새 프로필 사진 선택, 스토리 만들기 가능

1 [커버사진 추가] 휴대폰에 저장되어 있는 사진을 선택하여 커버 사진 지정 가능 / 건너뛰기 가능
2 [커버사진 변경] 사진보기 및 커버 영역 수정 가능 -> 5장 선택하여 슬라이드 형태로 보여주기
가능 **3** [정보 메뉴] 페이스북 페이지 정보입력 및 수정을 통하여 완료

1 [페이지 완성하기] 페이지 정보 수정을 통해서 정보, 연락처, 위치, 영업시간 등 업데이트 정보
섹션을 통해서 페이지의 이름 변경 가능, 카테고리 변경 및 3개까지 추가 가능, 프로필 및 커버사진
변경 가능, 웹사이트 추가, 페이지 설명 추가 가능합니다. 또한, 각각의 연락처, 위치, 영업시간, 더 보기
섹션을 통해서 추가 정보 입력 가능합니다.

1 [친구에게 페이지 좋아요 요청] 페이지의 게시물은 관리자의 친구가 아닌 '페이지 좋아요'를 한 팬의 뉴스피드에서 보여진다. 따라서 페이지의 활성화를 위해서는 좋아요 팬이 많은 것이 좋다. 우선은 친구를 초대해 봅시다. 친구를 선택하여 초대할 수 있고, 모두 선택을 통해서 초대를 할 수 있습니다. 단, 하루 초대할 수 있는 수가 정해져 있고 한번 초대한 사람은 다시 초대할 수 없습니다. PC버전에서는 메시지를 담은 초대를 보낼 수도 있습니다.

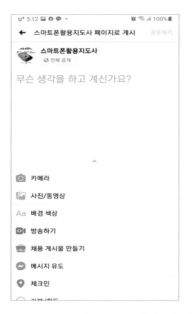

1 [환영 게시물 만들기] 페이지의 첫 게시물을 만들어 보자. 실제 개인 프로필 글쓰기와 크게 다르지 않습니다. 글 쓰기 완료하면 우측 상단 공유하기 클릭하고 뉴스피드를 선택한 다음에 공유하기를 클릭하면 게시물 완성. PC 관리자 메뉴 '게시 도구' 또는 모바일 '페이지 관리자 앱을 통해서는 예약 및 추가 게시 기능 활용이 가능합니다.

📱 페이지 관리하기

뉴미디어 마케팅 교육 전문 SNS소통연구소

[페이지 관리자 메뉴]

1️⃣ 일반 이용자와 다르게 관리자는 상단에 페이지 운영에 필요한 메뉴를 볼 수 있을 것입니다.

1. **개요** : 업데이트 알림, 최근 게시물 도달현황, 인사이트 페이지 인사이트 확인(어제, 최근7일, 최근28일)가능 게시물 인사이트 확인(최근 28일) 가능이벤트, 스토리 인사이트 보기, 페이지 활동, 발견, 타겟 확인 가능
2. **리소스 및 도구** : 페이지 운영에 도움되는 정보 제공
3. **광고** : 페이스북 광고 만들기 및 관리
4. **알림** : 새로운 알림, 이전 알림
5. **더보기** : 다양한 인사이트, 활동, 페이지 관리 기능

각각의 메뉴에 대해서 조금 더 상세하게 살펴보기로 하겠습니다.

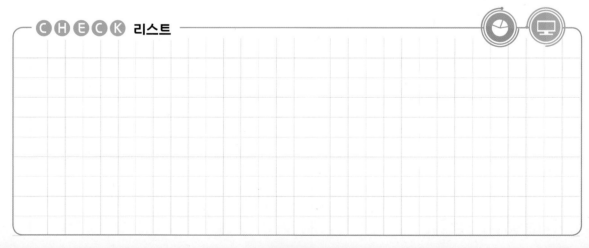

CHECK 리스트

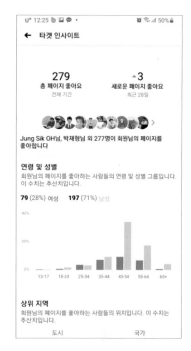

1️⃣ [페이지 관리자 : 개요] 업데이트, 최근게시물, 인사이트 확인하기 2️⃣ 오늘, 어제, 최근7일, 최근28일 동안의 게시물 인사이트를 확인할 수 있다. PC버전에서는 각 항목별 더 자세한 인사이트를 볼수 있다. 3️⃣ 페이지 좋아요 100개 이상이 되면 타겟에 대한 정보가 표시됩니다.

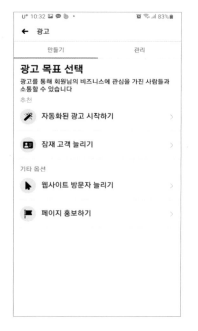

1️⃣ [페이지 관리자 : 비즈니스 리소스] 페이지 운영에 도움이 되는 정보들을 확인할 수 있습니다.
2️⃣ [페이지 관리자 : 광고] 광고를 만들고 관리 할 수 있다. 광고는 다음 섹션에서 자세히 다루기로 하겠습니다. 3️⃣ [페이지 관리자 : 알림]가 새로운 알림, 이전 알림으로 페이지와 관련이 있는 소식들을 알림으로 알려줍니다.

① [페이지 관리자 : 더보기] 다양한 페이지 운영에 필요한 메뉴들이 있습니다. ② [더보기 : 그룹]
페이지를 위한 커뮤니티로 그룹을 연결하거나 만들어서 활용할 수 있습니다. ③ [더보기 : 페이지 관리]
카테고리에 맞는 템플릿을 지정, 변경 할 수 있으며, 그에 따른 탭을 설정할 수 있습니다.

⑬ 페이지 Shop

[페이스북 관리자 > 더보기 > 페이지 관리 > Shop] 페이스북 전자상거래 쇼핑몰(샵) 제공
'다른 웹사이트에서 결제 '을 선택하면서 페이스북 Shop 설정을 시작할 수 있습니다.

※ 신규 '샵스' 서비스 : Facebook Pay 를 이용한 페이스북/인스타그램 자체 페이지내에서 결제 시스
템을 제공하고 구매/판매할수 있는 시스템 도입예정

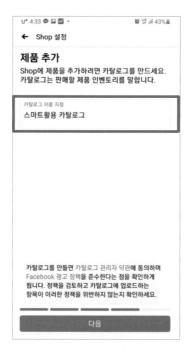

1️⃣ [shop : 비즈니스 계정 연결] 비즈니스 계정(신규는 새로 만들기)을 선택하고 하단에 비즈니스 이메일 주소 입력합니다. 2️⃣ [제품 추가] 제품 추가를 위한 카탈로그(이름 설정)를 만듭니다.
3️⃣ Shop 설정 최종 확인 [상세 정보 검토] 결제, 비즈니스 이름, 이메일 주소, 카달로그 설정 확인 후 판계자 계약 동의 > 완료

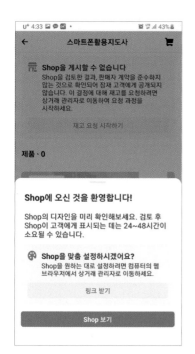

1️⃣ [shop 설정 완료] 드디어 샵이 만들어 졌습니다. (페이스북 승인 후 공개) 2️⃣ [제품 추가] 일단 제품 한 개를 등록해 보도록 하겠습니다. 3️⃣ [제품 정보 추가] 제품 이미지 등록(여러 개 가능)

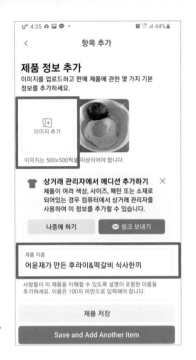

[1] [제품 추가] 이미지 추가 후, 제품 이름 입력해 주시면 됩니다. [2] [제품 추가] 웹사이트
(제품 클릭시 결제가능한 페이지) 페이지 링크, 통화(원화), 제품 가격 설정해 주시면 됩니다.
[3] [제품 추가] 제품을 추가로 입력하시면 계속해서 이미지 업로드 및 판매 제품에 관련 정보 추가로
제품을 추가합니다.

[1] [제품 추가 확인] 이미지 및 제품 관련 정보 확인하기 [2] [제품 추가 확인] 페이스북의 Shop
검토, 승인 과정을 거쳐서 페이스북 shop이 완성됩니다.
[3] [제품 추가 확인] 제품 추가에 있어서 컴퓨터에서 상거래관리자를 사용하여 진행이 가능합니다.

1 [페이스북 관리자 > 더보기 > 페이지 관리 > Shop 꾸미기] 페이스북 전자상거래 쇼핑몰(샵) 제공 제품소개, 고객의 관심 유도, 더많은 구매자에게 도달하고자 Shop 맞춤 설정을 할 수 있습니다.

이때, 데스크톱에서 상거래 관리자를 사용하여 하시면 일괄등록 등 좀 더 상세한 작업이 가능하므로 페이스북 전자상거래는 구축은 PC버전을 권해드립니다.

CHECK 리스트

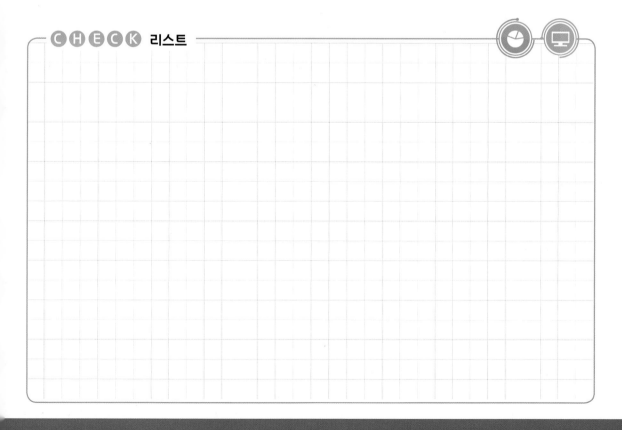

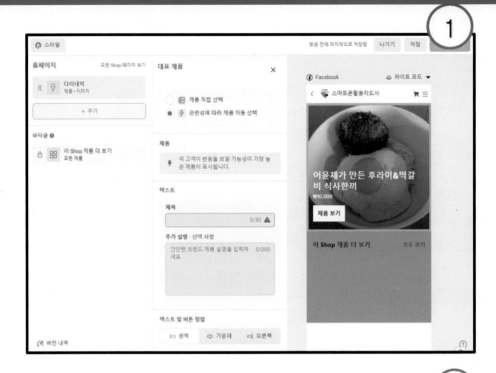

뉴미디어 마케팅 교육 전문 SNS소통연구소

1 [PC화면 상거래관리자] 페이스북 전자상거래 쇼핑몰(샵) 제공에 따른 관리자

①Shop 맞춤 설정을 컴퓨터에서 사용할 수 있는 링크 클릭시 보이는 화면

②상거래관리자 PC화면입니다.

- Shop의 디자인을 직접 지정하고 선보일 컬렉션을 선택할 수 있습니다.

- Shop을 원하는 대로 디자인하고 설정할 수 있습니다.

- 페이스북, 인스타그램 앱 모두에서 컬렉션을 공유하여 고객에게 통합적 온라인 쇼핑 환경을 제공

  할 수 있습니다.

14 페이지 관리자

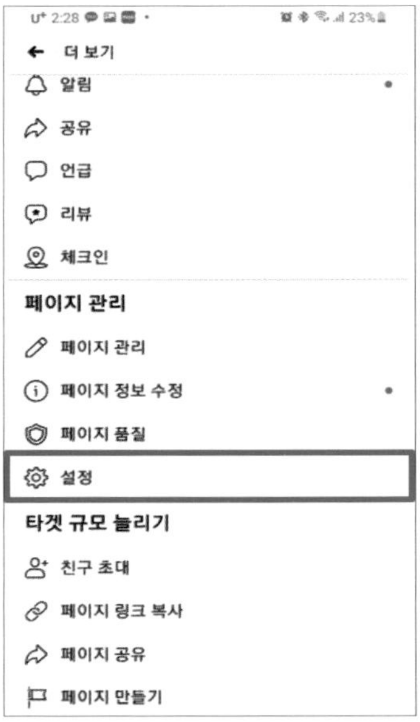

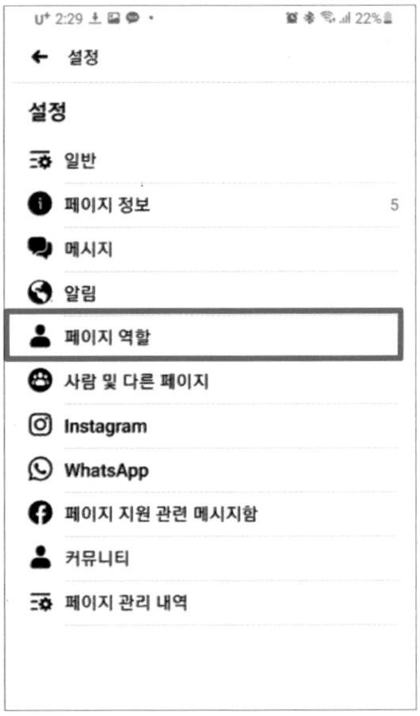

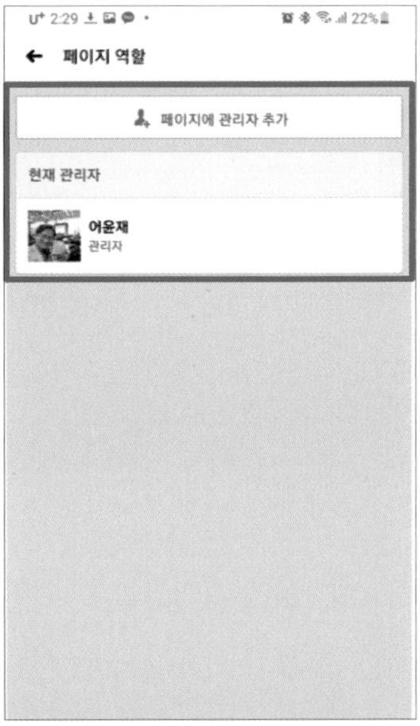

1 페이지는 여러명의 관리자를 지정하여 함께 운영 할 수가 있습니다. **[더보기 > 설정]**

2 **[설정 > 페이지 역할]** 페이지 역할 메뉴를 통해서 페이지 관리자 추가, 삭제, 확인 가능합니다.

3 현재는 페이지 생성자가 관리자로 되어 있습니다. 여기에서 관리자는 또 다른 운영자를 추가 할 수 있습니다.

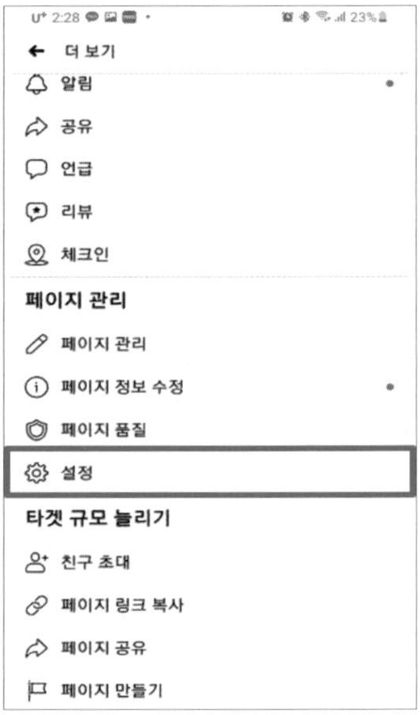

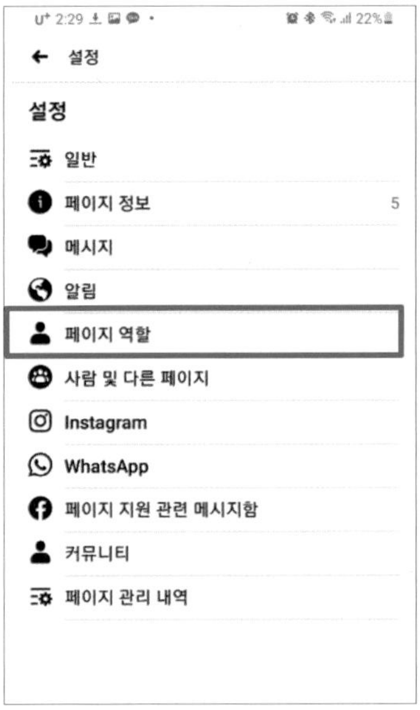

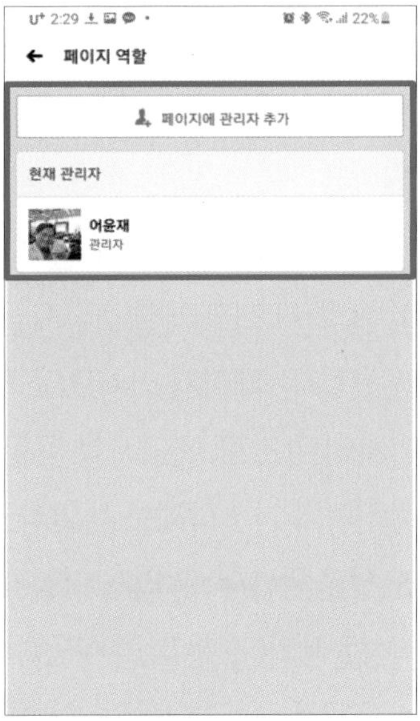

1 페이지는 여러 명의 관리자를 지정하여 함께 운영 할 수가 있습니다. **[더보기 > 설정]**

2 **[설정 > 페이지 역할]** 페이지 역할 메뉴를 통해서 페이지 관리자 추가, 삭제, 확인 가능합니다.

3 현재는 페이지 생성자가 관리자로 되어 있습니다. 여기에서 관리자는 또 다른 운영자를 추가 할 수 있습니다.

1 [설정 > 페이지 역할 > 페이지에 관리자 추가] 페이스북 사용자의 이름을 입력합니다.

2 [사용자 역할 지정] 관리자, 편집자, 댓글관리자, 광고주, 분석자 ① 역할을 지정하고 추가합니다.

3 상대가 관리자 수락 확인을 하면 본 페이지에서 지정한 역할을 수행할 수 있습니다. ②추가 ③삭제

1 [페이지 역할] 페이지는 개인계정 프로필과 다르게 기업용, 비즈니스용으로 활용이 되고 있습니다. 그렇기 때문에 운영도 개설자 계정 하나에서가 아닌, 관리자 지정을 통하여 함께 운영이 가능합니다.

페이지 설정 > 페이지 역할 > 역할 지정하기

1. **관리자** : 최고 레벨(소유자급), 페이지 삭제 및 관리자 추가, 삭제 가능
2. **편집자** : 페이지 이름으로 게시물 작성/삭제, 댓글 작성 / 삭제, 인사이트 조회, 광고진행 등 관리자의 고유권한인 페이지 삭제, 관리자 추가 / 삭제를 제외하고는 뭐든지 다 할 수 있습니다.
3. **댓글 관리자** : 관리자 역할 및 편집자 역할인 페이지 이름으로 게시물 작성을 제외하고는 다할 수 있습니다. 댓글 응답 및 삭제, 인사이트, 광고 진행
4. **광고주** : 광고 만들기, 인사이트 보기 작업 수행 할 수 있습니다.
5. **분석자** : 게시물이나 댓글을 올린 관리자 확인하고 인사이트 보기

※ 원활한 페이지 운영을 위해서는 ID 계정 공유가 아닌, 개별 개인계정을 페이지 운영자 역할을 지정하는 것이 좋습니다. 특히 관리자 등급은 꼭 2~3명 이상으로 설정하는 것이 좋습니다.

뉴미디어 마케팅 교육 전문 SNS소통연구소

🔟 페이지 홍보하기

1️⃣ [페이지 홍보하기]

더 많은 사람들이 게시물을 볼 수
있도록 '좋아요'를 요청해
보십시오.
페이지 '좋아요'가 늘어나면 더
많은 사람들이 쉽게 페이지를
찾고 게시물을 볼 수 있습니다.

[좋아요 모으는 4가지 방법]
1. 친구 초대하기
2. 페이지(게시물) 공유하기
3. 페이지 게시물에 좋아요를
한 사람들을 페이지 좋아요로
초대하기
4. 페이지 이름으로 다른 페이지
/ 그룹에서 활동하기 (PC버전)

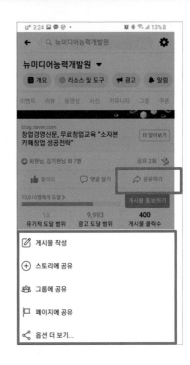

2️⃣ [페이지 홍보하기 #1]

페이지 좋아요 늘이는 가장 쉬운 방법 : 친구 초대

3️⃣ [페이지 홍보하기 #2] 페이지(게시물) 공유하기 :

개인계정, 스토리, 그룹, 페이지에 공유 가능

1️⃣ [페이지 홍보하기 #2] 페이지 자체를 공유하기 (PC버전)

페이지 게시물 공유하기는 모바일/PC버전 모두 가능하다. 단, 페이지 자체를 공유하는 것은 PC화
면에서 확인하고공유하는 것이 좋습니다. 이때 게시물 전체 공유 및 간단하게 페이지에 대한 소개글
또는 추천의 글을 한 두줄 함께 남기는 것이 효율적입니다.

1 [페이지 홍보하기 #3] 게시물 좋아요를 한 사람들을 페이지 좋아요로 초대하기

2 [페이지 홍보하기 #3] 초대, 초대됨, 이미 좋아하는 사람으로 구분됨. 초대는 1회만 가능.

[페이지 홍보하기]

더 많은 사람들이 게시물을 볼 수 있도록 '좋아요'를 요청해 보십시오.

페이지 '좋아요'가 늘어나면 더 많은 사람들이 쉽게 페이지를 찾고 게시물을 볼 수 있습니다.

[좋아요 모으는 4가지 방법]

1. 친구 초대하기

2. 페이지(게시물) 공유하기

3. 페이지 게시물에 좋아요를 한 사람들을 페이지 좋아요로 초대하기

4. 페이지 이름으로 다른 페이지/그룹에서 활동하기 (PC버전)

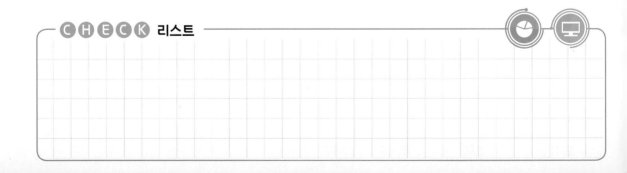

16 가입하기

1 [페이지 홍보하기 #4]

1. 다른 페이지로 이동한다.

2. 해당 게시물 공유하기 옆 프로필 사진을 선택한다.

3. 원하는 페이지를 선택한다.

4. 댓글을 작성한다.

5. 다른 사람들이 댓글 작성자 클릭시 우리 페이지로 이동된다.

2 [페이지 이름으로 다른 페이지에 댓글 달기 Tip]

1. 짧은 댓글보다는 긴 댓글이 눈이 더 띈다.

2. 적절한 이모티콘 활용이 좋다

3. 해당 페이지 및 게시물에 좋은 댓글을 달아라 (나를 너무 홍보하는 댓글은 안된다)

4. 눈에만 띄면 저절로 사람들은 클릭을 할 것이다.

🔢 게시물 노출 원리

뉴미디어 마케팅 교육 전문 SNS소통연구소

1 페이스북 비즈니스를 위해서는 페이지가 필요합니다. 또한 많은 사람들이 페이지의 글을 볼 수 있도록 하는것이 중요합니다. 이에 내 페이지에는 비즈니스 글만 올릴 것이고 그 그를 좋아해 줄 수 있는 타겟 사람들을 찾아서 친구로 맺고, 그 친구들을 다시 페이지 좋아요 팬이 될 수 있도록 초대하여 게시물 자체 뿐만 아니라 광고로 통해서 더 확산 될 수 있도록 하는 선 순환 구조를 만들어야 될 것입니다. 그러기 위해서는 노력과 시간이 투자되어야 합니다.

18 페이스북 광고만들기

1 [페이스북 광고 만들기] 캠페인(목표)를 선택하고 그에 맞는 광고를 집행할 수 있습니다.

2 [페이스북 광고 관리] 게재 중인 광고 및 비활성 광고에 대한 결과 보기, 기간은 최근7일, 30일, 60일, 90일 보기 가능합니다

3 [페이스북 광고]

1. 페이스북 페이지를 통해서 게시물 또는 비게시물로 광고 가능

2. 모바일에서도 가능하지만, PC버전의 광고관리자를 통해서 좀 더 정밀한 타켓팅이 가능하다.

3. 광고 목표에 따라서 페이스북 인공지능으로 가장 최적화된 이용자를 찾아서 광고 노출

4. 게시물형 도달광고일 경우에 하루 최저1000원부터 광고가 집행이 가능하며, 페이스북에 해외 결제 가능한 카드 등록으로 후불제 결제 진행

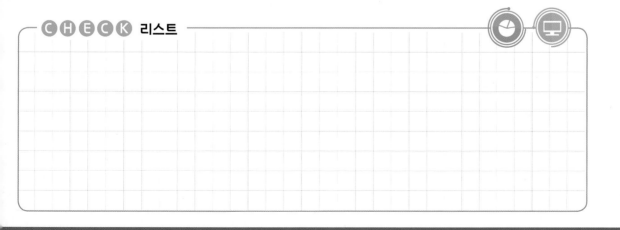

① **[페이스북 광고만들기]** 특정 게시물을 광고하고자 하면, 게시물에서 '페이지 홍보' 클릭을 합니다.

② **[광고 타겟 설정하기]** 기본 타겟은 인구통계학적 특성의 타겟입니다.

③ **[광고 타겟 설정하기]** 지역위치, 연령, 성별 설정 및 특성에서 관심사 추가를 할 수 있습니다.

① 특히, 지역 소상공인들은 나의 비즈니스 장소로 부터 1km~80km 지역설정과 연령, 성별, 언어 선택을 통하여 내가 원하는 타겟에게 나의 비즈니스, 아이템을 홍보할 수 있습니다.

뉴미디어 마케팅 교육 전문 SNS소통연구소

1️⃣ [예산 설정하기] 국가 통화 선택을 하고 금액을 선택합니다. 2️⃣ [예산 설정하기] 기간과 게제 종료일 체크 및 그에 따른 광고 금액 확인 후 완료 3️⃣ 처음일 경우는 결제수단 추가 필수. 그때 납세자 번호 입력요청이 있는데, 사업자등록번호를 넣어 주면 됩니다. (VAT처리용)

1️⃣ [페이스북 광고 시스템]

페이스북은 우리가 원하는 타겟이 누구인지 정확하게 알고 있다면, 그에 맞춰서 페이스북 이용자들의 좋아요, 댓글, 공유 활동, 페이지 / 그룹 활동 등 빅데이터 분석을 통하여 관심사를 찾아 내고 그들을 찾아서 우리의 광고를 보여주게 됩니다.

코어타겟 인구통계타겟 (Core Audience) 지역/나이/성별/언어

관심사타겟(Interests Audience)

맞춤타겟(Custom Audience) H.P/Emai/웹사이트방문자/동영상/잠재고객/앱참여

유사타겟 (lookALike Audience)

내가 원하는 시간에 내가 원하는 콘텐츠를 내가 원하는 사람에게 보여준다는 것! 이러한 시스템을 쓰지 않는 다는 것은 그 자체만으로도 손실이다.

※ 광고시스템은 PC버전에서 좀 더 정교한 타겟이 가능하므로 PC버전에서 만들어 집행하고 모바일에서는 통계 및 정지 등의 기능 활용이 유용하다.

8강. 인스타그램 마케팅

1 인스타그램 특징

[인스타그램] 한국에서는 연예인들이 많이 이용한 SNS로 알려져 있는 무료 앱입니다.

[인스타그램] 앱(App)의 특징 및 활용

🍵 소중한 사람들과 콘텐츠에 더욱 가까이 다가갈 수 있는 공간

🍵 사진 촬영 후 자체 필터 등을 이용한 이미지 편집이 가능하며, 전세계 25개 언어를 지원하고 있습니다.

🍵 유죄 판결을 받은 성범죄자는 Instagram을 사용할 수 없습니다. (확인 즉시 계정 비활성화)

🍵 프로필 : 400x400, 사용자 이름(영문으로만 설정가능), 소개(최대 160자, 외부링크 등록 가능)

🍵 포스트 : 공식적으로 PC용 웹에서는 게시물 등록 불가, 계정 관리와 본인, 타인 게시물 열람, 팔로우, 좋아요, 댓글 달기, 쇼핑(shop) 기능을 지원하고 있습니다.

🍵 이미지 스펙 : PNG, JEPG, BMP, GIF, 최대 해상도 1080x1080

🍵 동영상 스펙 : MP4, 업로드 해상도 1080x1080 (1:1비율 업로드)

🍵 해시태그 : 대체적으로 이용자들은 포스트에 항상 해시태그를 사용하고 검색에 이용됩니다.
　　　　　#해시태그 #그램

🍵 스토리 : 24시간 후 지워지는 포스트로 읽은사람, 위치, 시간, 투표 등 여러 기능을 사용할 수 있습니다.

🍵 라이브 : 사용자가 시작 버튼 클릭으로 시청 가능, 종료시 스토리 창에 노출이 되며 모바일앱을 설치해야 합니다.

2 가입

1️⃣ [Play스토어]에서 [인스타그램]를 검색하여 설치합니다.

2️⃣ [인스타그램] 페이스북 계정으로 가입하기 또는 인스타그램에서 바로 가입하기가 가능합니다.

3️⃣ [인스타그램] 전화번호 또는 이메일를 아이디로 하여 가입이 가능합니다.

3 구성

1️⃣ [바탕화면]에서 인스타그램 아이콘을 찾아서 실행을 할 수도 있습니다.

2️⃣ [인스타그램] 앱 실행시 가장 먼저 보이는 화면을 '뉴스피드' 라고 합니다.

3️⃣ 뉴스피드 화면에서 각 메뉴에 대해서 구체적으로 살펴보기로 하겠습니다.

④ 포스트 검색

1️⃣ 🔍 [포스트 검색] 검색어 입력을 통해 검색 가능 및 QR코드 확인

2️⃣ [포스트 검색 : 검색어] 인기, 계정, 태그, 장소 검색이 가능하다.

3️⃣ [포스트 검색 : 해시태그] 일반 검색 뿐만 아니라 이미지 검색을 편하게 해 주는 #해시태그 검색

⑤ 포스트 글쓰기

1️⃣ ⊕ [New Post] 인스타그램 글쓰기

2️⃣ [New Post] 갤러리에서 이미지를 선택한다. 최대 10개의 사진과 동영상 공유할 수 있습니다.

3️⃣ [New Post] 이미지에 자체 필터를 제공하고 있다. 모든 이미지 필터 선택 가능합니다.

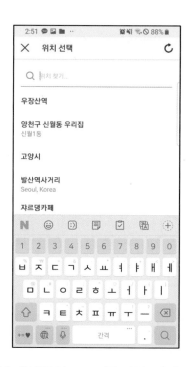
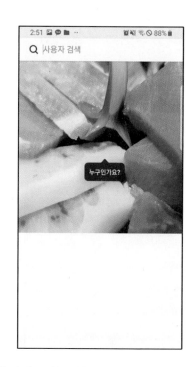

1️⃣ ⊕ [New Post] TEXT : 새 게시물의 TEXT를 작성. 이때 #해시태그 활용하여 글쓰기
2️⃣ [New Post] 위치 선택 : 위치 추가를 통해서 장소를 태그할 수 있습니다.
3️⃣ [New Post] 사람 태그하기 : 사람 태그하기를 통해서 인스트그램 유저를 이미지 언급 할 수 있습니다.

1️⃣ [New Post] 1. 게시물 : 게시물 작성 3가지 방법. 게시물에서 일반 이미지, 게시물로 작성 가능
2️⃣ [New Post] 2. 스토리 : 24시간 노출 스토리 게시물로 작성이 가능합니다.
3️⃣ [New Post] 3. 라이브 : 개인 라이브 방송이 가능합니다.

⑥ 뉴스피드 구성 메뉴

 활동
나의 활동, 팔로우 하고 있는 사람들의 활동 확인

 메신저

🏠 **홈버튼**
내가 팔로우하고 있는 사람들이 올린 사진 확인

🔍 **포스트 검색**
사람, 장소, 쇼핑 검색이나 해시태그로 게시물 검색

⊕ New Post : 사진이나 동영상 업로드

 Shop : 쇼핑 샵 및 제품 확인

👤 개인 프로필 : 내 인스타그램 계정 보기

⑦ 프로필 구성 설정

1. 팔로워
   나의 소식을 받아 보는 계정, 팬
2. 팔로우
   내가 소식을 받아 보는 계정
3. 프로필 사진
   사람, 로고(트렌디), 제품사진,
   매장전경 등
4. 이름
   상호, 브랜드명, 닉네임 + 키워드
5. 사용자 이름(아이디)
   상호, 브랜드명과 일치

6. 웹사이트 : 쇼핑몰, 홈페이지, 블로그, 플러스친구, 오픈카톡, 프로모션 페이지, 예약, 지도 등
         (단축 url 활용 가능)

7. 소개 : 비즈니스 컨셉 소개, 오프라인 매장 안내(영업시간, 휴무일 등), 기타 연락처(주소 등),
         이모지 활용, #해시태그 및 @계정태그 사용

8 일반 vs 비즈니스 프로필

일반 개인계정 vs 비즈니스계정

1 비즈니스 프로필 활용 : 샵, 전화번호, 주소, 이메일, 찾아가는길 등 비즈니스 정보 노출
2 데이터 확보 : 프로필 조회, 도달, 노출, 게시물 인사이트, 스토리, 홍보- 팔로워의 지역, 연령,
　　　　　　　성별 및 접속 요일,시간 등 확인 가능
3 광고와 데이터 분석 : ①홍보하기를 통한 광고 집행 및 광고성과를 구체적으로 확인
　　　　　　　　　　　②피드, 스토리 등의 위치에 광고 가능
　　　　　　　　　　　③신규고객확보, 타겟팅 가능

**사업목적이 아니라고 해도 꼭 전환하자!
사업하시는 분이라면 무조건 해야 한다!**

Instagram

9 비즈니스 프로필 전환하기

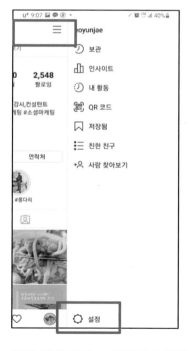
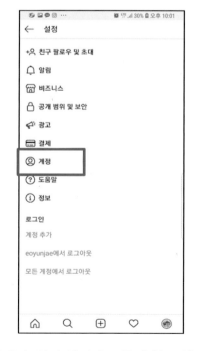
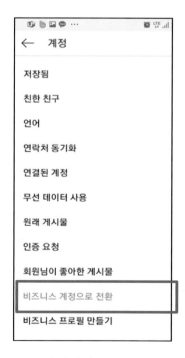

1 [일반 계정 -> 비즈니스 계정] 우측 상단 삼선마크 클릭 하고 설정으로 들어갑니다.
2 [계정] 설정의 메뉴들을 살펴볼수 있다. 계정을 클릭합니다.
3 [비즈니스 계정으로 전환] 계정정보 등을 확인할 수 있다. 비즈니스 계정으로 전환을 클릭합니다.

1 [**페이지 연결**] 기존 페이스북 페이지 연결, 없으면 신규 생성됩니다.

2 [**정보 확인**] 비즈니스 이메일 주소, 전화번호, 주소 등 정보 확인

3 [**비즈니스 계정으로 전환**] 전환완료시 신규 메뉴들이 노출이 되며, 인사이트 통계 확인 가능합니다.

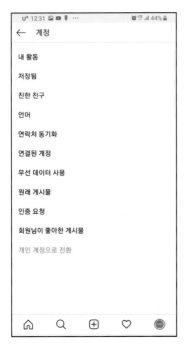
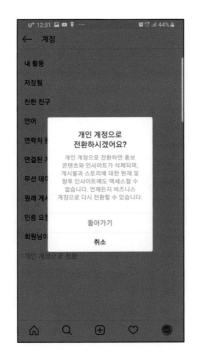
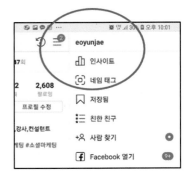

1 [**개인 계정으로 전환**] 개인 계정에서 비즈니스 계정으로 전환 한 것 처럼, 언제든지 비즈니스 계정에서 언제든지 개인 계정으로 전환할 수 있다. 하지만, 인스타그램 마케팅을 위해서는 비즈니스 계정으로 전환하여 쇼핑, 인사이트, 광고 등을 진행할 수 있습니다.

🔟 인스타그램 쇼핑연동

1️⃣ [과거 : 기존 제품 판매] 인스타그램에서 기존에 제품을 판매한다고 했을 때는.
구매는 DM 이나 프로필 링크를 통해서 제품 구매를 독려하였다.

2️⃣ [현재 : 신규 제품 판매] 페이스북과 연동되어 shop을 운영할 수 있고, 그에 따른 게시물 작성시
쇼핑태그를 통해 제품을 태그 알릴 수 있습니다.

1️⃣ 쇼핑태그 된 게시물은 피드에서 장바구니 모양의 아이콘이 우측 상단에 생기게 됩니다.

2️⃣ 해당 아이콘을 클릭하면, 이미지에서 '제품을 보려면 누르세요'

3️⃣ 1초 후, 이미지에서 흰색 동그라미가 나타나고 클릭시 제품 정보를 보여주게 됩니다.

뉴미디어 마케팅 교육 전문 SNS소통연구소

1️⃣ 제품 이름과 가격이 노출이 되고 제품정보 클릭시 해당 상품을 볼 수 있게 됩니다.

2️⃣ 이때 Shop의 제품은 페이스북 페이지 쇼핑몰 Shop 제품과 연동되게 된다. 3️⃣ '웹사이트에서 보기' 클릭시 기존 제품 등록된 쇼핑몰로 이동하여 상세 정보 및 결제 진행이 가능합니다.

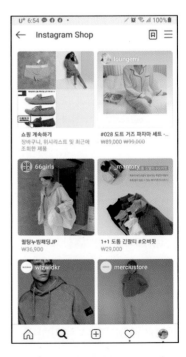

쇼핑태그 셋팅하기

1️⃣ 인스타그램 비즈니스 계정으로 전환
2️⃣ 페이스북 페이지 만들기 및 페이지 연동
3️⃣ 페이스북 페이지 '샵' 설정 및 판매제품 등록
4️⃣ 인스타그램 '샵' 생성 대기 : 2일~14일 이내 완료
5️⃣ 게시물 작성
6️⃣ 제품 태그 클릭, 갤러리 선택, 제품 선택
7️⃣ 수정, 추가, 삭제 가능

Instagram

진정한 소셜커머스 SNS커머스 시작!

1️⃣ [쇼핑 연동 신청하기]

설정에서 비즈니스 메뉴에서 Instagram 쇼핑 기능 설정을 클릭해서 '프로필에 Shop 추가' 클릭하고
페이스북 쇼핑몰이 생성되어 있는 페이지 연결하면 끝. 이제 인스타그램의 승인을 기다리면 됩니다.

1 [**인스타그램 샵 메뉴 생성**] 일정 기간이 지나면 인스타그램에서 '샵' 승인이 나면 제품들을 볼 수 있고 게시물 사진에 제품을 태그할 수 있습니다.

11 쇼핑 제품 태그하기

1 [**제품 태그하기**] 게시물 등록하기에서 이미지 선택하고 문구 입력 후 '제품 태그하기' 메뉴를 클릭하고 제품을 선택하면 태그 완료. 일정 기간이 지나면 인스타그램에서 '샵' 승인이 나면 제품들을 볼 수 있고 게시물 사진에 제품을 태그 할 수 있습니다.

1 [제품 태그 게시물 올리고 확인하기]

쇼핑태그 게시물 완료 후, 제대로 되어 있는지 게시물 확인할 수 있습니다.

1 [제품 태그 게시물 올리고 확인하기] 기존 쇼핑몰로 이동, 제품 확인가능. 2021년 페이스북 '샵' 의 페이스북 페이 결제를 지원하여 타쇼핑몰로 연결이 아닌, 페이스북 및 인스타그램 내에서 결제가 이루어져 완전한 '소셜커머스' 구현 기대하고 있습니다.

⑫ 팔로우 늘이기

잠재고객 & 타겟고객 늘이는 방법 (팔로우 늘이기)
빠르게 1천명 늘이기

1 프로필 사람찾기, 추천
인스타그램 자체에서 추천을 통해서 계정을 소개해
줍니다.

2 #선팔, #맞팔 #팔로우
선팔, 맞팔, 팔로우 등의 해시태그를 이용한 사람들은
팔로우를 추가하고자 하는 성향이 강하다. 따라서 이
러한 사람들을 팔로우 하면 자연스럽게 나를 팔로우
해 주기때문에 팔로워가 늘어납니다.

3 검색 : 타겟팅 및 벤처마킹
나의 타겟팅을 설정하고 관련 키워드로 검색을 통해
서 해당 프로필을 팔로우한다. 그럼 그 사람이 나의
프로필을 보게 되고 나를 팔로우 해 줄 수 있습니다.

4 활동 기능 : 지속적으로 나의 팔로워들의 활동을 모니터링하고 참여합니다.

5 다른 소셜 계정 친구: 특히, 인스타그램과 연결된 페이스북의 계정의 친구들의 인스타그램
　　　　　프로필을 팔로우 합니다.

6 콘텐츠로 승부하자 : 누군가에게 정보가 되는 게시물 작성

7 개방, 참여, 공유, 소통 : 좋아요와 댓글 달아주기

CHECK 리스트

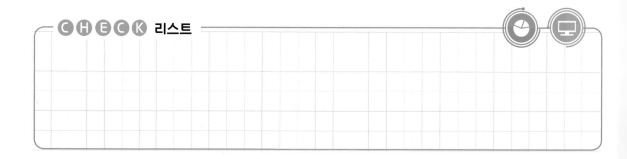

뉴미디어 마케팅 교육 전문 SNS소통연구소

🔢 팔로우 늘이기

1️⃣ 검색을 통해서 키워드 또는 프로필 인물을 찾습니다.

2️⃣ 찾은 인물을 팔로우 하고 해당 게시물의 '좋아요' 한 사람들을 확인합니다.

3️⃣ 해당 게시물 좋아요 한 사람들을 팔로우 한다. 나의 타겟팅 찾기(잠재고객&타겟고객)

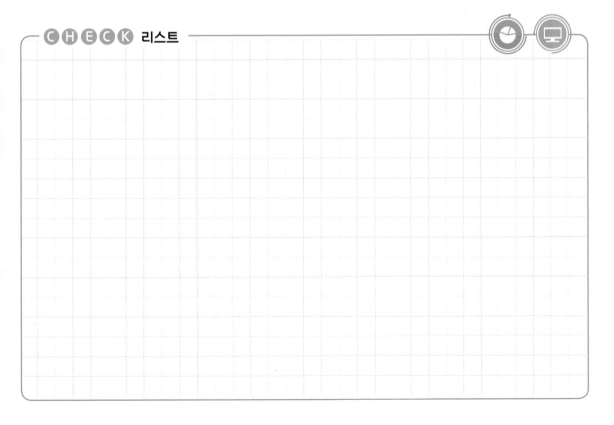

CHECK 리스트

고품격 시니어 실버들을 위한 소통대학교

9강. 네이버 쇼핑몰에 내 상품 등록하고 모바일 홈페이지로 홍보하기

1 modoo

뉴미디어 마케팅 교육 전문 SNS소통연구소

1 네이버에서 제공하는 무료 홈페이지 '모두'는 "누구나 쉽게 만드는 무료 홈페이지 " 라는 목표로 소상공인을 돕기위한 툴이라고 보시면 됩니다. 무료로 만들어진 홈페이지로 다양한 포털사이트에서 잘 검색이 될 수 있는 검색노출에도 용이한 홈페이지입니다. 최근의 트렌드는 소비자가 필요로 하는 정보를 블로그나 카페를 통해 신속한 정보를 접하는게 먼저 겠지만, 별도의 홈페이지를 필요로 하는 경우에 자본금을 많이 들이지 않고 홈페이지를 만들고 싶으신 분들에게 제공되는 플렛폼이라 할 수 있습니다.

[modoo] 네이버 모두의 장점

▶ 무료로 개설이 가능하며, 손쉽게 제작 관리할 수 있습니다.

▶ 네이버 사이트에 자동 등록 및 검색 노출 된다   ▶ 톡톡을 연계한 온라인 상담이 가능합니다.

▶ 모바일로도 제작 편집 관리기능이 있어 PC / 테블릿과 모바일 동시에 만족합니다.

[modoo] 네이버 모두의 단점

▶ 팝업기능이 없습니다.   ▶ 구현하고 싶은 기능이 제한적이다   ▶ 메인화면을 내 맘대로 꾸미기 어렵습니다. ▶ 레이아웃 설정이 어렵습니다.

[modoo] 나만의 멋진 모바일 홈페이지 무료로 만들기

▶ 제작과정 한 눈에 보기

1 네이버에서 제공하는 모두 홈페이지는 크롬 브라우저에 최적화 되어있습니다. 따라서 모두
(modoo) 홈페이지 제작시에는 익스플로러 브라우저로 인터넷창을 여는 것 보다는 크롬에서 작업
하는것이 안정적입니다. 크롬은 네이버나 구글 등 어느 포털에서든 '크롬다운로드' 검색하면 무료로
쉽게 다운로드 받을 수 있습니다.

1. 네이버 아이디로 로그인

1 네이버 모두 홈페이지를 만들기 위해서는 네이버 아이디와 비밀번호를 필요로 합니다.
아직 네이버 아이디와 비번이 없다라고 하면
네이버에 회원가입을 먼저 하고, Modoo!
홈페이지 [www.modoo.at]에서 네이버 아이디로 로그인을 합니다.

뉴미디어 마케팅 교육 전문 SNS소통연구소

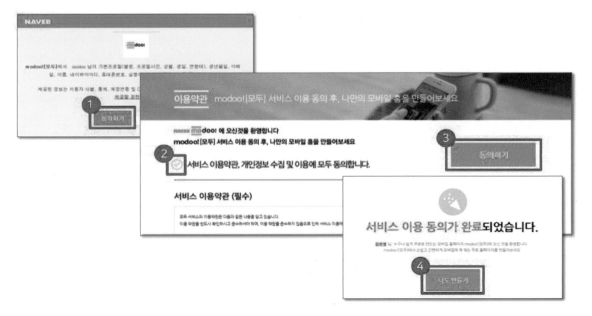

▣ 네이버 아이디 로그인 후 간단한 동의하기 절차를 진행한다. ① 번 동의하기를 누른 후,
②서비스이용약관에도 동의하기에 체크, ③동의
한 후 서비스 이용 동의가 완료되었다는 창이 뜨면 ④나도 만들기에 클릭합니다.

2. 템플릿 선택 - 추천 탬플릿

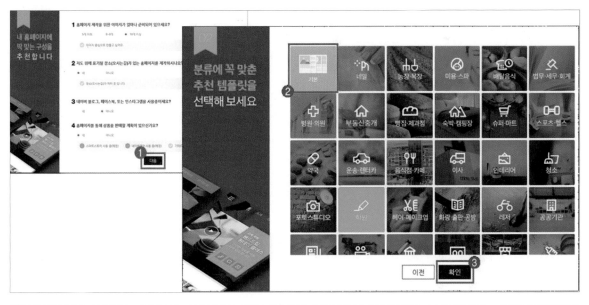

▣ 내 홈페이지에 맞는 구성을 추천하기 위한 몇가지 사항들을 입력하고, 분류에 맞는 추천 템플릿을
선택하는 메뉴들이 보입니다. 업종별 추천 템플릿을 사용하면 메뉴와 페이지가 이미 구성되어 있어
홈페이지를 쉽게 제작할 수 있습니다. (①>②>③ 순서) 용도에 따라 필요한 템플릿을 선택합니다.
오른쪽 상단의 X를 클릭하면 템플릿없이 빈 페이지에 직접 제작할 수 있다. 기본 템플릿을 선택 후
확인을 클릭합니다.

2. 템플릿 선택 – 편집화면 구성

모두 홈페이지 편집화면의 기본 구성을 알아봅시다.

　　모두 홈페이지의 편집을 위한 편집창의 기본 구성은 크게 설정영역인 상단, 구성영역인 중단, 편집 영역인 하단으로 삼단으로 구성되어있습니다.

🍵 상단의 페이지는 홈페이지의 필수 정보 및 테마설정 등을 할 수 있는 설정영역입니다.

🍵 중단의 페이지는 페이지명 편집, 페이지의 이동 및 그룹 묶기, 페이지 추가, 노출, 복사, 삭제, 설정하는 구성영역입니다.
　　중단의 페이지는 1메뉴당 최소 1개 이상의 페이지가 짝을 이루어야 한다. 1메뉴당 2개 이상의 페이지를 만들 경우 페이지마다 페이지명을 붙여야 하며, 1개의 메뉴당 붙일 수 있는 페이지의 개수는 최대 50개입니다.

🍵 하단의 페이지는 페이지의 내용을 편집하는 영역으로, 편집에 필요한 구성요소를 추가하거나, 편집하기 위해 페이지 선택을 하면 녹색의 테두리가 생기면서 활성화 됩니다. 이때 우측의 편집창에서 이미지를 삽입하거나 테스트 입력 등 세부내용을 편집합니다.
　　페이지의 하단에는 [임시저장], [홈페이지 반영], [네이버검색 노출] 버튼이 있습니다.
　　다른 페이지나 편집창으로 넘어가기 전에 반드시 이 버튼을 클릭하여 저장합니다.
　　클릭하지 않으면 해당 페이지에서 편집한 내용을 사라지고 복구도 불가능합니다.
　　[임시저장]은 관리자만 볼 수 있고 [홈페이지 반영]은 클릭 즉시 내 홈페이지를 방문한 사용자 들도 볼 수 있습니다.
　　[네이버검색 노출]을 클릭하면 노출 / 비노출을 선택할 수 있습니다.

　　편집화면 구성을 위해 하나 하나 빠짐없이 살펴보며 함께 입력 해 봅시다.

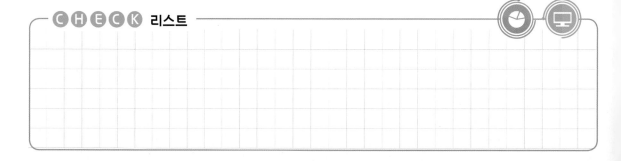

2. 템플릿 선택 - 편집화면 구성

3. 기본정보 입력 - 홈페이지 필수정보

① 상단에 있는 홈페이지1(또는 홈페이지명)
버튼을 클릭하여 홈페이지 필수정보를
입력합니다.

② 홈페이지 필수정보는 페이지편집 이후에도
입력, 수정할 수 있습니다.

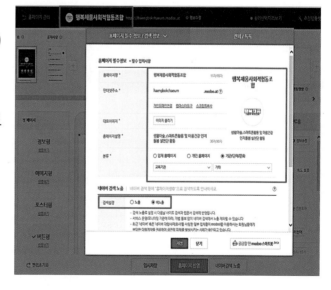

▶ 홈페이지명 : 최대15자 입력. 해당 키워
드로 추후 홈페이지명@으로 검색 가능.

▶ 인터넷주소 : 영어, 숫자로 3자이상 입력.
주소변경은 월1회만 가능. 한번 사용한
URL은 30일 동안 재사용 불가.

▶ 대표이미지 : 로고이미지로 정사각형의 5MB 이하의 크기.

▶ 홈페이지설명 : 30자 이내. 홈페이지 설명은 다루고 있는 제품이나 서비스에 대한 안내를 넣어
주시면 되고, 고객들이 원하는 키워드에 맞춰 쓰면 검색 노출에 효과적.

▶ 분류 : 업체, 개인, 기관 / 단체 / 문화 중 주제에 맞게 선택.

▶ 네이버 검색노출 : 네이버 검색창에 우선순위로 나오게 하려면 노출로 선택. 홈페이지명 뒤에
@를 붙여야 가능.

3. 기본정보 입력 - 전화 / 톡톡

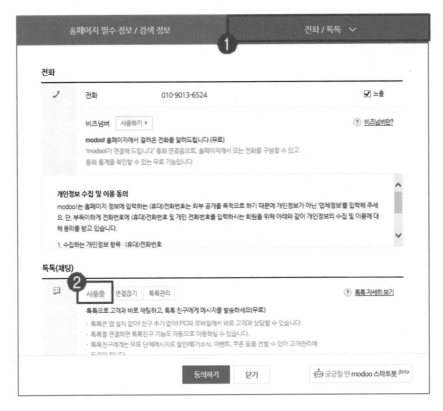

1️⃣ ①전화 / 톡톡 메뉴를 클릭하여 전화 정보를 입력하고 노출을 클릭합니다.
②톡톡(채팅) 사용하기는 홈페이지 공개 변경후 설정이 가능합니다.

Tip! 네이버 톡톡이란?

네이버 ID기반 무료 채팅 서비스로, 친구추가 없이 간편대화 가능
다양한 네이버 서비스(모두, 스토어팜, 블로그, 예약,부동산) 뿐만 아니라 외부 홈페이지에서도 이용할 수 있습니다.

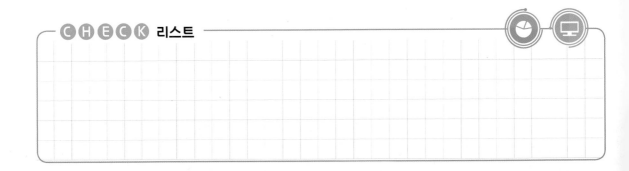

3. 기본정보 입력 – 임시저장 / 홈페이지 반영 / 네이버검색 노출

▣ 각 페이지 하단 영역에는 임시저장, 홈페이지 반영, 네이버검색 노출 버튼이 있습니다.

①앞에서 입력한 홈페이지 필수 / 하단 정보를 저장하려면 임시저장을 클릭합니다.

②홈페이지 반영 : 홈페이지 반영을 클릭하면 편집한 내용이 인터넷 주소로 바로 반영이 됩니다.

③네이버검색 노출 : 홈페이지 반영 후 네이버검색 노출을 클릭하면 노출 / 비노출 선택하여 설정
할 수 있습니다.

4. 페이지 편집

1) 첫 페이지- 편집하기_1

▣ 홈페이지의 얼굴! 홈페이지의 대문인 첫 페이지는 5가지의 유형이 있다. 용도에 따라 원하는
유형을 선택하면 제작이 용이합니다.

①메뉴페이지영역 또는 하단영역에서 첫 페이지 유형을 선택합니다. (샘플유형은 버튼형 선택)

②기본편집 클릭하여 내용을 입력합니다.

4. 페이지 편집

1) 첫 페이지- 편집하기_2

■ 홈페이지 기본정보를 하나씩 넣어준다. 정보수정을 클릭하면 홈페이지 정보를 수정할 수 있습니다.

①홈 배경이미지 : 이미지 4개까지 올릴 수 있고, 동영상으로 꾸밀수도 있습니다.

②추천컬러 : 테마색상 설정을 위해 추천컬러 또는 컬러선택 버튼을 클릭하여 색상을 변경할 수 있습니다. 5개의 추천컬러 자동생성

③소개 : 홈페이지를 대표할 수 있는 15자 이내의 소개 또는 소개/공지 한마디에 500자 이내의 소개글을 넣어줍니다.

④이미지 갤러리 : 홈페이지 내 전체 이미지를 한번에 첫 페이지에 보여주는 갤러리 기능입니다.

뉴미디어 마케팅 교육 전문 SNS소통연구소

1) 첫 페이지- 편집하기_3

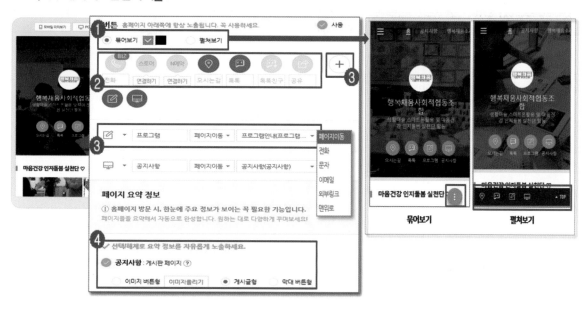

1 첫페이지에 버튼을 삽입하면 전화,스토어,예약,오시는길, 톡톡, 공유 등 다양한 정보를 한번에 보여줄 수 있습니다.

①버튼은 홈페이지 아래쪽에 항상 노출되며 묶어보기와 펼쳐보기 중 원하는 유형을 선택합니다.
(우측 상단 이미지 참고)

②전화, 스토어, 예약, 지도, 톡톡, 공유 버튼을 만들 수 있습니다.

③'+' 버튼을 클릭하면 직접 버튼을 만들 수 있습니다. 버튼명을 입력하고 아이콘과 연결정보를 선택합니다.

④홈페이지 요약정보에서 노출하고자 하는 페이지 선택하면 해당 페이지의 주요정보를 요약해서 첫 페이지에서 볼 수 있습니다.

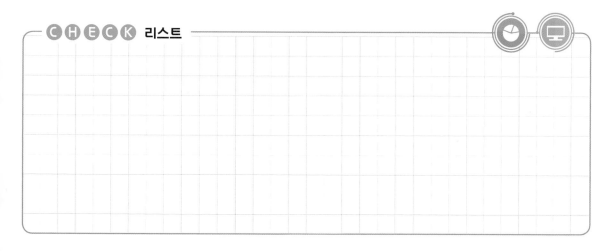

4. 페이지 편집

2) 구성요소 페이지 - 구성요소 페이지란?

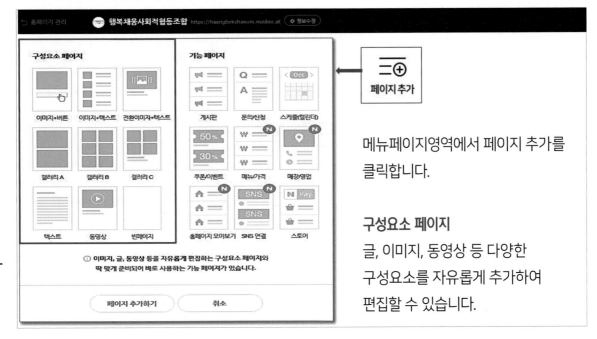

메뉴페이지영역에서 페이지 추가를 클릭합니다.

구성요소 페이지
글, 이미지, 동영상 등 다양한 구성요소를 자유롭게 추가하여 편집할 수 있습니다.

1 모두 홈페이지 제작의 핵심은 구성요소의 이해에 있다. 페이지 추가시 노출되는 구성요소 페이지는 이미지, 글, 동영상 등을 자유롭게 편집 가능하며 , 맞춤 게시판과 같은 기능 페이지는 딱 맞게 준비되어 바로 사용 가능한 페이지입니다.

2) 구성요소 페이지 - 이미지 추가하기

구성요소 페이지를 활용하면 다양한 구성요소로 자유롭게 페이지를 편집할 수 있습니다.

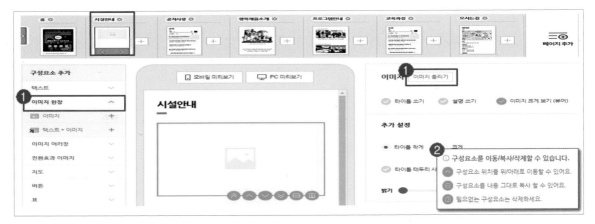

1 기본 템플릿의 두번째 페이지는 구성요소 페이지이다.

①이미지 한장 →이미지 구성요소를 추가하고 이미지 올리기 클릭하여 원하는 이미지를 삽입합니다. 이미지 용량은 최대 10MB까지 가능하며, 이미지 크기는 가로길이 1280px 이상의 큰 이미지를 권장한다. ②편집할 구성요소를 선택하여 자유롭게 이동, 복사, 삭제할 수 있습니다.

2) 구성요소 페이지 - 텍스트, 구분선 활용 사례

구성요소 페이지를 활용하면 다양한 구성요소로 자유롭게 페이지를 편집할 수 있다.

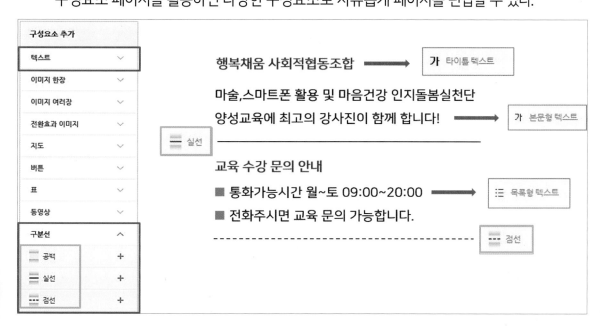

2) 구성요소 페이지 - 텍스트, 구분선 추가하기

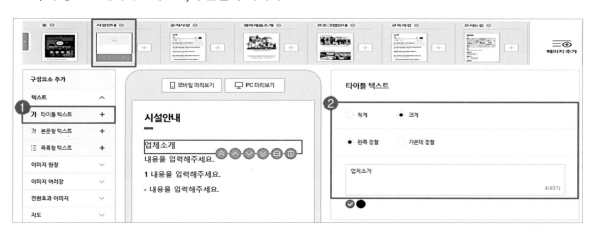

CHECK 리스트

2) 구성요소 페이지 - 버튼 활용 사례

버튼을 활용하면 전화, 문자, 페이지 내 이동, 외부사이트 연결을 간편하게 할 수 있습니다.

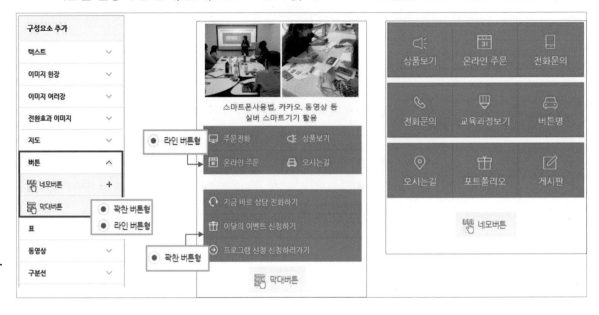

2) 구성요소 페이지 - 버튼 추가하기

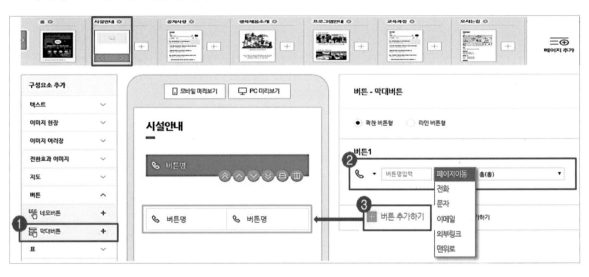

뉴미디어 마케팅 교육 전문 SNS소통연구소

CHECK 리스트

2) 구성요소 페이지 - 지도 추가하기

지도를 활용하면 네이버 지도로 연결되어 업체 위치를 상세하게 보여줄 수 있습니다.

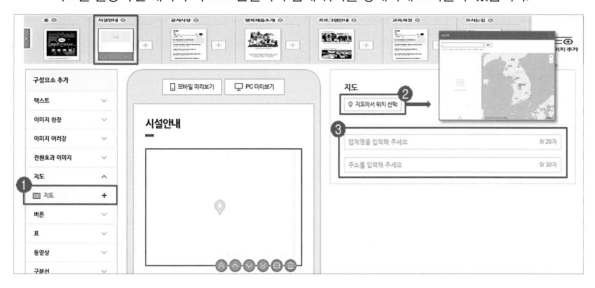

2) 구성요소 페이지- 표, 동영상 추가하기

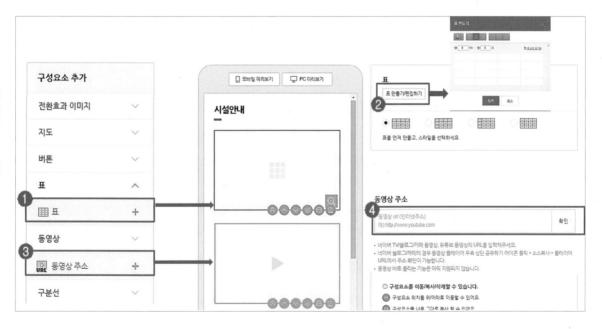

① ①표 →표 구성요소를 추가하고 표만들기/편집하기 버튼을 클릭합니다.

②표의 행열 설정과 내용을 입력합니다.

③동영상 →동영상주소 구성요소를 추가하고 삽입할 동영상의 URL을 입력합니다.

④네이버 TV캐스트 동영상, 유튜브 동영상 URL만 입력해 주세요. 네이버 블로그/카페 동영상은
플레이어 우측 하단에 있는 공유하기 >소스복사 >URL 복사 후 입력해주세요.

3) 기능 페이지- 기능 페이지란?

메뉴페이지영역에서 페이지 추가를 클릭합니다.

기능 페이지
게시판, 캘리더, 쿠폰, SNS 연결등 특별한 기능이 있는 페이지를 추가하여 다양한 정보를 입력할수 있습니다.

3) 기능 페이지- 메뉴 / 가격 편집하기

1 기본 템플릿의 세번째 페이지는 메뉴 / 가격 페이지입니다.

①메뉴 / 가격 정보 유형을 선택합니다(①, ②)

③이미지와 텍스트를 삽입하고, 아이콘을 선택합니다.

④+추가하기 버튼을 클릭하여 항목을 추가한다(최대 20개까지 가능)

뉴미디어 마케팅 교육 전문 SNS소통연구소

3) 기능 페이지- 스케쥴(캘린더) 활용 사례 1

스케쥴(캘린더) 페이지를 이용하면 원하는 날짜에 일정, 행사, 예약, 휴무일을 알릴 수 있습니다.

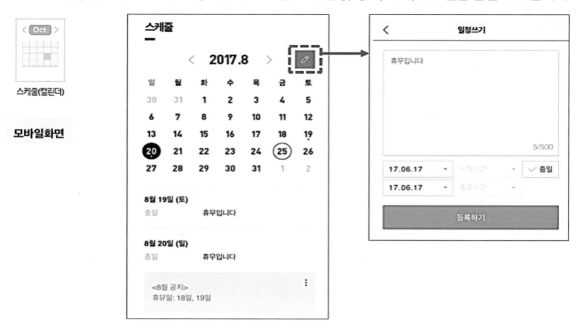

3) 기능 페이지- 스케쥴(캘린더) 편집하기

1 기본 템플릿의 네번째 페이지는 스케쥴(캘린더) 페이지입니다.

일정, 공지는 홈페이지에서 작성할 수 있습니다.

3) 기능 페이지 - SNS 편집하기

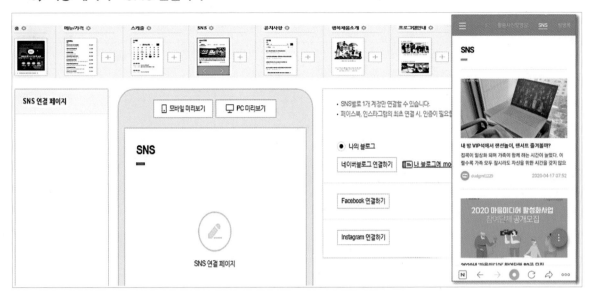

1️⃣ 기본 템플릿의 다섯번째 페이지는 SNS 페이지입니다.

네이버블로그, 페이스북, 인스타그램을 연결할 수 있습니다. SNS 별로 1개 계정만 연결할 수 있습니다.

페이스북, 인스타그램은 최초 연결시, 인증이 필요합니다.

3) 기능 페이지- 게시판 편집하기

게시판 페이지를 이용하면 공지사항, 문의하기 등 다양한 용도로 게시글을 관리할 수 있다.

글쓰기는 홈페이지에서 가능하다.

1️⃣ 기본 템플릿의 여섯번째 페이지는 게시판 페이지입니다. 게시글 쓰기의 권한, 답글 / 댓글 / 비밀글

설정, 글쓰기 안내 문구를 입력하고, 게시글 보기 유형을 선택합니다.

새글 / 답글 알림 받기는 톡톡, 문자, 이메일로 알림 설정이 가능합니다.

3) 기능 페이지- 게시판 설정 / 알림 받기

1️⃣ 게시판 설정은 홈페이지 관리 페이지에서 할 수 있습니다.

3) 기능 페이지 - 매장 / 영업정보 편집하기 : 네이버 지도에 등록되어 있는 경우

1️⃣ 기본 템플릿의 일곱번째 페이지는 매장 / 영업정보 페이지이다.

①네이버 지도를 클릭하여 새 창이 열리면 업체명 및 주소를 검색합니다.

②업체정보가 나오면 상세보기 버튼을 클릭하여 페이지창의 인터넷주소(URL)을 복사합니다.

③상세보기는 이전지도 클릭하면 보입니다.

3) 기능 페이지 - 매장 / 영업정보 편집하기: 네이버 지도에 등록되어 있는 경우

1 ①복사한 업체 정보 페이지의 인터넷주소(URL)를 붙여넣기 한 후, 입력 버튼을 클릭합니다.
②매장정보는 지도에서 위치 선택 버튼을 클릭하여 설정할 수도 있습니다.

3) 기능 페이지 - 매장 / 영업정보 편집하기 : 네이버 지도에 등록되어 있는 경우

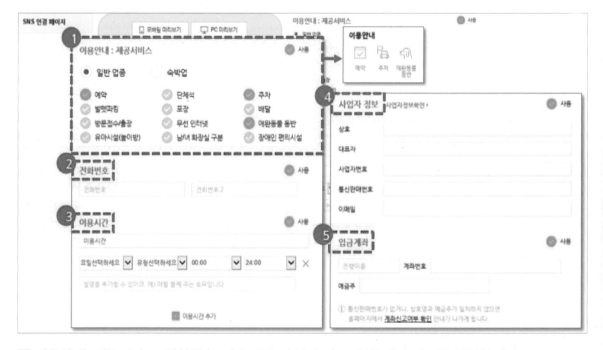

1 이용안내: 제공서비스, 전화번호, 이용시간, 사업자 정보, 입금계좌 정보를 입력합니다.
사용하지 않는 항목이 있다면 우측에 녹색 아이콘을 클릭하여 체크를 해제할 수 있습니다.
①'이용안내:제공서비스'에서는 업종 선택 후 이용 가능한 항목에 체크를 클릭하여 표시합니다.

3) 기능 페이지 - 매장 / 영업정보 편집하기 : 네이버 지도에 등록되어 있지 않은 경우

1 네이버 지도에 업체정보가 등록되어있지 않는 경우에는 지도에서 위치 선택 버튼을 클릭하여
업체위치를 등록합니다.

3) 기능 페이지 - 스토어 편집하기

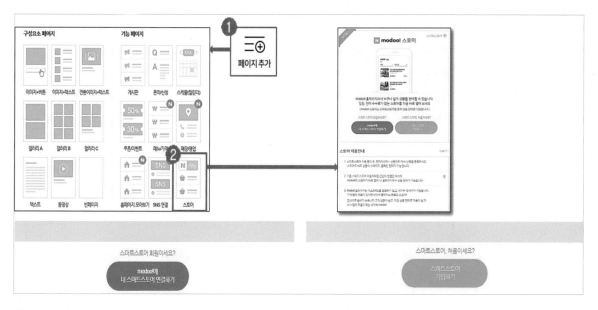

1 스토어 페이지를 이용하면 네이버 스토어팜에 노출중인 상품을 연동하여 보여줄 수 있습니다.
먼저 스토어팜 회원가입 후 상품을 모두 홈페이지에서도 상품판매를 시작할 수 있습니다.

3) 기능 페이지 - 문의 / 신청 편집하기

1 ①문의 / 신청 페이지에는 기본 구성요소와 편집 구성요소를 추가할 수 있습니다.
②문의/신청 설정 및 개인정보 수집 및 이용에 동의는 홈페이지에서 개인정보를 처리하는 목적에 맞게 작성합니다. (우측 상단 작성예시 참고)

3) 기능 페이지 - 문의 / 신청 편집하기

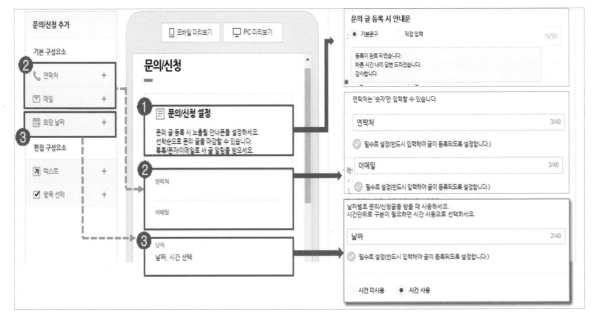

1 ①안내문구 사용여부를 설정할 수 있습니다. 안내문은 최대 5개까지 추가할 수 있습니다.
②연락처는 숫자만 입력할 수 있습니다.
③날짜는 날짜별로 문의/신청글을 받을 때 사용할 수 있으며, 시간 사용여부 설정도 가능합니다.

3) 기능 페이지 - 문의 / 신청 편집하기

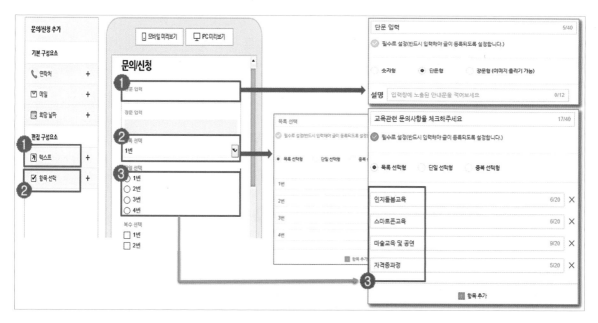

■ ①텍스트 구성요소에서는 숫자형, 단문형, 장문형 중 원하는 유형을 선택할 수 있습니다.
②항목선택 구성요소에서는 목록 선택형, 단일 선택형, 종목 선택형 중 원하는 유형을 선택할 수 있습니다. ③목록 선택형의 항목 추가하는 사용법의 예시입니다.

3) 기능 페이지 - 문의 / 신청 편집하기

■ 쿠폰은 10개까지 만들 수 있고 홈페이지에는 최대 5개가 노출됩니다. ①쿠폰 / 이벤트 요소를 추가하면 쿠폰의 내용, 배경이미지, 쿠폰유형, 노출설정, 안내문 입력을 할 수 있습니다.

5. 모두 홈페이지를 이용해서 무료로 홍보하기

1) 네이버 내 서비스 연동

modoo! 홈페이지에서는 쇼핑, 검색, 지도, 예약, 톡톡 등 다양한 네이버 내 서비스를 연동할 수 있다.

네이버 내 서비스를 모두에 손쉽게 연동하여 내 홈페이지를 잘 알리고 활용해 보세요.

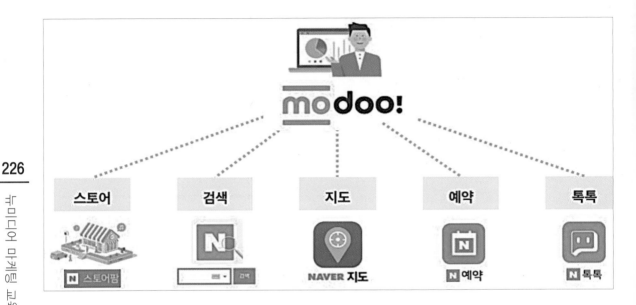

1) 네이버 내 서비스 연동 - 홈페이지 관리 페이지에서 연동

홈페이지에 필요한 네이버 내부 서비스를 쉽게 파악하고 한번에 손쉽게 연동할 수 있다.

1) 네이버 내 서비스 연동 - 첫 페이지에서 연동

첫 페이지에서 스토어, 예약, 지도, 톡톡 서비스 연동한 것을 노출 할 수 있다.

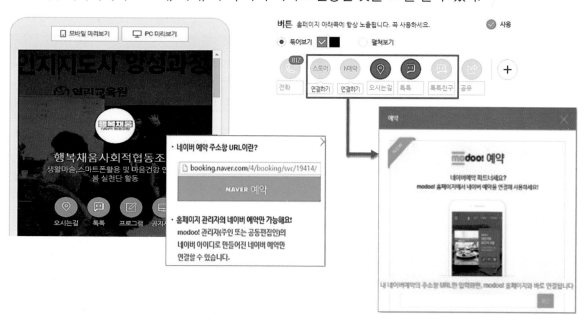

1️⃣ 네이버 예약을 연동하려면 먼저 네이버 예약 사이트에서 새로운 예약을 만든 뒤 해당 URL를 복사해서 붙여넣기 해주세요.

2) 네이버 검색 노출

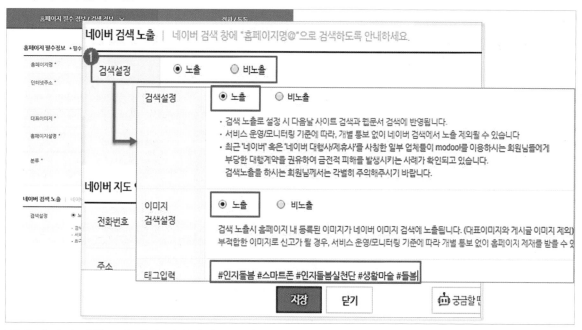

1️⃣ ①네이버 검색 노출에서 검색설정을 '노출'로 설정하면 네이버 검색에 자동 등록된다. '홈페이지명'과 '홈페이지설명'이 검색 결과에 반영되고, 네이버 웹문서 결과로 노출된다.(익~익익일 반영)
네이버 검색 노출을 원하지 않는 경우, 언제든지 '비노출'로 변경할 수 있다.

2) 홍보물 사용 – 명함 / 서명

▣ 홍보물사용 기능을 이용하면 블로그 / 이메일 명함과 위젯을 만들 수 있습니다.
명함에 들어갈 내용을 직접 작성할 수 있습니다.

2) 홍보물 사용 – 미니간판 , 라벨

▣ 홍보물사용 기능을 이용하면 가게 유리에 간판처럼 붙일 수 있는 미니간판을 인쇄할 수 있습니다.
홈페이지명, 소개 / 안내, 검색어는 위에서 직접 수정할 수 있습니다. A4 1칸 라벨 스티커지에 인쇄
하세요.

3) 온라인 홍보 및 공유

1 공유하기 기능을 이용하면 네이버 블로그, 카페, 밴드, 페이스북, 모바일 메신저 등 다양한 곳에 모두 홈페이지 홍보를 할 수 있습니다. PC와 모바일 둘 다 가능합니다.

내 모두 홈페이지를 잘 알리고 잘 쓰는 방법

내 모바일 홈에서 바로 고객들과 톡톡!
앱 설치없이! 친구 추가 없이! 어디서든 내 모바일에서 바로 고객과 상담할 수 있습니다.

❶ 네이버 스마트 스토어 상품 등록하기

네이버 스마트스토어 기본 장점

❶ 독자적인 주소를 갖고 네이버 쇼핑과 자동으로 연동되며,
   모바일 연동에 최적화되어 있습니다.

❷ 만들기 쉽고 판매수수료가 없습니다.(오픈마켓은 보통 8~15%)
   -> 네이버 쇼핑과 연동하거나 네이버 페이를 이용해 결제하면
   수수료 발생함

❸ 네이버페이 결제 기능이 있고 네이버 포인트가 적립됩니다.

스마트스토어 판매 수수료 2가지 제대로 알기

많은 사람들이 여러 오픈마켓 중 스마트스토어로 쇼핑몰 사업을 시작하는 이유 중의 하나가 입점, 등록 및 판매 수수료가 무료라는 것입니다.
하지만, 판매수수료에 대해서 제대로 알고 있는 분들이 많지않아 간략히 설명하고자 합니다.

고객이 상품을 구매하기 위해 네이버쇼핑을 통하거나 네이버페이를 이용했다면 판매자는 수수료를 지불해야합니다.

👆 첫번째는 네이버쇼핑에서 고객이 검색을 해서 매출이 일어나는 경우 매출연동수수료는 2% 입니다.
만약 고객이 재구매시 링크를 통해 혹은 다른 유입 경로에 의한 구매 발생시 해당 수수료는 없습니다.

👆 두번째는 네이버페이 결제수수료압니다. 고객들은 보통 신용카드나 휴대폰 결제를 많이 사용할 것으로 생각됩니다.

▣ 신용카드 : 3.74% ▣ 계좌이체 : 1.65% ▣ 무통장입금(가상계좌) : 1%
▣ 휴대폰결제 : 3.85% ▣ 네이버페이 포인트 : 3.74%

그렇다면 사업자가 마진을 계산할 때, 최대 약 6%(네이버 쇼핑 2%+핸드폰 결제 3.85%) 정도의 수수료를 지불할 것을 생각하고 상품의 가격을 정해야합니다. 다른 오픈마켓보다 스마트스토어의 수수료가 적은 편이라고는 하지만 처음 시작할 때는 추후에 내야 할 세금까지 생각해서 상품 판매 기획을 제대로 해야 매출액대비 경상이익(순이익)이 커질것입니다.

네이버 스마트스토어를 해야하는 5가지 이유?

네이버 쇼핑이 단기간에 온라인 쇼핑 시장에서 자리를 잡을 수 있었던 이유는 구글의 '검색 기능'과 아마존의 '이커머스 기능'을 한국 시장에 시의적절하게 내어놓아 소비자의 니즈를 충족한 데서 그 원인을 찾을 수 있습니다.

한마디로 네이버의 강점인 '검색엔진 기능'의 장점을 살리면서 글로벌 이커머스를 주도하는 아마존의 '최신성 로직'과 타오바오의 '메신저'를 접목해 소비자가 원하는 '한국형 이커머스'를 만든 데 있다고 할 수 있습니다.

1. 국내 1위 검색엔진 트래픽과 네이버 메인화면 노출

1999년 시작한 네이버는 현재 회원 수 4,200만 명을 거느린 국내 최대의 포털 사이트입니다. 하루 방문자 약 4,000만 명으로, 2019년 들어

구글과 유튜브에 점유율을 도전받고 있지만, 국내 포털사이트 트래픽의 약 60% 정도를 차지하고 있습니다. 일일 쇼핑 상품 검색은 3,000만 건에 달합니다.

네이버는 유입률을 이커머스 시장과 연결함으로써 네이버 쇼핑은 급성장을 할 수 있었습니다. 사람이 개입하여 노출을 결정하는 기존의 G마켓이나 11번가와 달리 네이버 쇼핑은 오랜 기간 쌓아온 검색엔진 알고리즘의 노하우를 인공지능을 통한 네이버 쇼핑 랭킹 로직에 접목하였습니다. 때문에 트렌드에 맞는 제품은 소비자의 선호도에 따라 무료로 네이버 메인에 노출되었으며, 이는 큰 매출로 이어졌습니다.

2. 간편결제 시스템 네이버 페이의 급성장

네이버는 2015년 6월 '네이버 페이(Naver Pay)'를 출시하였습니다. 네이버 페이는 네이버 ID로 간단하게 구매, 송금, 선물을 할 수 있는 결제수단입니다. 네이버 페이의 2019년 1월~8월까지의 결제 추정금액을 13.5조 원으로, 전년 같은 기간 10.6조 원 대비 27% 증가하면서 해를 거듭할수록 온라인 결제 시장을 주도하고 있습니다.

우리나라 사람 대부분이 가지고 있는 네이버 아이디를 통해 누구나 쉽게 결제를 할 수 있는 네이버 페이가 네이버 쇼핑에 연동됨으로써 판매자와 구매자 모두 손쉽게 스마트 스토어를 이용할 수 있게 되었습니다. 네이버라는 익숙한 환경에 네이버 페이라는 천군만마를 얻자 스마트 스토어는 거침없는 성장을 하게 되었습니다.

CHECK 리스트

3. 업계 최저 판매수수료와 빠른 자금 회전

최저가 치킨게임에 빠져 있는 이커머스 시장에서 개인 셀러는 한 푼이 아쉽습니다. 이런 셀러들에게 타 오픈마켓 대비 낮은 수수료(업계 최저 수수료 1~5.85%)는 스마트 스토어의 가장 큰 매력이라고 할 수 있습니다.

특히 유통사업에 있어 가장 중요한 게 자금 회전인데, 네이버는 구매확정일까지 기다리지 않고, 상품 발송 후 다음날(집화 기준) 바로 판매대금의 80%를 받을 수 있는 '퀵에스크로' 선정산 서비스를 2019년부터 실시하고 있습니다.

선정산 서비스는 현금이 필요한 판매자에게 플랫폼에 묶여 있는 정산금액을 대금 결제일 전에 정산해주어, 판매자의 자금 회전율을 돕고 현금 유동성을 높여 안정적으로 사업을 영위할 수 있도록 해주는 서비스입니다. 퀵에스크로를 통해 판매자는 정산 주기를 최대 10일 이상 단축할 수 있습니다.

4. 최신성 로직과 알고리즘 로직을 통한 상위 노출 가능

판매자인 우리가 스마트 스토어에 집중해야 하는 가장 큰 이유를 꼽으라면 새로운 제품을 상위 노출시켜주는 '최신성 로직'과 검색 SEO에 의한 '알고리즘 로직'입니다. '최신성 로직'이란 이미 노출되어 판매되고 있는 기존의 판매자 제품보다 새로 등록한 제품을 일정 기간 어드밴티지 랭킹 점수를 주어 순위 상승과 노출에 도움을 주는 로직입니다.

이는 신규 셀러의 시장 진입을 용이하게 합니다. 종종 네이버 쇼핑에서 등록일이 얼마 되지 않아 판매와 리뷰 수가 적은데도 불구하고 네이버 랭킹 상위권을 차지하는 제품들을 볼 수 있습니다.

초보 셀러도 소비자가 선호하는 아이템을 등록하고 최신성 로직을 이용하면 네이버 유료 광고를 하지 않고 도 상위 노출이 가능하게 하는 것이 최신성 로직입니다. '알고리즘'이란 문제 해결을 위한 명령들로 구성된 일련의 순서화된 절차를 말합니다. 정렬 알고리즘은 데이터를 일정한 규칙에 따라 재배열하는 것인데, 스마트 스토어는 바로 이 알고리즘 로직에 의해 상품들의 정렬 순서를 정합니다. 이와 알고리즘 로직을 쓰는 대표적인 플랫폼이 미국의 아마존으로, 스마트 스토어는 이 아마존을 벤치마킹했다고 할 수 있습니다.

반면 기존의 G마켓, 11번가 등 국내 주요 오픈마켓들은 '디스플레이 로직'을 사용하고 있습니다. 디스플레이는 특정 계획과 목적에 따라 상품을 진열해서 보여주는 것으로, 이런 플랫폼은 플랫폼의 목적에 따라 상품을 진열하기 때문에, 광고를 하면 상위에 노출됩니다.

즉 광고를 하지 않으면 상위 노출이 어렵다는 소리입니다. 사람이 개입하는 로직으로, 이러한 로직의 대표적인 플랫폼이 미국의 이베이입니다.

아마존과 이베이는 비슷한 시기에 출범했지만 지금의 위상을 보면 시장의 흐름이 어떤 것인지를 알 수 있습니다.

이것만 봐도 여러분이 어"떤 시장에 뛰어들어야 하는지를 알 수 있습니다.
알고리즘 로직에서는 여러분의 노력에 따라 상품을 상위에 노출시킬 수 있지만, 디스플레이 로직에서는 광고가 아니면 사실상 판매자가 해볼 만한 것이 없습니다.

네이버 쇼핑의 알고리즘 로직은 판매자에게, 특히 가난하고 힘없는 초보 셀러에게 기회의 평등을 의미합니다. 초보자도 네이버가 원하는 SEO에 맞게 상품을 등록하면 상위에 노출될 수 있습니다. 수많은 상품들이 존재하는 오픈마켓에서는 노출 순위가 곧 매출입니다.
다른 오픈마켓들이 대부분 광고 상품 위주로 디스플레이를 하는 것과는 달리 스마트 스토어는 오직 네이버 쇼핑 SEO 로직에 따라 노출 순위가 정해집니다. 우리가 네이버 쇼핑에서 '칫솔'을 검색하면 네이버의 SEO 로직에 따라 모든 상품에 점수를 매겨 순서화한 후 보여줍니다.

따라서 네이버 쇼핑의 로직을 알고 그에 맞게 상품을 등록하면 상위에 노출될 수 있습니다. 물론 PC에서는 4개, 모바일에서는 2개의 광고 상품이 우선적으로 노출되고 그 아래로 일반 상품이 노출됩니다. 만일 칫솔과 같이 검색량이 많고 전환율이 좋은 대표 키워드에서 1위에 오른다면 그야말로 대박이 나는 것입니다.
이것이 다른 플랫폼과 비교되는 스마트 스토어의 가장 큰 차이점이자 강점입니다. 네이버 쇼핑 SEO를 적용하여 알고리즘 로직에 맞게 페이지를 운영하면 판매자로 하여금 광고가 아니더라도 상위 노출을 통해 매출을 올릴 수 있는 기회를 스마트 스토어는 제공합니다.
그래서 우리는 스마트 스토어를 해야 하는 것입니다.

5. 에이아이템즈를 통한 타깃팅

네이버는 2018년부터 쇼핑 서비스에서 AI 추천 시스템을 강화하면서 신규 서비스도 여럿 선보였습니다. '에이아이템즈'를 비롯해 '포유', '나의선호물' 등 AI가 추천하는 개인화 서비스가 그것입니다.
네이버는 2019년 5월을 기준으로 에이아이템즈를 통한 거래액이 지난해 같은 기간에 비해 133% 늘어났다고 발표했습니다. 네이버 안에서 인공지능 추천을 통한 쇼핑 거래액이 크게 늘어났고, 유료 결제가 일어나는 핵심 서비스에서 판매자와 이용자의 매칭이 보다 정교해졌습니다.
네이버가 AI 기술 경쟁력을 온라인 마켓으로 확산하는 데 성공했다는 평가입니다.
네이버는 2020년부터는 네이버 쇼핑 경험의 절반은 AI 추천을 통해 판매가 이루어질 것으로 보고 있습니다. AiTEMS는 AI와 Items의 합성어로, 인공지능을 기반으로 한 쇼핑 추천 기술을 말합니다.

에이아이템즈는 사용자가 검색한 키워드나 구매한 상품, 찜한 상품, 클릭한 기사 등 사용자의 과거 활동을 데이터로 축적해 사용자의 관심사에 맞는 상품과 콘텐츠를 보여줍니다. 같은 네이버 쇼핑 화면에서 '티셔츠'를 검색했을 때 30대 남성인 철수에게 보이는 화면과 20대 여성인 영희에게 보이는 화면이 다릅니다.

에이아이템즈가 철수와 영희의 과거 활동 내역을 분석해 그에 맞는 상품을 추천해주기 때문입니다. 이처럼 인공지능은 ID 소유자의 검색 패턴을 인지한 후 그에 맞는 상품을 보여줍니다.
이렇게 개인 사용자의 연령이나 성별, 취향, 구매 이력, 관심사항 등을 고려하여 결과물을 보여주면 당연히 구매전환율이 높아집니다. 네이버 쇼핑에서는 현재 '패션의류'와 '패션잡화' 카테고리에서 우선적으로 적용하고 있는데, 앞으로 더 많은 카테고리로 확대해나갈 예정입니다.

인터넷 커머스 업계에 따르면 네이버는 2018년 쇼핑 부문에서 약 9조 원가량의 거래액을 기록했습니다. 이는 10조 원 전후로 추산되는 G마켓 11번가에 이어 국내 3위로, 8조 원 후반대인 쿠팡과 비슷한 거래액입니다. 네이버가 AI 추천 강화로 인링크 서비스 매칭률을 높이면, 네이버 검색을 통해 아웃링크로 고객을 유입하는 경쟁업체는 효과가 떨어집니다.
AI를 이용한 빅데이터 기반의 상품 추천 시스템은, 좋은 제품을 가지고 있는 셀러에게는 또 하나의 제품 타깃팅의 창구가 되어 추가적인 매출을 자동으로 일으키는 효과를 가져다 줌으로써 셀러는 매출을 극대화할 수 있습니다.
네이버 쇼핑에 입점하여 등록한 셀러의 좋은 제품은 에이아이템즈의 쇼핑 추천을 통해 타사 마켓 보다도 더 많은 판매의 기회가 주어지는 것입니다.

네이버 스마트스토어 간략 정리

▶ 스타트 기업 제로 수수료 : 12개월 간 결제 수수료 무료
▶ 퀵에스크로 서비스 : 영업일기준 10일 이상 소요 -> 다음날 80% 선정산
▶ 개인판매자 : 사업자 없이 가능합니다.
▶ 사업자필수 : 연간 2,400만원 이상
▶ 통신판매신고 : 6개월 간 거래 건수 10건 이상이거나 600만원 이상
▶ 블로그와 동일한 상세정보 작성 에디터
▶ 광고가 적은 공정한 판매 경쟁시스템 : 다른 포털 쇼핑몰들은 광고비를 많이 내지 않으면 상위 노출이 쉽지 않은데 네이버는 광고가 적어 공정한 경쟁이 가능함
▶ 독립몰보다 스마트스토어 우선상위노출

▶ 다른 채널과 쉬운 연동서비스 : 블로그, 네이버페이, 톡톡, 애널리틱스, 네이버지도, 사이트등록,
　　　　　　　　　　　　　　네이버 모두, 가격비고 뿐만 아니라 페이스북, 인스타그램연동이
　　　　　　　　　　　　　　가능함

▶ 네이버 스마트 스토어 장점

■ 온오프라인교육 프로그램

■ 스튜디오 공간과 네트워킹 제공

■ 무료 컨설팅

■ 톡톡파트너센터 : 네이버 톡톡을 통한 채팅 문의에 답변 관리

■ 스마트한 고객관리 : 네이버 톡톡연동, 쇼핑챗봇, 스마트폰으로 고객문의 알림,
　　　　　　　　　　네이버 애널리틱스로 통계

▶ 단점 : 디자인 커스터마이징이 어렵습니다.

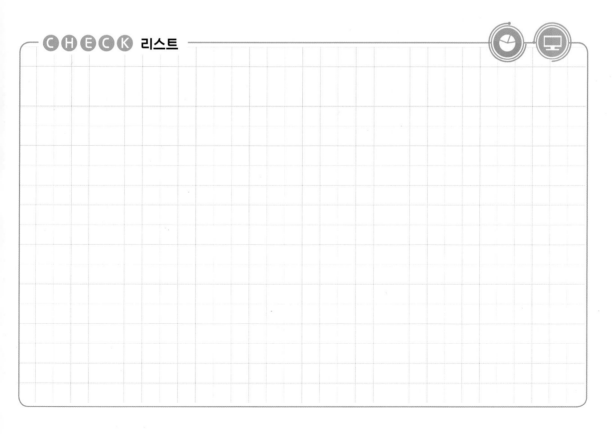

CHECK 리스트

▨ 네이버에서 [**네이버 스마트스토어**]라고 검색을 한 후 해당 사이트를 클릭합니다.

▨ ①[**스마트스토어 및 네이버 쇼핑**]에 대해서 간략하게 설명되어 있습니다.

②수수료 안내, 스마트스토어 교육일정, 매뉴얼 등 롤링식으로 안내를 하고 있으며 [**스마트스토어
센터 관리자**] 화면 공지사항 부분에서도 확인할 수 있습니다. ③[**판매자 가입하기**] 클릭합니다.

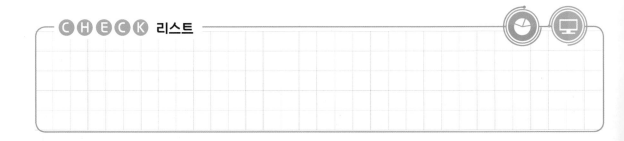

고품격 시니어 실버들을 위한 소통대학교

1 회원가입은 ①[개인]과 [사업자] 회원으로 할 수 있습니다. 일단 개인회원으로 가입해보겠습니다. 추후에 사업자회원으로 전환할 수 있습니다. ③[다음]을 클릭합니다.

2 ①[휴대전화 본인인증]을 클릭합니다. ②휴대전화 번호 인증을 합니다.
인증번호 입력 후 ③[확인]을 클릭합니다.

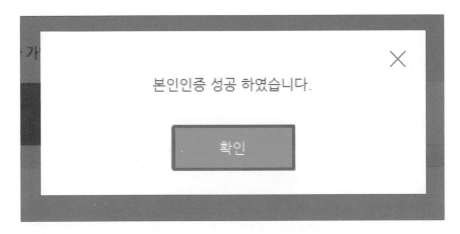

1 [확인]을 클릭합니다.

뉴미디어 마케팅 교육 전문 SNS소통연구소

2 [다음]을 클릭합니다.

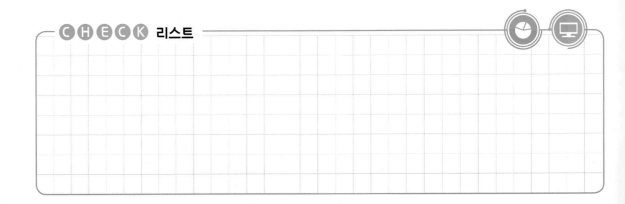

1️⃣ 처음 가입하시는 분들은 순서대로 진행을 하시면 어렵지 않게 회원가입을 하실 수 있습니다.
기존 가입자라면 [로그인하기]를 클릭합니다.

2️⃣ [네이버 아이디로 로그인]을 클릭해서 로그인 합니다.

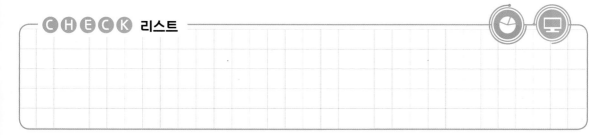

1 [사업자] 회원으로 진행하는 경우 사업자등록번호를 입력한 후 [다음]을 클릭합니다.
[신규 사업자]의 경우 사업자등록증, 사업자통장, 통신판매업 신고증등이 필요합니다.

2 [네이버 아이디로 가입하기] 클릭한 후 [다음]을 클릭합니다.
그럼 순서대로 진행하시면 가입을 어렵지 않게 하실 수 있습니다.

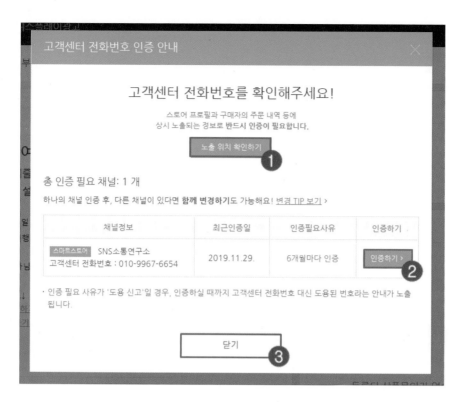

☑ ①[노출 위치 확인하기]를 클릭하면 [고객센터 전화번호] 노출 위치를 확인할 수 있습니다.
②[인증하기]를 클릭합니다. ③[닫기]를 클릭합니다.

② 네이버 스마트스토어 센터 관리자 화면이 보여집니다.

상품을 등록하기 위해서 [상품관리] 카테고리에서 [상품 등록]을 클릭합니다.

☑ ①[카테고리명 검색] 메뉴에서는 검색창에 직접 상품군을 입력합니다. 여기에서는 [도서]라고
검색해보겠습니다.
②입력한 키워드 아래로 해당하는 카테고리가 보여지는데 해당하는 카테고리를 클릭합니다.
③[카테고리 선택]을 하면 대분류, 중분류, 소분류 식으로 제품에 해당하는 카테고리를 순서대로
지정할 수 있습니다.

상품명 • ⓘ

유튜벗가 뭐니? - 유튜브 기초부터 실전 마케팅까지 다루고 있는 책

판매 상품과 직접 관련이 없는 다른 상품명, 스팸성 키워드 입력 시 관리자에 의해 판매 금지될 수 있습니다.
유명 상품 유사문구를 무단으로 도용하여 ~스타일, ~st 등과 같이 기재하는 경우 별도 고지 없이 제재될 수 있습니다.
상품명을 검색최적화 가이드에 잘 맞게 입력하면 검색 노출에 도움이 될 수 있습니다. 상품명 검색품질 체크

② [상품명]을 입력합니다.
[상품명] 입력시 [상품명 검색 품질체크]를 클릭해 확인을 합니다.
같은 단어가 2개이상 들어가면 안되고 특수문자도 안됩니다.

판매가 ●	**①** 18,000　원	일만팔천 원

네이버 쇼핑을 통한 주문일 경우 네이버쇼핑 매출연동수수료 2%가 네이버페이 결제수수료와 별도로 과금됩니다. 수수료안
판매가, 할인가를 활용한 비정상 거래는 자동 탐지되어 판매지수에 포함되지 않으니 유의해주세요. 안내 >

할인 ⓘ	설정함	**설정안함**
판매기간	설정함	**설정안함**
부가세 ●	과세상품	**면세상품** ② / 영세상품

재고수량 ●

100	개	옵션 재고수량을 사용하면, 옵션의 재고수량으로 적용되어 자동으로 입력됩니다.

1 ①책 가격을 입력합니다. ②책은 면세이므로 [면세 상품]을 선택합니다.
재고수량을 입력하게 되면 추후에 재고 현황 추이를 볼 수 있습니다.

선택형 ⓘ	**설정함** ① / 설정안함
옵션 입력방식	● 직접 입력하기 ○ 엑셀 일괄등록 ○ 다른상품 옵션 불러오기
옵션 구성타입 ● ⓘ	○ 단독형 ● **조합형** ②
	옵션별 재고수량이나 옵션가 설정이 필요하면 조합형을 선택해 주세요.
옵션명 개수 ●	3개 ③
정렬 순서 ●	등록순 ④

옵션입력 ● ⑤	옵션명	옵션값
	스마트폰 책	스마트폰기본 활용, 스마트폰 자격증
	유튜브 책	유튜브 기본, 유튜브 중급
	스마트워크 책	스마트워크 기본, 스마트워크 중급

옵션목록으로 적용 ↓ ⑥

옵션목록 ● ⓘ (총 0개) ⑦ [변경된 옵션 제한기준을 꼭 확인해 주세요. >]

2 [옵션]을 펼치면 다양한 메뉴들이 나옵니다. 만약, 상품별로 재고와 금액을 다르게 적용하고
싶다면 조합형으로 입력하면 됩니다. ①[설정함]을 클릭합니다. ②[조합형]을 클릭합니다.
③[3개]를 선택합니다. ④[등록순]을 선택합니다. ⑤[옵션입력]에는 [옵션명]과 [옵션값]을
입력합니다. ⑥[옵션 목록으로 적용]을 클릭합니다. ⑦[변경된 옵션 제한 기준]을 확인합니다.

① ①마우스로 클릭해서 [옵션가]를 입력할 수 있습니다. ②[재고수량]도 직접입력할 수 있습니다. ③[사용여부]를 선택할 수 있습니다. ④항목을 전체 체크한 후 ⑤[선택 목록 일광 수정]을 클릭하면 [옵션가]나 [재고수량]을 한꺼번에 입력할 수 있습니다. ⑥[직접 입력형]은 주문 제작시 고객이 직접 주문사항을 입력하는 것을 말합니다. 예를들어 도장 각인시 각인할 이름을 적는경우도 해당됩니다.

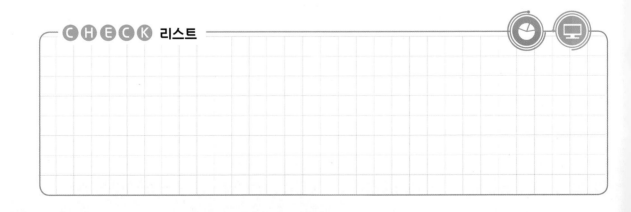

② [옵션명 개수]를 클릭합니다. [옵션명]을 2개 추가해서 작성합니다.

뉴미디어 마케팅 교육 전문 SNS소통연구소

CHECK 리스트

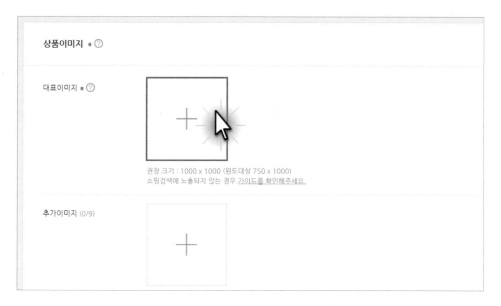

1 상품 이미지를 등록할 때는 요즘은 모바일로 많이 보기 때문에 상세페이지도 정사각형 이미지가 가독성이 좋다고 합니다.

[대표 이미지] 및 **[추가 이미지]** 영역에 보이는 **[+]**를 클릭해서 이미지를 추가할 수 있습니다.

2 ①**[동영상]**을 추가하기 위해 **[+]**를 클릭합니다. ②**[내 동영상 가져오기]**를 클릭합니다.

1 선택한 동영상에서 대표이미지를 선택한 후 [완료]를 클릭합니다.

2 ①[동영상 노출 예시보기]를 클릭하면 추가한 동영상이 보여지는 위치를 확인해 볼 수 있습니다.
②[동영상 타이틀]도 노출이 되는 부분이므로 상품과 연관되는 키워들 조합해서 입력해 주면 좋습니다.

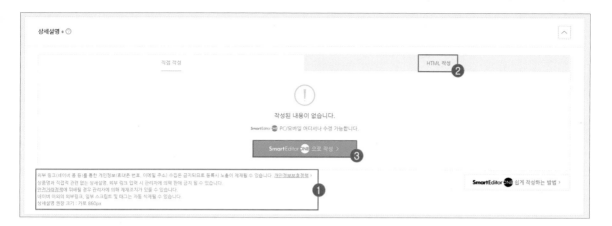

1️⃣ ①상품 상세페이지 작업을 할 때 외부 링크주소는 사용하면 안됩니다.

②[HTML 작성]은 블로그 [스마트 에디터 2.0] 버전에서 작성한 내용이나 홈페이지에 있는 내용을 그대로 가져올 수 있는 기능입니다.

③[SmartEditor ONE]을 클릭해서 상품 상세페이지를 작성합니다.

2️⃣ 우측 상단에 [사진]을 클릭해서 상품 사진을 추가할 수 있습니다.

네이버 블로그 작성하는것처럼 하시면 쉽게 할 수 있습니다.

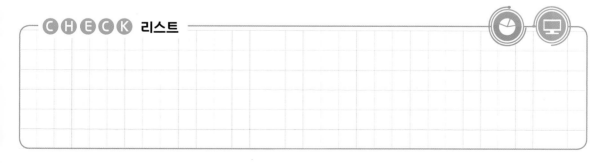

CHECK 리스트

뉴미디어 마케팅 교육 전문 SNS소통연구소

1 자신이 등록한 도서 중 네이버 출판사에 등록이 되어 있다면 검색해서 가져올 수 있습니다.

①[**글감**]을 클릭합니다. [**책**] 메뉴에서 등록한 상품을 검색합니다.

②등록한 상품이 나오면 선택합니다. ③선택된 상품이 상세페이지에 보여집니다.

2 자신이 등록한 도서 중 네이버 쇼핑에 등록이 되어 있다면 [**쇼핑**] 영역에서 검색한 후

선택해서 가져올 수 있습니다.

1 네이버 블로그와 마찬가지로 [템플릿] 기능이 있어 처음 상세페이지를 작업하는 사람들에게도 쉽고 빠르게 멋지게 만들 수 있습니다. [추천 템플릿] 중 마음에 드는게 있다면 선택해서 기존 텍스트 및 이미지 대신 자신의 상품에 맞는 내용을 입력해서 사용할 수 있습니다.

2 자신이 취급하는 제품군안에 상품들이 많다면 제대로 된 하나의 템플릿을 미리 추가해 놓고 다음 상품 상세페이지 작업할 때 가져와서 사용할 수 있습니다.

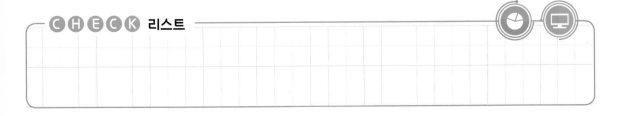

1 블로그에 포스팅한 내용을 그대로 가져오기 위해 상단 메뉴 중 [HTML]을 클릭합니다.

2 [HTML] 소스를 입력하는 창이 나타납니다.

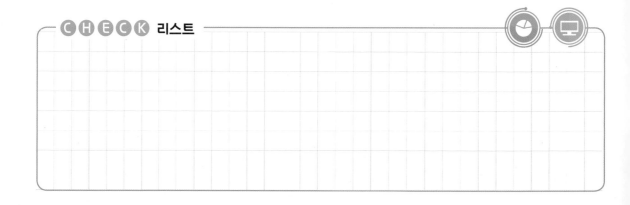

CHECK 리스트

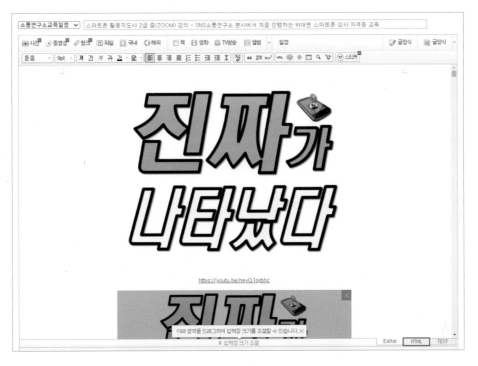

1️⃣ 네이버 블로그 [스마트 에디터 2.0]에서 작성한 내용 중 가져오고자 하는 내용을 선택 후
[수정]을 클릭합니다. 수정 페이지가 나타나고 우측 하단에 [HTML] 메뉴를 클릭합니다.

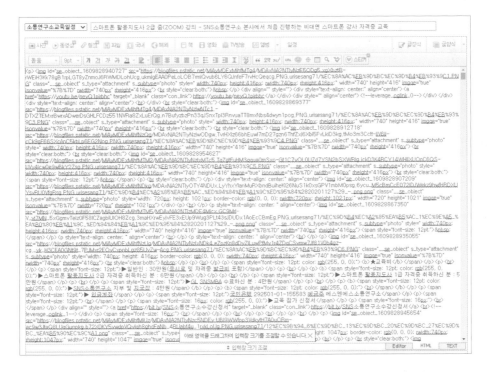

2️⃣ 그럼 글과 이미지등으로 작성된 내용들이 [HTML]로 변환되어 나타납니다.
전체 선택을 해서 복사를 합니다.

1 ①복사한 [HTML]을 붙여넣기 합니다. ②[변환]을 클릭합니다.

2 상세페이지 화면에 블로그에서 가져온 내용이 그대로 보여지는 것을 볼 수 있습니다.
블로그에서 포스팅한 내용 그대로 오지 않고 이미지 및 텍스트를 다시 정렬해야 되는 경우도
있습니다.
상세페이지 작업이 완성되었다면 우측 상단에 [등록]을 클릭합니다.

도서 *		∧
ISBN-13 *	9791170460367	유효성 확인
	국립중앙도서관 시스템에 존재하는 유효한 값입니다.	
ISBN-10		유효성 확인
독립출판물	독립출판물은 직접 콘텐츠를 제작하고 인쇄, 홍보, 유통까지 하는 출판물을 말합니다. ISBN-13은 입력하지 않아도 됩니다.	

1 ②도서 ISBN을 입력한 후 ①[**유효성 확인**]을 클릭합니다. 그럼 국립중앙도서관에 등록이 된 도서라면 관련 내용들을 그대로 가져옵니다.

2 ①[**검색 노출이 잘 되려면?**]을 클릭하면 상품 주요정보를 잘 입력하는 방법에 대해서 알려줍니다.
②브랜드명을 입력합니다. 자체 제작 상품이라면 체크합니다. ③제조사를 입력합니다.

뉴미디어 마케팅 교육 전문 SNS소통연구소

1 원산지 선택하고 상품 상태 선택합니다..

2 [상품 정보 제공 고시]의 경우 도서는 국립 중앙 도서관에 등록한 책이라면 그 등록된 내용을 그대로 가져오는데 수정할 수 있습니다.

목차 또는 책소개 ●　　　상품상세참조

아동용 학습교재의 경우 사용연령을 포함

제품하자·오배송 등에 따른 청약철회 등의 경우 청약철회 등을 할 수 있는 기간 및 통신판매업자가 부담하는 반품비용 등에 관한 정보

◉ 전자상거래등에서의소비자보호에관한법률 등에 의한 제품의 하자 또는 오배송 등으로 인한 청약철회의 경우에는 상품 수령 후 3개월 이내, 그 사실을 안 날 또는 알 수 있었
　　상품상세 참조
　　직접입력

제품하자가 아닌 소비자의 단순변심, 착오구매에 따른 청약철회등이 불가능한 경우 그 구체적 사유와 근거

◉ 전자상거래 등에서의 소비자보호에 관한 법 등에 의한 청약철회 제한 사유에 해당하는 경우 및 기타 객관적으로 이에 준하는 것으로 인정되는 경우 청약철회가 제한될 수
　　상품상세 참조
　　직접입력

재화등의 교환·반품·보증 조건 및 품질보증기준

◉ 소비자분쟁해결기준(공정거래위원회 고시) 및 관계법령에 따릅니다.
　　상품상세 참조
　　직접입력

① 목차 및 책 소개는 자세히 입력하는 것이 좋습니다.
그 아래 부분은 네이버에서 적어 놓은 부분으로 참고하면 됩니다.

② [배송] 관련한 정보도 상세하게 적는것이 좋습니다. 만약에 핸드메이드 제품을 취급하는 사업자라면 [주문 확인 후 체크]한 후 2일 ~ 14일 안으로 선택합니다. 만약에 의무 발송기한을 넘겨서 발송하면 페널티가 부과됩니다.

뉴미디어 마케팅 교육 전문 SNS소통연구소

1 [반품/교환]

지정 택배사가 있는 경우 판매자 정보>배송정보에서 반품 택배사로 등록하면 됩니다.

지정 택배사가 없는 경우 네이버 기본 반품 택배사로 지정됩니다.

반품 배송비는 편도 배송비이며, 교환 배송비는 왕복 배송비입니다.

2 [A/S, 특이사항]의 경우 친절하게 잘 설명하도록 합니다.

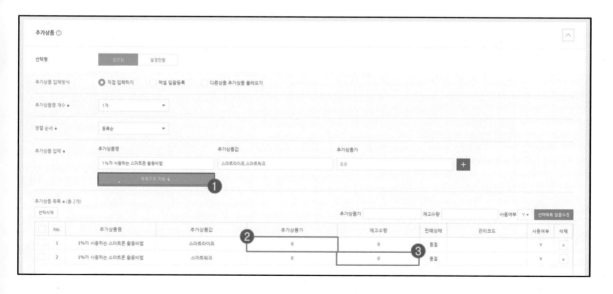

1 [추가 상품]

추가상품의 경우 추가 상품 가격을 일일이 입력해 줘야 합니다.

추가 상품 입력 후 [목록으로 저장]을 클릭합니다.

2 ①[목록으로 저장]을 클릭하면 그 아래로 [추가 상품 목록]이 생성됩니다.

②[추가 상품가] ③[재고수량]을 수동으로 입력합니다.

1 [구매 혜택 조건]의 경우 최소 구매 수량이 1인 경우 입력하지 않아도 됩니다.
포인트는 상품구매시와 상품 리뷰 작성시 지급 설정할 수 있습니다.
무이자 할부 설정하면 수수료는 사업자가 부담해야 합니다.
① 최소 구매 수량이 2개인 경우 입력합니다.
② 도서의 경우 판매가의 5% 미만으로 기재합니다.

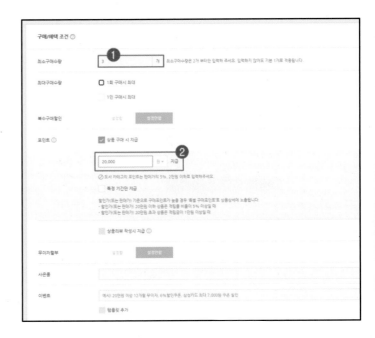

네이버에서 기본은로 지급해주는 포인트가 있습니다.
①고객이 상품 구매 후 구매 확정시 네이버에서 기본으로 1%를 지급합니다.
①상품 리뷰시 텍스트 리뷰 50원, 포토/동영상 리뷰 150원을 지급합니다.

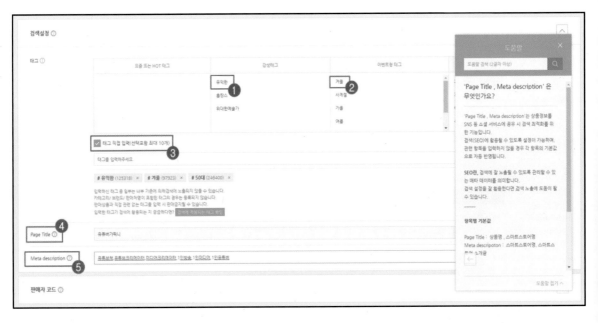

2 추천태그를 입력하기 위해 상품과 관련한 키워드라고 생각되는 ①[유익한] ②[겨울]을 클릭합니다. ③[태그 직접 입력]을 체크하면 상품과 관련있는 키워드들을 [태그]로 입력합니다. ④[Page Title]은 상품의 이름을 입력합니다. ⑤[Meta description]은 상품 설명을 입력해도 되지만 키워드들을 쉼표로 끊어서 나열해도 좋습니다.

1 스마트 스토어 전용 상품명 사용은 쇼핑윈도에 가입된 판매자를 위한 기능입니다.
가격비교 사이트는 꼭 등록해야 상품이 검색되어지니 꼭 체크합니다.
[노출 채널] 영역 맨 하단에 [공지사항]을 등록하면 상품 페이지 제일 위에 뜨게 되고 이 위치는 변경할 수 없습니다.

①[노출 채널 ?]를 클릭하면 상품 등록시 스마트스토어와 쇼핑윈도에 함께 노출하는 방법에 대해서 설명하고 있습니다. ②[스마트 스토어] 체크합니다.
③[네이버 쇼핑] 체크합니다. 도서의 경우에는 체크가 되지 않습니다.

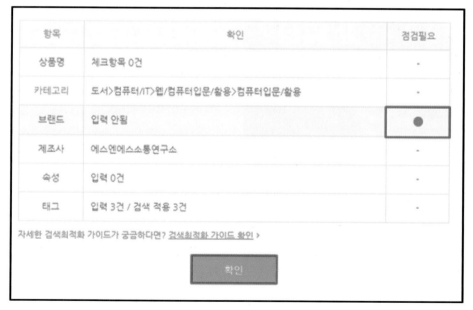

2 [노출 채널]까지 입력하게 되면 상품 등록에 필요한 사항을 모두 기재하였습니다.
[쇼핑 상품정보 검색 품질 체크]를 클릭하면 제대로 입력하지 않은 항목들에 대해서
[점검필요]라고 빨간 원형 동그라미가 보여집니다. 여기서는 [브랜드]가 입력되지 않았다고
표시됩니다. 해당 영역으로 가서 [브랜드]를 입력하면 완성됩니다.

뉴미디어 마케팅 교육 전문 SNS소통연구소

상품 주요정보 •

모델명 ⑦

브랜드 ⑦   SNS소통연구소

선택된 브랜드 : SNS소통연구소
☑ 자체제작 상품 ①

제조사   제조사를 입력해주세요.

선택된 제조사 : 에스엔에스소통연구소

NAVER 쇼핑 검색에 잘 노출되려면!
검색인기도에 영향을 주는 주요 상품정보들을 가이드에 맞게 잘 입력하면 네이버쇼핑 검색노출 기회가 늘어납니다.
입력하신 정보를 저장하기 전에 주요 항목들을 한 번 더 체크해보세요.

취소   저장하기

1 [브랜드]를 입력합니다.

2 [저장하기]를 클릭합니다.

그러면 등록한 상품 페이지 미리보기 화면이 보여집니다.

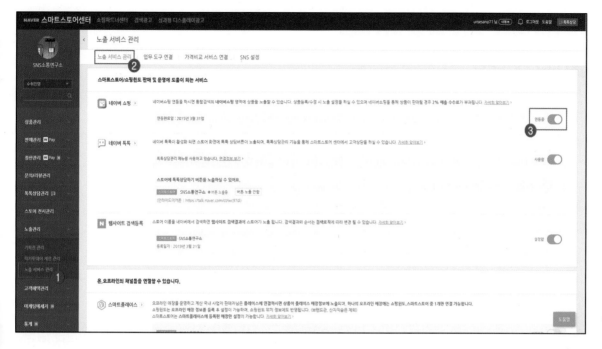

1 상품을 등록한 후 등록한 상품을 수정하고 싶다면 [**네이버 스마트 스토어센터**] 카테고리 중 맨 위에 있는 [**상품관리**] 카테고리를 클릭해서 조회 / 수정을 하면됩니다.

상품을 등록한 후 네이버 쇼핑에서 검색이 안되는 경우에는 [**노출 관리**] 카테고리를 클릭합니다.

① [**노출 서비스 관리**]를 클릭합니다. ② [**노출 서비스 관리**]를 클릭합니다.

③ [**네이버 쇼핑**]을 연동하면 됩니다.

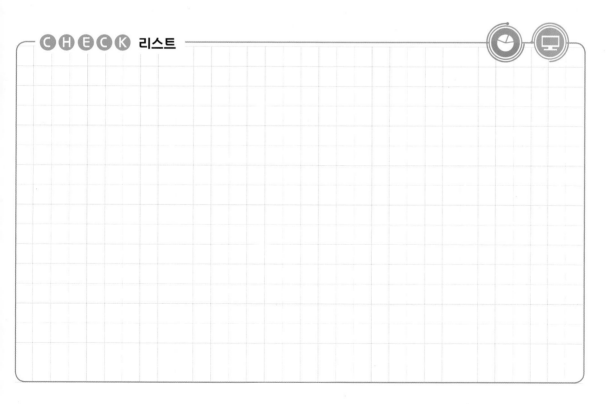

CHECK 리스트

10강. QR-CODE 마케팅

1 QR-CODE란?

QR코드란?

'QR'이란 'Quick Response'의 머리글자로 빠른 응답을 기대할 수 있는 격자무늬의 2차원 코드이다 . 1994년 일본 덴소웨이브사(社)가 개발하였으며, 특허권을 행사하지 않겠다고 선언하여 다양한 분야에서 널리 활용되고 있다.

QR코드의 장점

- 대용량 정보 저장 - 20자리 정도의 바코드에 비해 QR코드는 숫자, 영자, 한자, 한글, 기호, Binary, 제어코드 등 모든 데이터를 처리할 수 있습니다. 정보량은 7,089문자(숫자)까지 1개의 코드로 표현할 수 있습니다.
- 적은 인쇄공간 - QR코드는 가로 / 세로 양방향으로 정보를 표현함으로 바코드와 동일한 정보량을 1/10정도의 크기로 표시 할 수 있습니다.
- 오염/손상에 강함 - 코드일부분이 손상(30%이하) 손상되어도 데이터 복원 가능합니다.
- 360도 어느방향에서도 인식 가능 - QR코드 안에 3개의 '위치찾기 심볼'로, 배경모양의 영향을 받지 않고 안정적인 고속인식이 가능합니다.
- 일본어 / 한자 효율적 표현 - QR코드는 일본산 코드이기 때문에, 일본어/한자 표현도 뛰어납니다.

QR코드 만들기 사이트를 이용하면 누구나 자신만의 QR코드를 만들 수 있습니다. 즉 개인사업자 또는 무엇인가를 홍보하고 싶은 사람은 명함에 고유의 QR코드를 부착함으로써 자신을 소개할 수 있고, 온라인 또는 오프라인 광고지에 삽입함으로써 자신이 알리고 싶은 것을 홍보할 수 있습니다.

네이버 QR코드의 가장 큰 장점은 같은 QR코드 이미지라도 링크주소를 변경해주면 QR코드 이미지는 같더라도 변경된 링크주소 컨텐츠가 보여진다는 것입니다.

1. **2차원 로고** : 회사의 CI로고나 제품 브랜드 로고를 QR코드로 표현할 수 있으며, 브랜드에 대한 정보를 쉽고 빠르게 홍보할 수 있습니다.

2. **윈도우 POP** : 매장 디스플레이에서 쇼핑 중인 손님에게 브랜드와 제품에 대한 정보 (가격, 이벤트 등)를 제공하고 관심 있는 고객을 구매 단계로 유인하는 효과적인 인터랙티브 광고를 할 수 있습니다.

3. **교육자료 응용** : 참고서, 교과서에 QR코드를 통해 더욱 풍부한 학습 자료를 제공하여 입체적인 학습과 교육 효과를 높이며 집중력 있는 학습을 끌어낼 수 있습니다. 동영상 강의 청취는 물론, 해당강의와 관련된 링크사이트와 학습 영상을 보여줄 수 있습니다.

4. **식료품의 포장** : 장을 보는 쇼핑객들에게 식료품의 포장 패키지에 QR코드를 삽입, 구매 선택시 생산지의 생생한 현장을 보여줄 수 있으며 식료품 구매후에 조리법을 제공하는 서비스를 제공할 수 있습니다.

5. **명함제작** : 자신의 명함에 QR코드를 삽입해서 고객에게 현장에서 즉시 자신의 콘텐츠를 설명해 줄 수 있습니다.

6. **제품 설명서** : IT 가전제품(세탁기, 냉장고, TV, 에어컨)에 제품 설명서와 고객센터 연락처를 제공할 수 있습니다. 제품설명서는 처음 상품을 구매하고 이후에는 분실하는 경우가 많은데 QR코드를 활용한다면 언제든지 상황별로 고객에게 정보를 제공할 수 있습니다.

7. **와인 병 라벨** : QR코드를 제작하면 원산지, 제조년월을 표시해줄 수 있고 QR코드 라벨 자체를 브랜딩의 도구로 사용할 수 있습니다.

8. **의류 태그** : 판매 중인 옷의 태그에 QR코드를 부착, 패션 코디법 동영상을 보여줄 수 있습니다.

9. **가상 스토어** : 스크린도어나 일차원 평면 도어에 제품 이미지와 함께 QR코드를 게재하여, 바로 주문 후 배송까지 완료하는 원스탑 쇼핑을 하도록 할 수 있습니다.(대형마트나 백화점에서 응용해서 활용중입니다.)

10. **컨퍼런스 네임테그** : 비즈니스 명함 대신에 컨퍼런스 네임테그에 QR코드를 삽입해서 스캔하면 참석하는 사람들과 정보 공유가 쉬워집니다.

11. **쥬얼리** : 귀걸이, 목걸이 펜던트에 QR코드를 형상화하여 특별한 선물을 선사할 수 있고 QR코드를 스캔하면 영상 편지를 볼 수 있도록 할 수 있습니다.

12. **QR코드 인포그래픽 지도** : 요즘 각 언론사마다 주간, 월간 인포그래픽 뉴스를 생산하고 있습니다. 비주얼시대에 맞게 하나의 그래프로 많은 정보를 전달할 수 있는데 여기에 QR코드를 추가한다면 임팩트하고 다이내믹한 정보를 전달할 수 있습니다.

13. **잡지광고** : 잡지의 각종 브랜드 광고에 QR코드를 통해 모바일웹페이지를 링크할 수 있습니다. 이벤트 페이지나 QR코드 커머스를 연결하여, 직접적인 인터넷 구매를 유도하거나 가까운 매장을 보여줄 수 있습니다.

14. **현수막 광고** : 현수막에도 QR코드를 삽입하게 되면 고객에게 알리고 싶은 정보를 쉽고 빠르게 전달할 수 있습니다.

15. **엘리테이터 광고** : 엘리베이터는 훌륭한 광고 존이기도 합니다. 사람들의 시선을 끌기에 충분한 카피문구나 임팩트한 QR코드 이미지를 보여주면 QR코드를 스캔하는 사람들이 많아질 것입니다.

16. **음악 앨범** : 앨범 자킷에 QR코드를 넣어 호기심을 유도하고, 음반을 미리보기 듣도록 모바일 홈페이지에 연결할 수 있습니다.

17. **판촉물** : 각종 기념품이나 홍보용품에 회사의 이벤트나 캠페인 정보를 담을 수 있습니다. 홈페이지 및 SNS채널에 링크주소를 연결시켜 다양한 방법으로 홍보할 수 있습니다.

18. **포장지** : QR코드 포장지만을 취급하는 회사도 있습니다. QR코드에 특별한 영상을 담을 수도 있고 브랜드의 소비자 커뮤니케이션 채널로 이벤트등 알리고 싶은 정보를 QR코드에 링크할 수 있습니다.

19. **영화 포스터** : QR코드를 스캔하면 프리뷰 영화 홍보동영상을 보여줄 수 있습니다.

20. **칵테일 파티의 냅킨** : QR코드에 스폰서 회사의 사이트를 링크하거나, 모임에 참석한 사람들의 네트워크를 링크하여 행사 후에 커뮤니티를 유지하도록 할 수 있습니다.

21. **모바일 약도** : 회사 세미나 초대시, 회사 홈페이지의 약도 옆에 QR코드를 게재하면 고객들에게 보다 디테일한 정보를 제공할 수 있습니다.

22. **건물의 옥외광고** : 건물 외벽에 큼직하게 QR코드를 게재하여 건물 입주 업체들을 홍보할 수 있습니다. 회사 사옥의 경우, 회사 홍보 동영상이나 이벤트, 캠페인의 광고존 역할을 담당할 수 있습니다.

23. **간판 QR코드** : 공공기관에서 간판 이력 관리시스템을 QR코드를 접목하여 만들 수 있습니다. 광고물 등록과 조회, 불법 광고물을 확인할 수 있도록 시스템을 설계하면, 사업주와 관공서 양쪽다 매우 효율적으로 일을 할 수 있습니다.

24. **반려동물 이름표** : 강아지에게 이름표를 만들어서, 주인이 반려동물을 잃어버렸을 때 반려동물의 프로필을 통해 주인에게 연락을 취할 수 있습니다.

25. **박물관에서 그림과 조각 옆에 배치** : 박물관이나 미술관에서 QR코드를 게재하여, 아티스트, 작품연대, 사진에 대한 반응에 대한 자세한 내용을 원하는 관람자에게 정보를 제공할 수 있습니다. 또한 아티스트의 다른 작품에 대한 정보, 구매를 원할 경우 뮤지엄 샵에 대한 링크를 포함시킬 수 있습니다.

26. **제품의 정품 식별 QR코드** : 제품을 개별 인식시켜, 고유번호를 부여한 QR코드를 스캔하면, 스마트 기기에서 바로 정품을 조회하게 함으로써 소비자와 판매자를 보호하게 됩니다.

27. **QR코드 잡지** : 잡지 섹션마다 QR코드를 게재하여, 입체적인 매거진을 발행할 수 있습니다. 동영상 링크, QR코드 이벤트, 증강현실과 접목된 QR코드, QR코드 주문 결제를 유도할 수 있습니다. 잡지 외에도 뉴스레터를 QR코드와 접목시켜서 모바일웹진으로 연동시킬 수도 있겠습니다.

28. **QR코드 낙관** : 언제부터인가 도장의 사용이 급격하게 줄었습니다. 사인이 도장을 대체하고 있기때문인데 아날로그의 감성을 되살려, QR코드 낙관을 만들어 개인의 작품이나 편지에 멋스럽게 사용하는 것도 좋을것입니다.

29. **위치정보 서비스** : 전국 국토와 해양의 위치 정보를 표시할 수 있습니다. 산간 오지에 QR코드 안내판을 설치하여, 조난시 신고 전화 번호, 주소, 지도 정보를 제공할 수 있습니다.

30. **농산물 생산경로 홍보** : 완성된 제품 포장지에 생산 경로 QR코드를 부착시켜 고객들이 스캔하는 경우 농산물의 생산 경로를 자세히 볼 수 있도록 하면 고객들의 생산물에 대한 신뢰도가 올라가고 단골 고객이 될 확률이 높아질 것입니다.

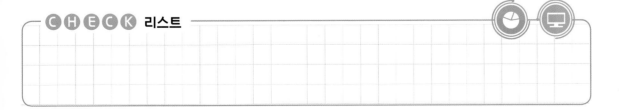

CHECK 리스트

② 이미지 QR코드 샘플

삼성물산 빈폴 Bean Pole

비너스 글램케스

③ PC에서 네이버 큐알코드 만들기

① 인터넷 주소창에 (http://qr.naver.com)을 입력하거나 [네이버] 검색창에
[네이버 큐알코드]라고 검색해도 위 사이트에 접속할 수 있습니다.
①[나만의 QR코드 만들기]를 클릭하면 QR-CODE를 생성할 수 있습니다. ②[QR코드 사용 팁]을
클릭하면 네이버에서 QR코드 제작하는 방법에 대해서 자세히 보실 수 있습니다.

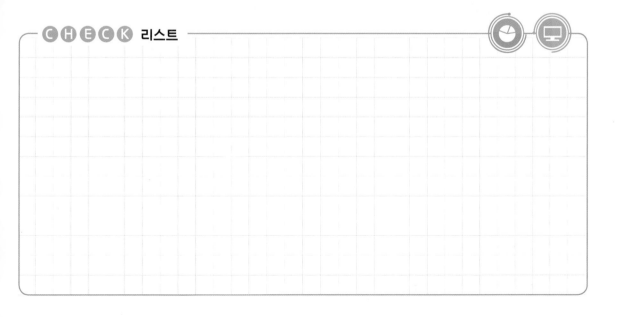

CHECK 리스트

QR코드 활용안내

 센스있는 청첩장
웨딩촬영 사진과 지도를 첨부하여 나의 결혼 소식을 QR코드에 담아 메일로 전달해보세요.

 감각있는 나만의 명함
나의 연락처 정보와 소개페이지를 QR코드에 담아 나만의 명함으로 활용해보세요.

 내 반려 동물의 명찰
길을 잃을까 걱정되는 반려동물에게 연락처를 담은 QR코드 명찰을 선물해 주세요.

①

나만의 코드 이미지 꾸미기

②

코드 테두리 컬러 선택
센스 가득 30가지 컬러칩에서
원하는 컬러를 선택해서
QR코드를 만들 수 있어요

나만의 문구 삽입
원하는 문구를 코드 아래에
입력하여보다 개성있게
QR코드를 만들어 보세요

나만의 이미지 첨부
톡톡 튀는 나만의 이미지를
코드 아래에 삽입하여
홍보용으로 사용해 보세요

뉴미디어 마케팅 표목 전문 SNS소통연구소

1 ①[QR코드 활용안내]에서 설명하고 있는 네이버 QR코드는 기본적으로
[센스있는 청첩장],[감각있는 나만의 명함], [내 반려 동물의 명함] 등 뿐만 아니라
소상공인들이 굳이 비용을 지출하지 않고도 내 상품 전용모바일 홈페이지를 만들어서 고객들에게
홍보할 수 있습니다.
[나만의 코드 이미지 꾸미기]에서 설명하듯이 네이버에서 QR코드를 만들게 되면
[코드 테두리 선택], [나만의 문구 삽입], [나만의 이미지 첨부]등을 쉽고 빠르게 할 수 있습니다.

C H E C K 리스트

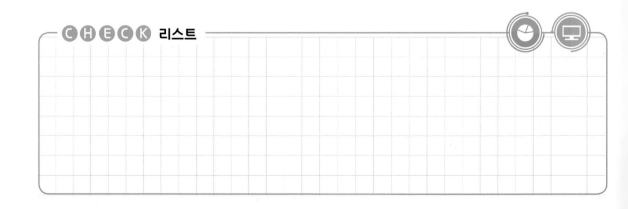

고품격 시니어 실버들을 위한 소통마당팁

① [코드제목]에는 만들고자 하는 QR코드 이름을 기재합니다.

제작 완료된 후 수정을 하고자 할 때 찾기 쉽게 작성하면 좋겠습니다.

[코드 스타일]에는 ② [기본형]에서는 ③ [테두리 컬러 및 스킨 선택]에서 쉽고 빠르게

[테두리 컬러 및 스킨 선택]을 할 수 있습니다.

④ [사용지 지정]에서는 사용자가 만든 이미지와 스킨을 바로 적용할 수 있습니다.

⑤ [위치 선택] 메뉴는 [추가 옵션]에서 [이미지 삽입]이나 [문구 삽입]을 하는 경우에 위치를

상하로 지정할 수 있습니다.

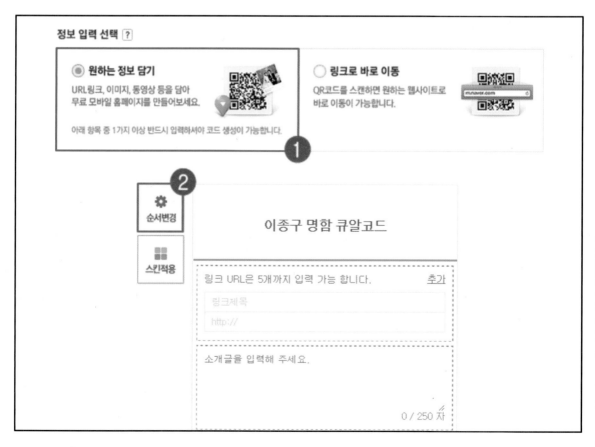

뉴미디어 마케팅 교육 전문 SNS소통연구소

❶ [QR코드 비공개하기]는 정식으로 공개하고 싶지 않은 경우 체크하면 됩니다. 이제 QR코드를 시캔하면 보여질 내용을 작성하기 위해 [다음단계]를 클릭합니다.

❶ ①[원하는 정보 담기] 메뉴를 활용하면 자신이 고객들에게 보여주고 싶은 다양한 콘텐츠들을 보여줄 수 있습니다. ②[순서변경]을 클릭하면 모바일 홈페이지 콘텐츠 순서를 변경할 수 있습니다.

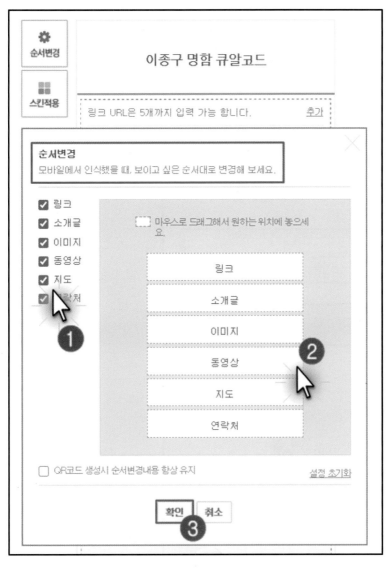

고품격 시니어 실버들을 위한 소통대학교

1 ①QR코드 모바일 홈페이지에서 [**지도**]를 노출하고 싶지 않다면 체크를 해지하면 됩니다.

②[**순서변경**]을 원하면 마우스로 드래그해서 위치를 변경할 수 있습니다.

③노출할 콘텐츠와 순서 변경이 완료되었다면 [**확인**]을 클릭합니다.

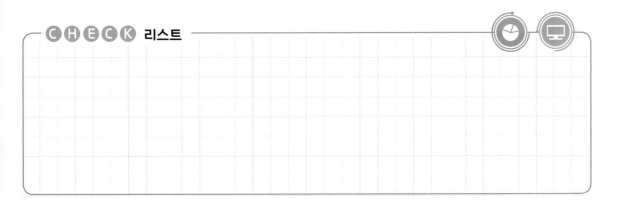

CHECK 리스트

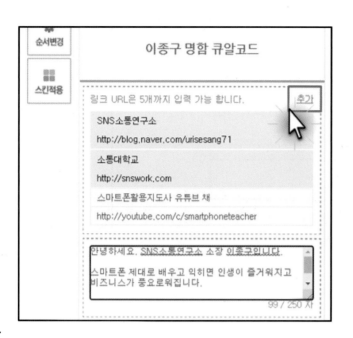

1 [링크 URL]을
[추가]하고 싶다면
클릭합니다. 인터넷 주소앞에
[http://]을
입력하지 않아도 됩니다.

1 [이미지]를 추가하고
싶다면 클릭합니다.

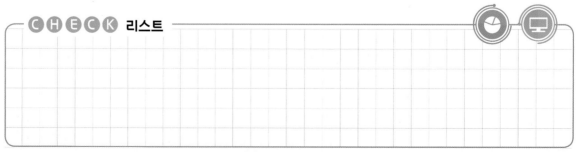

CHECK 리스트

▣ ①다양한 형식의 파일을 업로드 할 수 있습니다.

②내 컴퓨터에 있는 이미지를 가져오고 싶다면 [내 PC]를 클릭합니다.

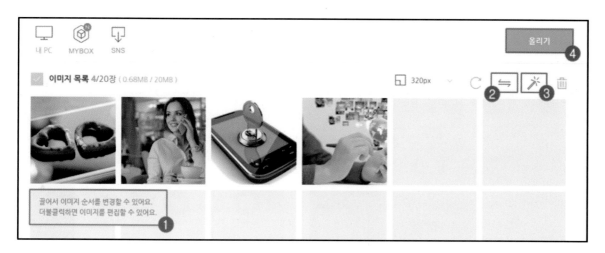

▣ ①이미지 순서를 변경할 수 있습니다. ②좌우화살표를 클릭하면 이미지의 앞뒤 순서를 변경할 수 있습니다. ③개별적인 이미지를 편집할 수 있습니다.

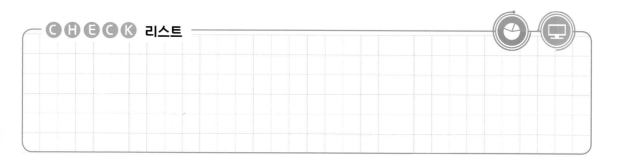

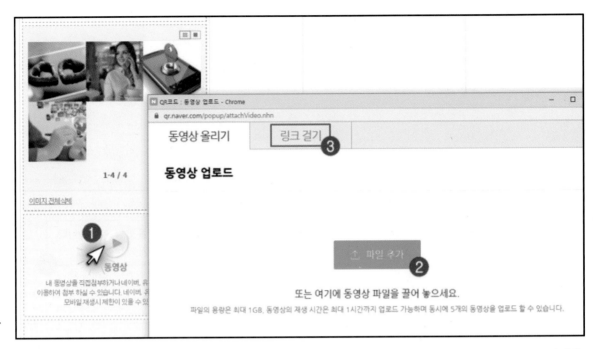

①동영상을 삽입하고자 한다면 클릭합니다. ②[**파일 추가**]를 클릭하면 자신의 PC에 있는 동영상을 업로드할 수 있습니다. ③[**유튜브**]나 [**네이버 TV**]에 업로드 되어있는 영상들을 가져올 수 있습니다.

▣ 유튜브에 있는 영상을 올리고 싶다면 ①[**유튜브 주소**]를 복사합니다.

②[**공유**] 버튼을 클릭하면 해당 영상의 링크주소가 보여지는데 [**복사**] 버튼을 클릭해도 됩니다.

1 ①[링크걸기]를 클릭하면 ② 유튜브에서 복사한것을 붙여넣기 하면 됩니다.
③[완료]하면 모바일 홈페이지 동영상 부분에 영상이 보여집니다.

1 ①[지도] 메뉴를 활용하면 상점이나 회사 주소를 추가해서 고객에게 보여줄 수 있습니다. ②[검색] 창에 보여주고 싶은 건물 이름이나 주소를 입력합니다.

1 ①건물이름으로 검색한 경우 건물이름이 보이면 클릭합니다. [확인] 버튼을 클릭해야 지도가 추가되는데 [확인] 버튼이 화면에 보여지지 않는 경우 ②상하 스클롤바 ③좌우 스클롤바를 움직이면 하단에 ④[확인] 버튼이 보여지는데 클릭합니다.

뉴미디어 마케팅 교육 전문 SNS소통연구소

☑ ①[연락처]를 추가하면 고객이 QR코드를 스캔했을 때 바로 전화를 걸수도 있고 메일을 보낼 수도 있으며 카카오톡 등 SNS채널에 공유할 수 있습니다. ②개인정보수집 동의에 체크하고
③[다음]을 클릭합니다.

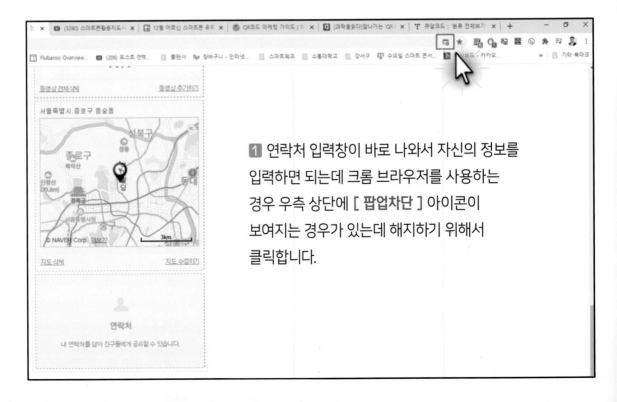

☑ 연락처 입력창이 바로 나와서 자신의 정보를 입력하면 되는데 크롬 브라우저를 사용하는 경우 우측 상단에 [팝업차단] 아이콘이 보여지는 경우가 있는데 해지하기 위해서 클릭합니다.

1 ①[팝업을 항상 허용한다]에 체크합니다. ②[완료] 버튼을 클릭합니다.

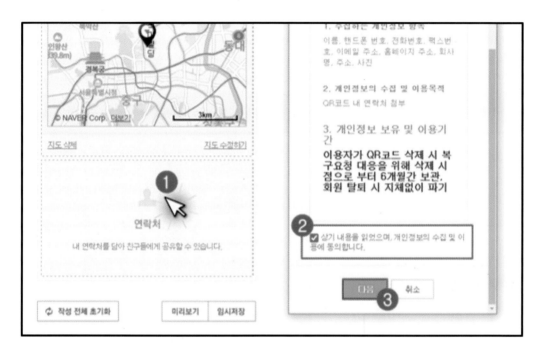

1 ①연락처를 추가하기 위해 다시한번 클릭합니다. ②개인정보 동의에 체크하고 ③[다음]을 클릭합니다.

고품격 시니어 실버들을 위한 소통대학교

뉴미디어 마케팅 교육 전문 SNS소통연구소

1️⃣ 주소입력창에 자신의 사진을 등록하고 연락처 및 간단한 인사문구를 입력한 후 [확인]을 클릭합니다.

1️⃣ ①[미리보기] 메뉴를 클릭하면 모바일 홈페이지 화면이 어떻게 보이는지 미리볼 수 있습니다.
②[작성완료]를 클릭하면 QR코드가 생성이 됩니다.

1 ①[미리보기] 메뉴를 클릭하면 완성된 모바일 홈페이지 화면을 미리 볼 수 있습니다.

②[코드저장]을 클릭하면 QR코드를 이미지나 인쇄용 파일로 저장한 후 용도(명함이나 현수막 등)에 맞게 사용할 수 있습니다.

③[복사] 메뉴는 생성된 QR코드를 [Html] 언어로 변환해주어 블로그나 홈페이지등에 연동할 때 사용하면 좋습니다.

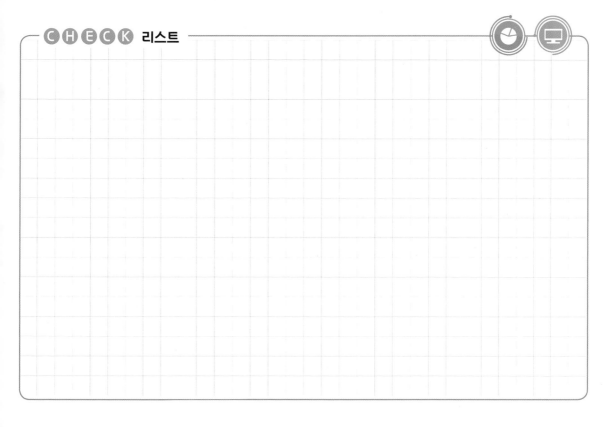

뉴미디어 마케팅 교육 전문 SNS소통연구소

1 크롬 브라우저를 사용하는 경우 ①[Html 정보]가 [복사]가 안되는 경우가 간혹발생할 수 있는데 그런 경우 ② 우측상단에 [Flash 설정] 차단 아이콘이 보여집니다. 차단을 해지하기 위해서 클릭합니다.

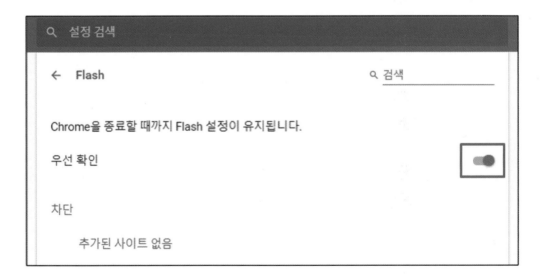

1 [Flash] 설정을 활성화합니다.

그러면 [Html 정보], [복사] 기능이 활성화됩니다.

1️⃣ 완성된 QR코드를 수정, 저장하거나 외부로 내보내기 할 경우에는 ①[내 코드 관리]를 클릭합니다.

② [코드 내보내기] 메뉴를 활용하면 완성된 QR코드를 내 메일, 블로그, 휴대폰으로 전송할 수 있습니다.

스마트폰 시니어 실버들을 위한 소통대학교

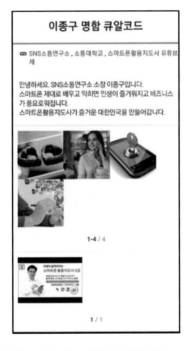

1️⃣ 휴대폰으로 QR코드를전송한 경우 보여지는 이미지 입니다.

2️⃣ 완성된 QR코드를 스캔한 경우 보여지는 [모바일 홈 페이지] 상단 화면입니다.

3️⃣ 완성된 QR코드를 스캔한 경우 보여지는 [모바일 홈 페이지] 하단 화면입니다. 하단 메뉴를 보면 카카오톡 등 다양한 채널에 바로 공유할 수 있습니다.

뉴미디어 마케팅 교육 전문 SNS소통연구소

1️⃣ 네이버에서 QR코드를 제작하면 좋은 점 중에 하나가 QR코드 이미지가 같아도 해당 콘텐츠 링크 주소 변경만 해주면 변경된 콘텐츠가 보여진다는 것입니다.

한번 만들어보도록 하겠습니다.
① [코드 제목]에 해당 QR코드 이름을 입력합니다.
② [다음단계] 클릭합니다.

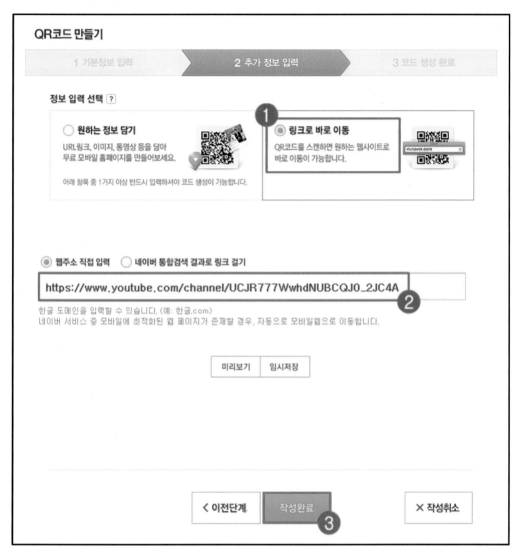

고품격 시니어 실버들을 위한 소통대화법

❶ ①[링크로 바로 이동]을 클릭합니다.

②QR코드를 스캔했을 때 보여주고자 하는 콘텐츠 링크주소를 복사해서 붙여넣기만 하면 됩니다.

추후에 관련 링크주소가 변경해주면 같은 QR코드 이미지라도 고객들이 QR코드를 스캔했을 때

변경된 콘텐츠가 보여지게 됩니다.

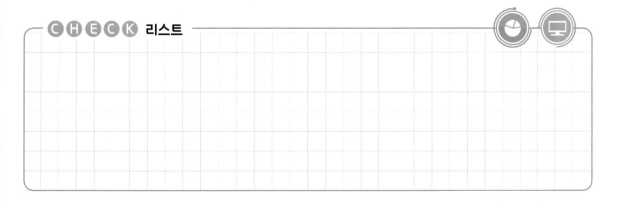

４ 스마트폰에서 네이버 QR코드 만들기

１ [네이버앱]에서 네이버 큐알코드라고 검색해서 들어갑니다.

２ [나만의 QR코드만들기]를 터치합니다. 네이버 로그인을 해야 만들수 있습니다.

３ 코드제목을 입력하고 테두리 및 스킨색을 설정합니다.

１ ①추가옵션 기능의
[문구삽입]은 큐알코드내 작은
문구를 넣을 수 있는 기능입니다.
②원하는 문구가 삽입되었습니다.
③문구는 상단 하단 원하는 곳에
삽입이 가능합니다.
④[다음단계]를 터치하면 추가
정보입력 화면으로 넘어갑니다.
２ ①추가정보 입력 창입니다.
②정보입력 선택에서
[원하는 정보담기]는 직접 원하는
정보들을 선택해서 넣을 수 있습니다.

[링크 바로가기]기능은 URL을 직접 입력해 바로 링크시킬 수 있습니다.

③링크 URL은 5개 까지 입력 가능합니다. ④소개글은 250자 까지 입력 할 수 있습니다.

뉴미디어 마케팅 교육 전문 SNS소통연구소

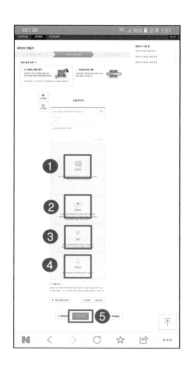

1 ①폰이나 네이버 클라우드 내 이미지를 가져 올 수 있습니다. (제품사진, 메뉴, 매장 사진 등을 넣으면 좋습니다) ②저장된 영상 혹은 유튜브 영상 등을 가져 올 수 있습니다. ③네이버 지도도 첨부 할 수 있습니다. ④[작성완료]를 터치 하면 QR코드가 완성됩니다.

2 생성된 큐알 코드는 [내코드 관리]에서 확인이 가능합니다. 수정이 필요한 경우 수정 버튼을 누르고 하면 됩니다. 생성된 큐알 코드 저장을 위해서 큐알코드를 손가락으로 지그시 눌러줍니다.

고품격 시니어 실버들을 위한 소통마케팅

1 [내 휴대폰:이미지 저장]을 터치 해서 저장을 합니다. PC에서는 큐알코드 만들기를 하면 보이는 대로 저장 및 인쇄가 가능하지만, 폰에서는 이 방법으로 저장해야 합니다.

[링크 바로이동] ①기능은 정보 입력 선택이 아닌 블로그나 카페 홈페이지 등으로 바로 링크하는 방법입니다.

②주소를 복사해서 붙이거나 직접 입력하면 됩니다.

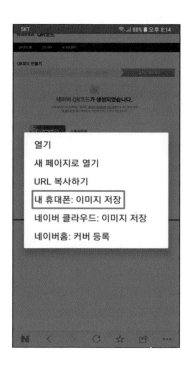

큐알코드는 수정이 가능합니다. 기존 브로우셔나 리플렛등 홍보물 내용을 변경했다고 해서 다시 인쇄할 필요가 없습니다. 큐알코드 수정은 이런 불필요한 작업을 없애고 비용을 절감하게 합니다. 일의 효유성과 효과성을 극대화 시켜주는 마케팅 도구로 큐알코드를 적극 활용하면 좋습니다.

5 Unitag QR코드 만들기

1 Unitag 프로그램을 사용하면 무료로도 멋진 나만의 QR코드를 제작할 수 있습니다.
자신의 블로그, 유튜브, 인스타그램, 페이스북 등 관련한 SNS채널에 특화된 QR코드 템플릿을 활용해서 고객들의 눈길을 사로잡을 수 있습니다.
①인터넷 주소창에 [unitag.io/qrcode]를 입력합니다.
②[START FOR FREE]를 클릭해서 회원가입을 간단히 진행합니다.

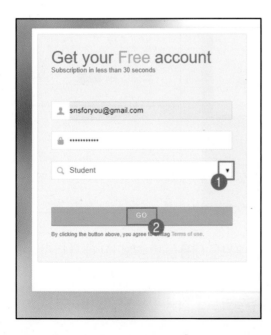

자신의 이메일 주소를 입력합니다.
비밀번호를 입력합니다. 해당 이메일에 대한
비밀번호를 입력하지 않고 새로 생성해도 됩니다.
①회원가입하는 사람의 직업군을 선택할 수
있습니다.
②[GO] 버튼을 클릭하면 회원가입이 완료
됩니다.

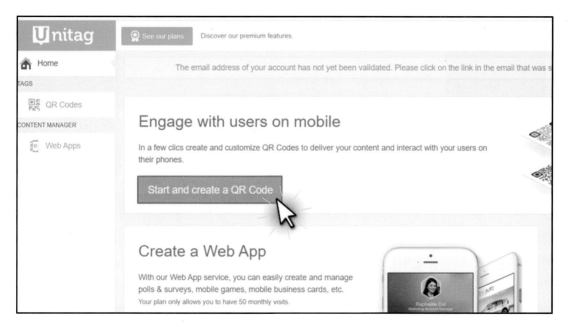

▮ 간단히 회원가입을 완료하고 나면 QR코드를 만들 수 있는 화면이 나옵니다.
QR코드를 만들기 위해서 [Start and create a QR Code]를 클릭합니다.

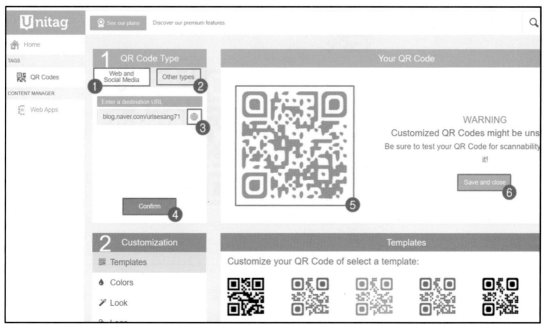

▮ ①인터넷 주소를 입력하거나 SNS채널 주소를 입력하면 그에 맞게 다양한 종류의 QR코드 이미지
를 생성할 수 있습니다. ②명함, 텍스트, 전화, 이메일, 메시지, 지도, 캘린더, 와이파이 등 다른 형태의
QR코드 생성이 가능합니다. ③블로그 주소나 일반 인터넷 주소의 경우 [지구본] 아이콘을 클릭합
니다. ④[Confirm]을 클릭하면 ⑤ 멋진 QR코드가 생성됩니다. 생성된 QR코드를 스캔하면 인식이
안될수도 있는데 저장을 하고난 후 스캔하면 인식이 되니 참고하시기 바랍니다.
⑥바로 다운을 받고자 한다면 [Save and close]를 클릭합니다.

1 ①저장하고자 하는 QR코드의 이름을 입력합니다.

②저장 [Save] 버튼을 클릭합니다.

뉴미디어 마케팅 교육 전문 SNS소통연구소

1 ①[Design]을 클릭하면 QR코드를 다시 편집할 수 있는 화면으로 이동합니다.

②[Download]를 클릭하면 해당 PC에 저장할 수 있습니다.

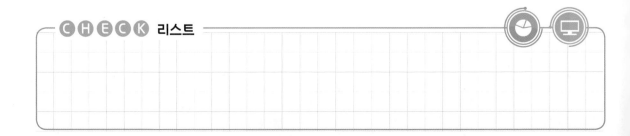

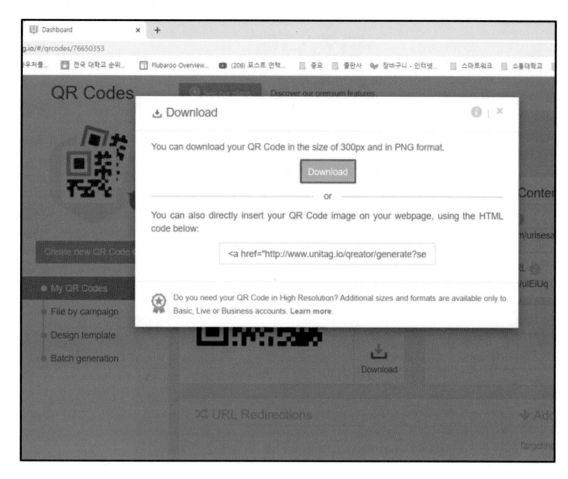

1 [Download]를 클릭하면 압축파일로 다운로드됩니다.

압축파일을 풀면 QR코드, 명함 형태 이미지, 모바일 형태 이미지, PDF설명서 등 4가지 종류로 다운로드 됩니다.

CHECK 리스트

☐ ①여러 [Templates] 중 가장 기본인 검정 QR코드를 선택 한 후 색상을 변경하고자 한다면
②[Colors]를 클릭합니다.

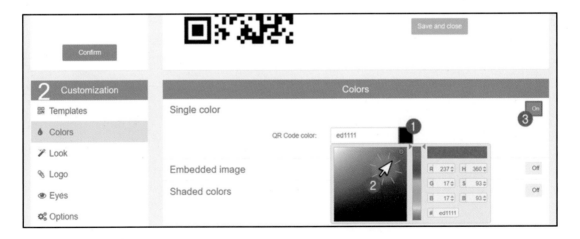

☐ ①색상을 변경하고자 한다면 검정 사각형을 터치하면 바로 밑으로 색상을 변경할 수 있는
색상표가 나옵니다.
②원하는 색상을 선택하고자 할 때 칼라 막대바에서 기본 색상을 선택한 후 마우스로 최종 색상을
선택합니다. ③[on] 버튼을 클릭하면 QR코드 색상이 변경됩니다.

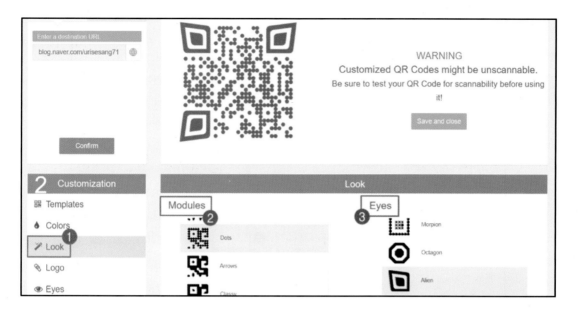

1 ①[LOOK] 메뉴는 QR코드의 [Modules]과 [Eyes]의 모양을 변경할 수 있습니다.
②[Modules]는 QR코드의 데이터를 의미하는데 전체적인 QR코드의 이미지를 변경할 수
있습니다. ③[Eyes]는 QR코드의 3 귀퉁이 모양을 바꿀 수 있습니다.

1 ①[Logo]는 자신의 PC에 있는 프로필 사진이나 회사 로고등을 삽입할 수 있습니다.
②[파일 선택]을 클릭해서 이미지를 가져올 수 있는데 PNG 파일을 가져오는게 좋습니다.
③[Upload]를 클릭하면 QR코드 이미지 위에 삽입이 되고 위치등을 변경할 수 있습니다.
④[ON] 버튼을 클릭하면 로고를 안보이게 할 수도 있습니다.

1 [Eyes]의 테두리 색상과 안에 색상을 변경할 수 있습니다. ①[Inner eye color]의 색상을 변경하고자 한다면 ②사각형 색상표를 클릭합니다. ③원하는 색상을 마우스로 드래그해서 선택하면 왼쪽에 사각형 막대부분이 색상이 변경됩니다. 변경되면 ② 사각형 부분도 원하는 색상으로 변경이 되는게 클릭하면 색상이 변경됩니다.

①[Color eye color]의 색상을 변경하고자 한다면 ②사각형 색상표를 클릭합니다.
[Inner eye color] 색상 변경하듯이 하면 됩니다. ③원하는 색상이 다 적용이 되는 것이 아닙니다.
너무 밝은 색이나 그라데이션 색상같은 경우는 인식이 안될수도 있습니다. 인식이 안될거 같으면
④빨간색으로 경고 아이콘이 뜹니다. 클릭하면 왜 인식이 안되는지 표시가 됩니다.
그러면 다른 색상으로 변경해보도록 합니다.

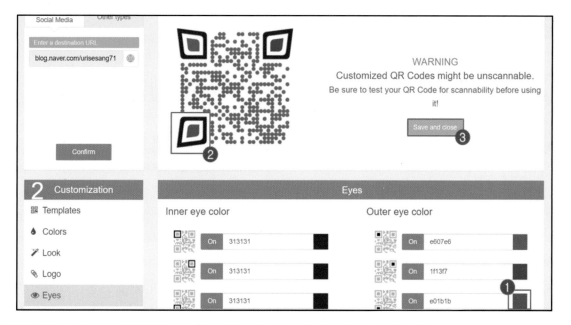

1 ①밝은 녹색에서 ②빨간색으로 변경했더니 경고 아이콘이 사라졌습니다.

③[Save and Close] 버튼을 클릭해서 저장합니다. 앞에서 설명한 것처럼 QR코드를 다운로드 하면 하단 이미지 처럼 3가지 형태로 저장됩니다.

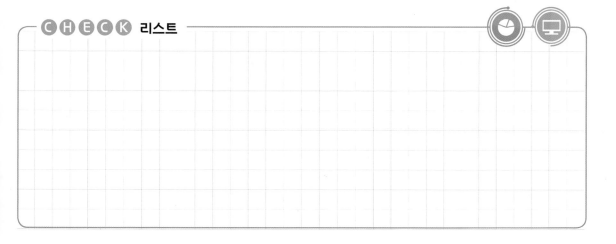

ⒸⒽⒺⒸⓀ 리스트

11강. 핀터레스트 마케팅

핀터레스트는 웹과 앱이 동시에 서비스된다.
웹의 주소는 www.pinterest.com로
구글, 네이버, 다음 등의 검색창에
핀터레스트 혹은 pinterest를 입력한다.

이미지 기반의 소셜 큐레이션 [핀터레스트]의 소개

- 메모판에 사진을 모아 놓는 데서 영감을 얻어 웹사이트를 만들었다.
- [Pin+ Interest]의 합성어로 관심을 끄는 사진들을 수집하듯 내 보드에 모으는 앱이다.
- 유용한 정보와 아이디어를 이미지로 쉽게 검색할 수 있다.
- 타인의 사진도 내 보드에 공유하는 기능에 초점을 맞춘 서비스이다.
- 2009년 12월의 개발을 시작으로 3개월만에 베타서비스를 하였으며, 불과 2년 만에 1000만 명이 넘는 회원이 사용하는 서비스로 급부상하였다.
- 2013년 광고주에게 프로모션 핀을 운영할 수 있도록 비즈니스 핀을 제공하여 최다의 잠재 고객은 아니지만 높은 구매 전환율로 다른 플랫폼의 경우보다 구매에 더 많은 영향을 미치는 것으로 알려졌다.
- 2016년 '인터넷 트랜드 라포트'에 따르면 핀터레스트 사용자의 55%가 웹싸이트를 통해 실제 구매로 이어진 것으로 조사되었다. 페이스북, 인스타그램은 12%,트위터는 9%밖에 되지 않는 것으로 조사되었다. 다른 플랫폼 대비 핀터레스트 사용자들의 구매가 더 많다는 것이다.

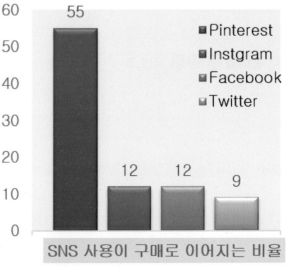

SNS 사용이 구매로 이어지는 비율

▣ 이미지 기반의 소셜 큐레이션 핀터레스트 장단점

[핀터레스트]의 장점

- 한 번의 클릭으로 많은 사진 중 괜찮은 사진을 골라 자신의 보드에 저장할 수 있다.
- 다른 사람의 이미지나 동영상도 자신의 보드로 옮길 수 있는 간편한 큐레이션 서비스이다.
- 잘 보이기 위한 글이 필요없이 내 관심사나 혹은 느낌에 따라 타인의 이미지를 모으는 것만으로 공유와 소통이 가능하다.
- 페이스북의 복잡한 기능 대신 쉽고 단순하게 사진 공유를 하도록 하였다.
- 타 SNS는 실제로 알던 사람을 토대로 이루어진다면 핀터레스트는 관심사를 중심으로 네트워크를 형성한다.
- 사용자의 관심사 위주로 핀을 수집하고 보드를 만들기 때문에 정확한 대상을 짚어내는 것이 구글보다 쉽다.
- 핀터레스트에 올린 광고는 사용자가 올린 광고와 유사해서 공격적인 배너나 광고보다 소비자의 반감이 적다.
- 경험을 공유하는 여성들의 취향을 만족시키고, 다양한 관심분야에 대한 주제를 다루고 있어 머무는 시간이 길다.

[핀터레스트]의 단점

- 이미지의 공유가 주된 서비스로 저작권 문제에 취약하다. 핀터레스트의 사진은 저작권자가 있을 가능성이 크므로 원작 출처의 확인은 필수이며 함부로 올려서는 안된다.
- 리핀이 계속되면 원작자가 누구인지 불분명해진다. 내가 올린 게시글과 사진이 전세계에 퍼질 수 있으며, 저작권을 주장하려면 자신이 원작자임을 증명하고 별도의 삭제 요청하는 등 번거로움이 있다.

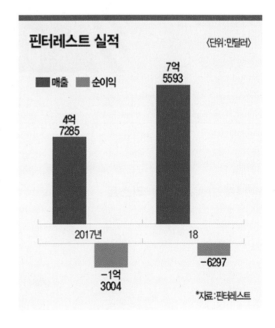

핀터레스트 실적 〈단위:만달러〉

■ 매출 ■ 순이익

4억 7285 | 7억 5593

2017년 | 18

-1억 3004 | -6297

*자료:핀터레스트

② 핀터레스트 마케팅 성공사례

[핀터레스트] 마케팅 성공사례

핀터레스트에서 활동하는 기업들은 대부분 3가지의 목적을 가지고 움직인다.
첫째는 기업의 블랜딩, 둘째는 기업의 홍보, 셋째는 프로모션이다. 기업 블랜딩을 통해 긍정적인
이미지의 강화와 고객과의 소통을 통해 기업의 친밀한 인지도를 확대해 나가는 것이다..

👆핸드메이드용품 쇼핑몰 Etsy.com

엣시(Etsy)는 핸드메이드용품 쇼핑몰로 악세서리,유아용품 등의 잡화 혹은 그것을 만들 재료나
기기 등을 판매하는 사이트이다. 또 사용자들이 만든 완성품을 거래할 수 있는 오픈마켓이다.
핀터레스트로 유입되는 사진의 상당수가 이 사이트를 통하고 있고 구글보다 더 많다고도 한다.
엣시(Etsy)를 통한 사진 유입이 많다는 것은 그 만큼 트래픽도 많다는 것은 뜻하며 핀터레스트를
잘 활용하고 있다고 할 수 있다.

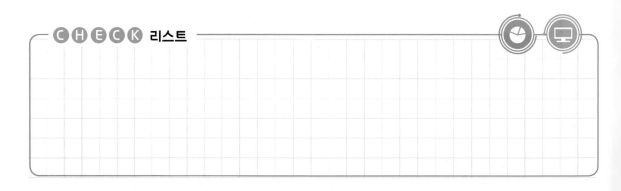

[핀터레스트] 앱(App)의 마케팅 성공사례

핀터레스트에서 활동하는 기업들은 대부분 3가지의 목적을 가지고 움직인다.
첫째는 기업의 블랜딩, 둘째는 기업의 홍보, 셋째는 프로모션이다. 기업 블랜딩을 통해 긍정적인
이미지의 강화와 고객과의 소통을 통해 기업의 친밀한 인지도를 확대해 나가는 것이다..

🌵 영국의 bmi 항공사
　　타 항공사와 합병되어 이제는 존재하지 않지만, 마케팅이 재미있어서 소개해 보려 한다.
　　2011년 세워진 영국의 저가 항공사 bmi는 홍보를 위하여 로또 프로모션"을 진행 하였었다.
　　bmi의 핀터레스트 페이지에 가면 6개의 보드가 있다.
　　각 보드당 9장의 사진이 들어있어 있어서 54개의 사진 중에 마음에 드는 사진 6개를 골라 내
　　보드에 리핀 하면서 참가하는 이벤트였다.. 매주 당첨 번호를 발표하고 해당 번호를 리핀한
　　참가자 중에 한 명을 추첨하여 원하는 지역의 왕복 항공권을 상품으로 증정하였다.
　　이 프로모션으로 bmi는 브랜드 홍보 뿐만 아니라 취향하는 지역과 상품이 홍보됨으로 프로모션
　　이후에도 사진들은 계속 리핀이 되고 사람들의 이목을 집중시켜서 회사를 알리는데 성공하였다.

🌵 이스라엘의 여성 위생용품회사 "KOTEX"
　　"KOTEX"는 핀터레스트에 여성이용자가 많다는 것을 이용하여 마케팅을 펼쳤다.
　　먼저 이스라엘 여성 이용자들 중 가장 영향력이 있는 50인을 선정하여 그들이 관심사를 파악
　　하고 선물을 준비했다. 선물 사진을 보내어 리핀(공유)만 해주면 선물을 보내기로 한 것이다.
　　선물을 직접받은 여성들은 선물 사진을 핀터레스트를 비롯한 각 SNS에 서로 자랑하게 되었
　　고, 50개 선물박스는 2,284개의 댓글과 694,853의 조회 수를 가져왔다.
　　최소의 비용으로 최대 효과를 가져온 SNS를 활용한 훌륭한 사례로 평가되고 있다.

[핀터레스트]의 용어

🍮 **핀(Pin)** : 핀터레스트 사용의 핵심으로 사용자가 웹에서 찾고 저장한 아이디어이다. 검색을 통해 타인의 보드에서 맘에 드는 핀을 내 보드에 저장할 수 있다. 사업체는 핀을 만들어 제품을 선보이고,링크를 통해 웹사이트로 연결할 수 있다. 광고 계정이 있으면 핀을 홍보할 수도 있다.

🍮 **보드 (Board)** : 핀을 저장하고 정리하는 하는 곳으로 냉장고에 좋아하는 사진들을 모아두는 것과 유사하다. 보드에 비즈니스 핀을 정리하여 사용자의 다양한 주제와 관심사를 기반으로 구미에 맞는 컨텐츠 검색을 통해 아이디어와 제품의 정보를 제공할 수 있도록 한다.

🍮 **피너 (Pinner)** : 구글의 사용자를 "구글러"라고 부르듯이 핀터레스트를 사용하는 이들을 폭넓게 부르는 말이며 정확하게는 사진을 올리는 사람을 뜻한다.

🍮 **리핀 (Repin)** : 사용자 자신의 컨텐츠 뿐만 아니라 타인의 콘텐츠도 자신에 보드에 저장하는 것으로 팔로워들에게 보여줌으로 자신의 콘텐츠에 대한 부담을 줄이고 팔로워의 신뢰를 얻을 수 있다. 또 리핀을 반복해도 원본 콘텐츠의 링크가 유지되기 때문에 리핀 당사자와 핀 원본게시자 모두 지수를 얻을 수 있다.

🍮 **프로모션 핀** : 다른 소셜 네트워크와 마찬가지로 광고 도구를 비즈니스 계정에 제공한다. 이것을 "프로모션 핀" 이라 한다. 사용자의 눈에 잘 보이는 곳에 위치를 시키기 위해 비용을 지불하고 게시되는 핀으로 관심사와 사용자 활동을 기반으로 광고 노출이 되는 핀이다.

뉴미디어 마케팅 교육 전문 SNS소통연구소

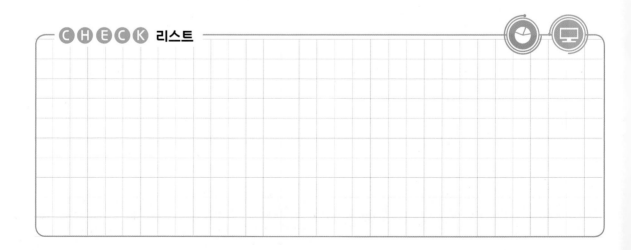

③ 핀터레스트 이미지 클릭 유도해서 자신의 블로그나 카페로 유입하기

① [Play스토어]에서 [핀터레스트]를 검색하여 설치합니다. ② [핀터레스트] 실행을 위해
[열기]를 터치합니다. ③ [핀터레스트] 실행을 위해 [열기]를 터치합니다.

① 이메일 주소를 적습니다. [Facebook], [Google]의 계정이 있다면 편한 것을 이용합니다.
② [Facebook], [Google]로 로그인했다면 계정 확인 후 진행합니다. ③ 이메일을 입력합니다.

뉴미디어 마케팅 교육 전문 SNS소통연구소

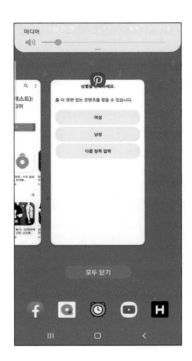

1️⃣ 다른 SNS에 계정이 있다면 회원가입 없이 사용이 가능하며, [계정 저장]을 터치합니다.
개인 계정이 만들어졌습니다. 2️⃣ 관심있는 컨텐츠의 제공을 위해 [여성], [남성] 중 해당 항목을
터치합니다. 3️⃣ 국가 또는 지역을 선택 후 [다음]을 터치합니다.

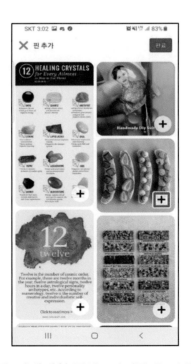

1️⃣ 여러가지 주제 중 관심있는 혹은 판매계획 중인 5가지를 [✔]를 선택합니다. [다음]을 터치
합니다. 2️⃣ 선택한 주제의 다양한 핀(사진)을 보여 줍니다. [+]를 터치 합니다.
3️⃣ 첫 핀(사진)이 들어갈 보드가 만들어집니다. 첫 보드의 이름을 입력합니다.

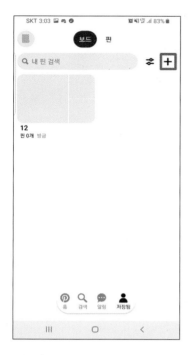  

1️⃣ 만들어진 보드에 핀이 저장되었습니다. [+]를 터치합니다. 보드를 풍성하게 할 새로운 핀을 찾습니다. 2️⃣ Pinterest 안에 공유되는 다양한 핀(사진)을 보여 줍니다. 마음에 드는 핀(사진)을 골라서 [+]를 터치 합니다. 3️⃣ 선택한 핀을 저장합니다. [저장]을 터치합니다.

  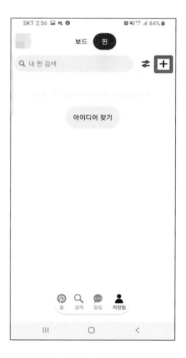

1️⃣ 보드를 수정하거나 타 보드와 병합이 가능합니다. [닫기]를 터치합니다. 2️⃣ 개인 계정에 하나의 보드가 만들어졌습니다. 다양한 주제의 보드와 핀이 많아야 관심사를 찾아오는 피너가 많아지고 서로 공유가 가능합니다. 3️⃣ 다양한 핀(사진)을 추가하도록 합니다. [+]를 터치 합니다.

1 [핀]을 터치합니다. 새로운 사진을 올려봅니다. 이번에는 내 사진을 불러오겠습니다. 2 하단에 스마트폰 갤러리에 저장된 사진들이 나옵니다. 블로그나 까페의 주제와 연결될 핀(이미지)를 선택합니다. 3 블로그나 까페의 웹주소를 입력합니다. [이동]을 터치합니다. 이 핀을 클릭하면 해당 블로그나 까페로 이동하게 됩니다.

1 [+]을 터치합니다. 핀이 들어갈 보드가 만들어집니다. 2 흥미와 정보성이 있는 핀이 많을수록 보고 방문할 수 있는 확률이 높아집니다. 3 같은 방법으로 핀과 보드를 여러 개 만들 수 있습니다. [닫기]을 터치합니다.

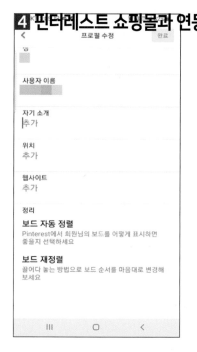
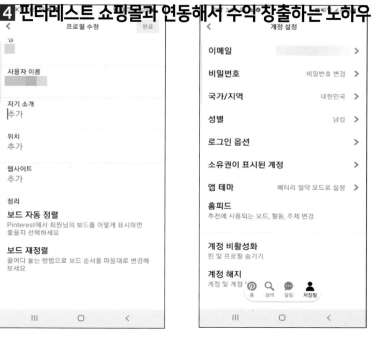

1️⃣ 비즈니스 계정을 만들어 봅니다. 가입시 비즈니스 계정으로 가입하거나 기존 계정을 비즈니스로 전환하는 방법이 있습니다. [완료]을 터치합니다. 2️⃣ 계정을 설정합니다. [소유권이 표시된 계정]에서 [you tube], [Instargram], [Etsy] 등을 연결합니다. 소유권이 표시되며 기여도가 집계됩니다. 3️⃣ 이메일 주소를 적습니다. [다음]을 터치합니다.

1️⃣ 보드를 여러 개 만들어 핀을 채워 넣으면 오늘 만든 보드도 오랜 시간 관리해 온 듯합니다. [설정]을 터치합니다. 2️⃣ 기업이나 브랜드의 홍보를 위해서는 비즈니스 계정을 만듭니다. 비즈니스 계정은 프로모션이나 통계를 이용할 수 있습니다. 3️⃣ 브랜드나 기업의 프로필을 작성합니다.

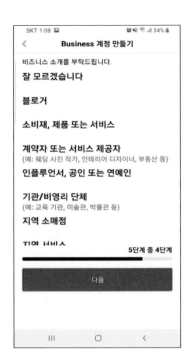

1️⃣ 상호를 적거나 판매하려는 상품과 관련하여 이름을 적습니다. [다음]을 터치합니다.

2️⃣ 홈페이지 등 연결하고자 하는 웹싸이트를 적습니다. [다음]을 터치합니다.

3️⃣ 해당사항을 선택합니다. [다음]을 터치합니다.

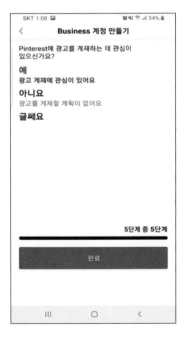

1️⃣ 광고 게재에 관심이 있는지 터치합니다. 광고수요를 위한 조사입니다. [다음]을 터치합니다.
비즈니스 계정이 완료되었습니다. 2️⃣ 이제는 개인 계정을 관리하는 방법과 유사합니다.
핀을 만들어 보겠습니다. [다음]을 터치합니다. 3️⃣ 기업을 대표할 프로필 사진을 업데이트합니다.
[다음]을 터치합니다.

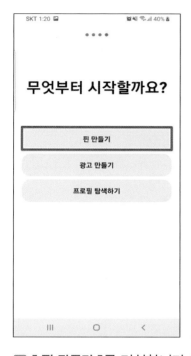  

1️⃣ [핀 만들기]를 터치합니다. 2️⃣ 휴대폰의 갤러리에서 사진을 찾아 터치합니다.

3️⃣ 기업과 브랜드를 나타낼 제목과 설명을 작성합니다. 설명에는 해시태그를 활용하여 도 검색 될만 한 내용을 넣습니다. [추가]를 터치합니다.

1️⃣ [추가]를 터치합니다.

2️⃣ 핀을 클릭함으로 연결될 기업이나 브랜드의 홈페이지를 작성합니다.

3️⃣ 올려진 제목과 설명을 확인 후 [다음]을 터치합니다. 필요하면 [수정]을 눌러 수정할 수 있습니다.

뉴미디어 마케팅 교육 전문 SNS소통연구소

1 [보드 만들기]를 터치합니다. 2 핀을 저장할 보드의 이름을 입력합니다.

3 보드에 저장된 이미지들이 상단에 표시됩니다. [더보기]를 터치합니다.

1 상단에는 최근에 저장된 핀들로 꾸며집니다. 관련 이미지를 모으면 자동으로 꾸며집니다.

만들어진 보드를 터치한다. 2 보드 안의 핀을 확인할 수 있다.

3 [광고 만들기]를 터치합니다.

1 [핀 만들기]를 터치합니다. 2 제목, 설명 웹사이트를 추가 합니다.
같은 방법으로 핀을 반복해서 추가합니다. 3 보드에 저장된 핀들이 홍보창에 보여집니다.
방문한 수요를 표시할 분석 창도 보여집니다.

  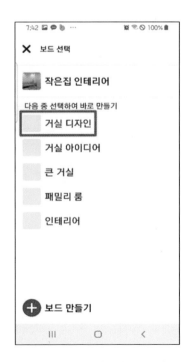

1 피드와 보드를 선택하여 프로필을 완성합니다. 2 하나의 사진을 터치하자 프로필 창이 채워졌습
니다. 3 카테고리내의 보드이름을 추천해 줍니다. 원하는 보드명을 선택합니다.

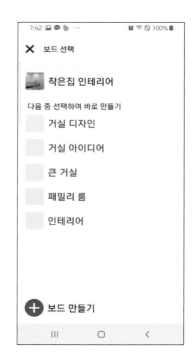

1️⃣ 핀터레스트에서 관련있는 핀들을 찾아 내 보드에 추가 할 수 있습니다. 핀(사진)을 터치합니다.

2️⃣ [저장]을 터치합니다. [방문하기]를 클릭하면 연결된 블로그나 홈페이지로 연결됩니다.

3️⃣ 카테고리내의 보드이름을 추천해 줍니다. 원하는 보드명을 선택합니다.

1️⃣ 거실디자인이란 보드에 저장됩니다. 2️⃣ 또 다른 사진을 저장합니다. [저장]을 터치합니다.

[방문하기]를 클릭하면 연결된 블로그나 홈페이지로 연결됩니다.

3️⃣ 다양한 이미지를 모아 내 보드를 풍성하게 만드세요.

1️⃣ 관련있는 핀들을 찾아 내 보드에 추가 할 수 있습니다. 핀(사진)을 터치합니다.

2️⃣ 사진을 저장합니다. [저장]을 터치합니다. [방문하기]를 클릭하면 연결된 블로그나 홈페이지로 연결됩니다. 맘에든다면 팔로우도 가능합니다. 3️⃣ 다양한 보드로 풍성하게 만드세요.

1️⃣ 사진을 저장했습니다. 관심사가 같은 사람을 팔로우 할 수 있습니다.

2️⃣ 보드에 핀들의 보여집니다

3️⃣ 다양한 프로필로 풍성하게 보여집니다.

1️⃣ 필요한 물품을 검색합니다.

2️⃣ 맘에드는 물품을 찾았다면,

핀(이미지)을 터치합니다. 3️⃣ 판매하는 쇼핑몰로 이동합니다.

1️⃣ 연결된 쇼핑몰에서 필요한 물품의 정보를 얻을 수 있습니다.

2️⃣ 핀 안에서 맘에 드는 물품을 찾았다면, [시각적 검색]이 필요합니다. 검색을 터치합니다.

맘에 드는 물품에 옮겨갑니다. 3️⃣ [시각적 검색]은 유사한 물품들을 찾아줍니다.

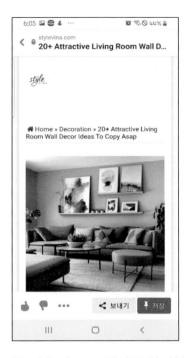  

1️⃣ 마음에 드는 액자를 발견하면 [시각적 검색]을 사용합니다. 핀을 터치합니다.

2️⃣ 검색하고자 하는 곳을 선택하면 유사한 물품들을 찾아줍니다.

3️⃣ 홈 메뉴의 더보기를 누르면 내 핀터레스트에 유입량을 알 수 있습니다.

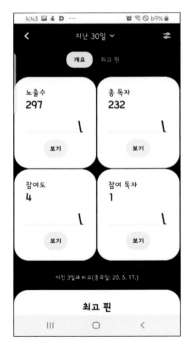 

1️⃣ 노출 수와 독자들의 성향을 파악해서 어떤 핀을 모아야 할지 분석이 가능합니다.

2️⃣ 인기있는 핀들의 순서를 알려줍니다.

12강. 유튜브 마케팅

▋1 유튜브 마케팅 노하우

유튜브에 대해서 잘 모르시는 분들은 유튜브로 돈을 버는 방법은 광고수익만 있다고 생각 하는 경우가 많습니다. 하지만, 유튜브를 통해서 수익을 내는 방법들은 다양합니다. 3강에 서는 어떻게 돈을 벌 수 있는지에 대해서 자세히 알아보도록 하겠습니다.

1. 구글 애드센스 광고로 돈을 벌 수 있습니다.

구글 애드센스 광고는 유튜브 영상앞에 나오는 광고를 말합니다. 구독자 1,000명 1년내 총 시청 시간 4,000시간 이상이 되어야 조건이 됩니다.

구글 애드센스란?

고 수익 배분사업입니다. 광고주들이 구글에 광고를 내면 구글은 자사 플랫폼 사이트 및 블로그 등에 광고를 게시합니다.

그러면 구글이 얻게 되는 광고 수익 일부를 유저층에게 배분하는 광고료 지급 방식입니다. 일반적으로 많이 보이는 사례는 유튜브에서 흔히 찾을 수 있는데, 영상 재생을 클릭하면 재생바에 노란 줄이 있고, 이때 광고가 사용자 측에 재생되는 것이 구글 애드센스 중 하나입니다.

유튜브는 영상 재생 전이나 재생 중간중간광고가 나오는데, 유튜브 영상 조회 수를 포함해 종합적 광고 노출시간을 측정해서 유튜버들에게 광고비를 지급합니다.

일반적으로 2017년 기준으로는 유튜버 광고 수입이 10만 뷰 당 대략 15~20달러였다고 합니다. 애드센스의 장점이라고 하면 구글이 미국 회사이기 때문에 광고료가 대부분 미 달러로 사용자측에게 지급된다는 점입니다.

당연히 달러 환율이 높다면 그만큼 환율에 의한 차익도 자연스럽게 얻을 수 있습니다. 또한 광고주 측에게도 이러한 구글 애드센스가 좋다고 하는데, 비교적 저렴한 가격으로 개인 홈페이지나 블로그 중심의 광고 게재가 가능하기 때문에 은근히 효과가 좋다고 합니다.

애드센스의 단점도 존재하는데, 이상한 광고가 소스 이상으로 인해 노출될 가능성이 있기도 하며, 기본적인 정책사항이 까다로워서 가입이 힘들다는 점입니다. 주로 콘텐츠가 부족할 경우에는 가입 승인이 거절될 수 있습니다 그리고 구글 애드센스 수입으로 많은 돈을 버는 사람은 드물고, 소수의 고수입자의 사례만 보고 허황된 꿈을 쫓지 않도록 주의가 필요하겠습니다.

2. 유튜브 멤버십으로 돈을 벌 수 있습니다.
매달 정기적으로 일정 금액을 크리에이터에게 후원하는 제도를 말합니다. 멤버십 수익 배분은 7:3으로 수익의 70%를 유튜버가 가져가는 구조입니다.

구독자 3만명 이상인 크리에러들만 가능한데 게임채널은 1,000명 이상이면 된다고 합니다. 멤버십에 가입한 사람들에게 특별한 콘텐츠를 제공하고 수익을 얻습니다. 많이 알려지지 않은 이유는 운영 조건이 조금 까다로워 실제 운영하는 크리에이터가 적기 때문입니다.

유튜브 멤버십에 가입되어 있는 채널인 경우 구독버튼 옆에 가입이라는 버튼이 보입니다. 그럼 가입하고자 하는 사람들은 가입하고 등급별로 후원을 할 수 있습니다. 멤버십은 정보 위주의 채널 보다는 팬쉽이 강한 채널 또는 시청자 충성도가 강한 정치뉴스 같은 데서 주 수익원으로 활용되고 있습니다.

멤버십은 여러 단계로 금액 설정을 할 수 있고 멤버십 등급에 따른 혜택도 부여할 수 있습니다. 멤버십 회원에게만 공개되는 영상이나 게시글을 제공할 수도 있고 멤버십 회원을 위한 특별한 행사를 열 수도 있습니다.

멤버십 혜택 요금제는 등급에 따라 다릅니다. [감사 등급 1,990원], [기도 등급 2,900원],
[감동 등급 4,990원], [충성 등급 12,000원]인데 주로 감사등급을 많이 애용한다고 합니다.

3. 유튜브 슈퍼챗(Super Chat)으로 돈을 벌 수 있습니다.

유튜브의 실시간 스트리밍 방송에 들어 있는 슈퍼챗 기능을 이용해 수익을 버는 방식입니다. 구독자
1,000명 이상 만 18세 이상이어야 합니다.

생방송으로 시청자들과 교류할 수 있는 실시간 방송에는 슈퍼챗이라는 채팅 기능이 포함돼 있습니다.
팬들은 이 슈퍼챗으로 유튜버에게 직접 현금을 후원할 수 있으며 후원과 함께 자신의 메세지를 채팅
창에 크게 알릴 수 있습니다. 아프리카 TV 별풍선을 통해 수익창출을 하는 것과 같은 것입니다.

수퍼챗 수익구조는 7:3, 크리에이터가 70%를 가져가는 구조입니다. 많은 분이 슈퍼챗은 라이브 방송
할 때만 적용된다고 생각하는데 영상 업로드할 때도 슈퍼챗을 받을 수 있습니다. 유튜브 업로드 시
'인스턴트 Premiers 동영상으로 설정' 이라는 항목이 있는데 이부분을 체크하고 게시를 하면 게시됨과
동시에 영상을 시청자들과 함께 시청할 수 있습니다.

함께 시청하는 동안 슈퍼챗을 받을 수 있습니다. 일반적인 라이브발송은 말 그대로 라이브 방송이라면
인스턴트 업로드는 녹화 영상을 함께 라이브로 보는 개념으로 이해하면 됩니다.

4. 미디어 커머스를 통해 돈을 벌 수 있습니다.

미디어(Media)와 상업을 뜻하는 커머스(Commerce) 의 합성어로, 미디어 콘텐츠를 활용해 마케팅
효과를 극대화하는 방식의 전자상거래를 말합니다. 제품을 가지고 영상을 촬영해서 실제로 판매가
되게끔 홍보를 하는 방식입니다.

5. 브랜디드 콘텐츠(브랜드 광고)를 통해 돈을 벌 수 있습니다.

브랜드의 가치를 통해서 공감을 불러 일으키는 콘텐츠를 제작해서 돈을 버는 방식인데 인기 유튜버의
경우 채널에서 나오는 수익 (광고수익 + 후원수익)보다 브랜드 광고 제작으로 훨씬 더 많은 돈을 벌고
있습니다. 수익이 불규칙적이기는 하지만, 한 건당 적게는 몇 십만원에서 많게는 몇 천 까지 버는 경우가
많습니다.

해외 탑 크리에이터의 경우에는 억대까지 가기도 합니다. 이는 파워 블로거처럼 광고수들이 유튜버에
게 제품이나 홍보비를 지불하면, 유튜버들은 제품이나 서비스를 홍보하는 콘텐츠를 제작하여

올립니다. 이런 브랜드 콘텐츠는 2가지 타입으로 구분할 수 있습니다. 첫번째 타입은 PPL입니다. PPL은 'Product Placement'의 약자로 영상 내에서 제품을 노출시켜 주거나 간단한 언급을 하는 것을 말합니다.

길어야 5분 내외이기 때문에 비용은 낮지만, 유튜버 입장에서는 가장 만들기 쉬운 광고라는 장점이 있습니다. 두번째 타입은 브랜드 광고 영상입니다. 브랜드 광고 영상은 영상 내에서 제품이나 서비스를 사용하거나 후기를 말하면서 광고를 자연스럽게 콘텐츠화 하는 것을 말합니다.

길이는 10분 내외 정도이기 때문에 PPL보다는 홍보비가 더 높으며, 브랜드의 요구사항이 많을 수 있습니다. 하지만, 광고 영상이 광고주 기대치에 부합한다면 주기적으로 광고 영상 제작 의뢰를 받을 수 있다는 장점이 있습니다.

6. 마케팅 대행을 통해서 돈을 벌 수 있습니다.
마케팅 대행은 해외에서 활발하게 이루어지는 수익 창출 수단 중 하나인데 국내에서는 활발한 편은 아닙니다. 대표적으로는 아마존 어소시에이트(Associate) 프로그램이 있습니다.

[아마존 어소시에이트]란? 유튜버가 자신의 고유한 코드가 부여된 아마존 상품 링크를 걸고, 그 링크를 통해서 제품이 구매가 이루어지면, 최대 10%의 수수료를 받는 방식입니다. 주로 IT 리뷰 콘텐츠에서 많이 이루어집니다. 이런 방식은 유튜버에게는 제품 추천만으로도 추가적인 수익을 창출할 수 있는 좋은 방법 중 하나입니다. 이렇게 상품 링크 이외에도 쿠폰을 활용하는 방법도 있습니다.

유튜버는 시청자에게 쿠폰 코드를 알려주고, 그 쿠폰을 통해서 구매가 이루어졌을 때, 유튜버에게 일정 수수료가 가는 방식입니다. 예를 들면, 배달앱에서 [youtube]이라는 5% 할인 쿠폰을 일정 기간 동안 발행해주고 유튜버가 배달앱을 홍보하면서 [youtube] 쿠폰 사용을 통해 구매를 이끌어 내면 일정 부분의 커미션을 받는 형태인 것입니다.

국내에는 [쿠팡 파트너스] 서비스가 있습니다. 온라인 채널을 소유한 쿠팡 회원이라면 누구나 이용 가능 합니다. 이용방법은 쿠팡 파트너스 사이트(Partners.Coupang.com)에서 단 몇 분이면 가입신청이 완료되며 이후 원하는 제품이나 서비스를 가입자의 웹사이트에 배너나 링크의 형태로 연결하면 됩니다. 수익확인은 쿠팡이 자체 개발한 트래킹 시스템과 실시간 현황판에서 수시 모니터링할 수 있으며 수익금은 월별로 정산해 사전 등록된 계좌로 이체됩니다.

7. 굿즈(Goods)판매 및 오프라인 팬 미팅을 통해서 돈을 벌 수 있습니다.

자신이 어떤 상품을 제작해서 판매를 통해 돈을 벌 수 있습니다. 또한, 인기 유튜버의 경우 팬 미팅을 통해서 자신을 대표할 수 있는 상품을 개발해서 돈을 벌 수도 있습니다.

8. 본인 사업과 병행해서 돈을 벌 수 있습니다.

내 사업 아이템과 내가 운영하는 매장에서 판매되고 있는 제품이나 콘텐츠 등을 직접 홍보함으로 해서 돈을 벌 수 있습니다.

9. 지식을 토대로 강의와 강연을 통해서 돈을 벌 수 있습니다.

지식 콘텐츠를 만들어 내는 사람들이 많이 하고 있는 형태입니다.

10. 책을 출판하여 돈을 벌 수 있습니다.

유튜버 활동을 해서 어느정도 인지도가 쌓이면 출판사에서 연락이 오는 경우가 있습니다. 출판 제의를 통해 인세를 받아서 돈을 벌 수도 있고 유튜브 홍보를 통해서 책 판매 수익을 더 많이 가져갈 수도 있습니다. 또한 정보집이라는 소책자를 만들어서 판매수익을 가져갈 수도 있습니다.

11. 컨설팅 상담 코칭을 통해서 돈을 벌 수 있습니다.

여러 분야의 전문직 종사자들이 자신이 아는 지식을 가지고 수입을 창출하는 것을 말합니다.

12. 2차 콘텐츠 판매를 통해서 돈을 벌 수 있습니다.

OSMU 영상 배포 수입을 말하기도 하는데 하나의 영상 소스를 만들어서 다양한 곳에 뿌려서 수입을 만들어내는 개념입니다. 유튜브에 올린 영상을 [네이버 TV]에 올려서 수입을 창출할 수 있습니다. 유료 영상 사이트와 계약해서 수입을 창출하고 방송국이나 영화사와도 계약을 통해서 수입 을 창출할 수 있습니다.

13. 크라우드 펀딩을 통해서 돈을 벌 수 있습니다.

프로젝트 기반 크라우드 펀딩은 일반적으로 자선기금 모금, 대규모 콘텐츠 실험, 도서 출판과 같은 특정 프로젝트를 시작하기 위해 사용합니다.

14. 소셜커머스 공동구매 형태를 통해서 돈을 벌 수 있습니다.

소셜커머스란 SNS완 온라인 미디어를 활용한 전자상거래를 의미합니다. SNS를 통해 입소문을 내고 구매자들에게 특정 상품이나 서비스를 파격적인 할인가에 판매하는 방식입니다.

최근 소비자들은 제품 리뷰와 사용 경험을 중시하는데 이러한 트렌드에 맞춰 인스타그램과 페이스북도 쇼핑 서비스로 진화하고 있다는 것입니다.

동영상 플랫폼 유튜브도 콘텐츠에 제품 구매를 연동하는 '사이트 링크형' 서비스를 통해 쇼핑을 강화하고 있습니다. 동영상을 보다가 해당 상품 정보를 클릭하면 제품 상세 페이지로 넘어가 구매로 이어지게 한 것입니다. 예를 들어 입술에 루즈를 바르는 동영상이 나올 때 화면 하단에 관련 상품 정보를 띄우고 이를 클릭하면 화장품 상세 페이지로 안내하는 방식입니다.

15. 기타 다양한 수입모델을 통해서 돈을 벌 수 있습니다.

인기 유튜버가 되면 TV CF광고등을 통해서 돈을 벌 수 있습니다. 유튜브 구독자가 많아질수록 더 많은 수입 모델이 창출 가능해 질것입니다.

고품격 시니어 실버들을 위한 스마트폰활용교

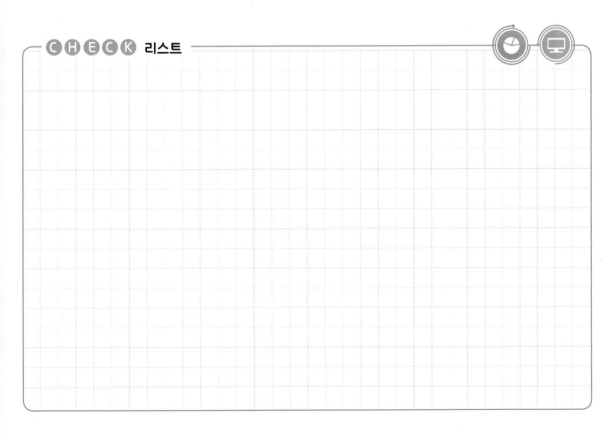

CHECK 리스트

❷ 유튜브 채널 만들기

❶ PC에서 유튜브에 접속합니다. 유튜브에 로그인 한 후 [계정]을 클릭 합니다.
[채널 만들기]을 클릭 합니다. ❷ [채널 생성방식 선택]에 [내 이름 사용]과 [맞춤 이름 사용]을
선택하여 채널을 만들 수 있습니다. 첫번째 [내 이름 사용]을 [선택]하여 채널을 만들어 보겠습니다.

❶ 내 이름은 부르기 쉽고 기억하기 좋은 이름으로 만듭니다. 내 이름으로 채널을 만들었습니다.
(이 후 채널 이름은 변경 가능합니다.) [프로필] 사진을 클릭 후 사진도 등록 할 수 있습니다.
❷ 각 항목별로 내용을 입력 후 [SAVE AND CONTINUE]를 클릭하면 내 이름으로 채널이
생성됩니다.

뉴미디어 마케팅 교육 전문 SNS소통연구소

1️⃣ [내 이름]으로 생성된 채널의 초기 화면입니다.

2️⃣ 두번째 [맞춤 이름 사용]을 [선택]하여 채널을 만들어 보겠습니다.

1️⃣ ①[채널 이름]을 입력 후 ②[만들기]을 클릭합니다.

2️⃣ 입력한 이름으로 채널을 만들었습니다. (이 후 채널 이름은 변경 가능합니다.) [프로필] 사진을
클릭 후 사진도 등록할 수 있습니다.

1️⃣ 각 항목별로 내용을 입력 후 [SAVE AND CONTINUE]를 클릭하면 내 이름으로 채널 생성이 완료됩니다. 2️⃣ [맞춤 이름]으로 생성된 채널의 초기 화면입니다.

3️⃣ 유튜브 브랜드 채널 만들기

1️⃣ PC에서 유튜브에 접속 합니다. 유튜브에 로그인 한 후 ①[계정]을 클릭합니다.

2️⃣ ②[설정]을 클릭합니다. [채널 추가 또는 관리]를 클릭합니다.

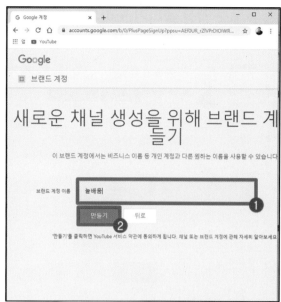

1️⃣ [+ 채널 만들기]를 클릭합니다. 2️⃣ [브랜드 계정 이름]을 입력한 후 [만들기]를 클릭합니다.
(브랜드 계정 이름은 언제든 수정 가능합니다.)

	개인채널	브랜드 채널
관리자 계정수	1개	제한 없음
채널 명 변경 횟수	2주 후 90일 단위 3회	제한 없음
계정이전	구글 계정으로 이전	채널만 이전 가능
채널 명 생성 제한	성/이름 구분 필요	제한 없음

1️⃣ 브랜드 계정 이름이 만들어 졌음을 확인 할 수 있습니다.

※ 일반적으로는 유튜브 모바일버전(스마트폰)에서는 채널을 만들 수 없습니다.

2️⃣ 개인 채널과 브랜드 채널은 위 표와 같은 특성이 있습니다.

❹ 유튜브 영상 올리기 노하우

1️⃣ PC에서 유튜브 내 채널에 접속 합니다. [동영상 업로드]를 클릭 합니다

2️⃣ PC내 파일탐색기를 이용하여 편집 된 영상을 위 창에 드래그 하여 올려 놓거나, [파일 선택]을 클릭하여 업로드 할 동영상을 선택 합니다.

(파일은 한번에 최대 15개의 파일을 업로드 할 수 있습니다.)

1️⃣ 동영상 파일을 선택 후 [세부정보] ①제목 ②설명 ③미리보기 이미지 ④재생목록 선택 ⑤아동용 동영상 여부를 입력 및 선택 후 ⑥[다음]을 클릭 합니다.

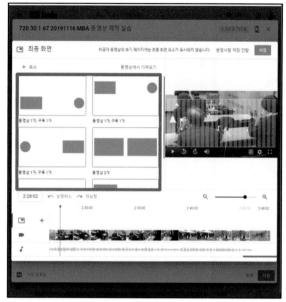

1 [**동영상 요소**] 동영상의 마지막 5~20초 구간에 최종화면·카드 추가를 통하여 다른 동영상을 홍보하거나 시청자의 구독을 유도 할 수 있습니다.

* 최종 화면을 넣으려면 동영상 길이가 25초 이상이어야 합니다.
* 카드 티저 및 워터마크 브랜딩 등 기타 상호작용 요소는 최종화면에 표시되지 않습니다.
* 아동용으로 설정된 동영상에는 최종 화면을 사용할 수 없습니다.

2 [**최종화면 추가**]를 클릭하여 최종화면 편집이 가능합니다.
(이미 업로드한 동영상은 [**유튜브 스튜디오**]에서 [**동영상**] 페이지를 열고 동영상을 선택한 후
[**편집기**]를 선택하여 최종화면을 추가 할 수 있습니다.

[**요소**] 레이아웃 중 첫 번째를 선택(클릭)합니다.

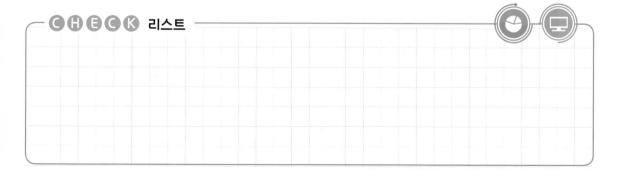

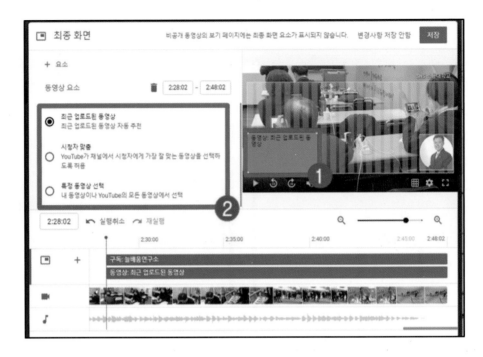

1 ①동영상을 클릭한 후 ②[최근 업로드된 동영상] 또는 [시청자 맞춤], [특정 동영상 선택]을 할 수 있습니다. 그 중 [특정 동영상 선택]을 클릭합니다.

[내 동영상], [YouTube 의 모든 동영상] 중 하나를 선택합니다. 홍보하고자 하는 동영상의 링크를 가져옵니다.

뉴미디어 마케팅 교육 전문 SNS소통연구소

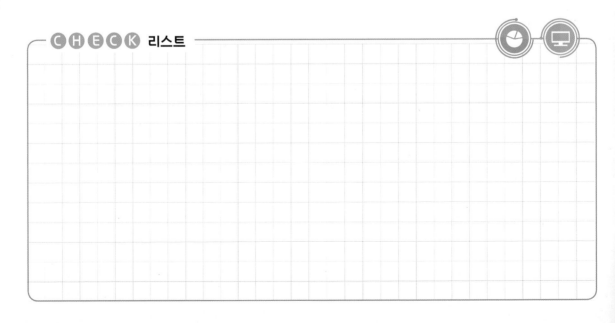

CHECK 리스트

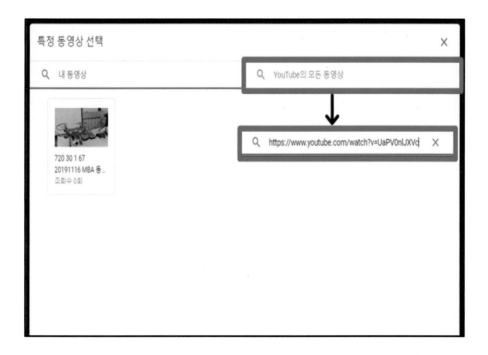

2️⃣ ※ 요소는 최종 화면에 추가되는 콘텐츠 단위입니다. 일부 요소는 펼치거나 마우스로 가리키면 더 많은 정보를 표시합니다. 표준 영상비인 16:9 동영상의 최종 화면에는 최대 4개의 요소를 추가할 수 있습니다. 기타 가로세로 비율에는 하한이 있을 수 있습니다.

요소에 표시할 수 있는 콘텐츠 유형은 다음과 같습니다.

* 동영상 또는 재생목록:
  - 가장 최근에 업로드한 동영상을 표시합니다.
  - YouTube가 채널에서 시청자에게 가장 잘 맞는 동영상을 선택하도록 허용합니다.
  - 채널에서 공개 또는 일부 공개 동영상이나 재생목록을 선택합니다.

* **구독** : 채널 구독을 유도합니다.
* **승인된 웹사이트** : YouTube 파트너 프로그램의 회원만 사용할 수 있는 기능입니다.
* **채널** : 맞춤 메시지로 다른 채널을 홍보합니다.

뉴미디어 마케팅 교육 전문 SNS소통연구소

1️⃣ 유튜브 동영상을 확인한 후 [저장]를 클릭하면 최종화면에 동영상 컨텐츠를 홍보 할 수 있습니다.

1️⃣ [카드추가] 항목에 [추가]를 클릭 합니다.

※ 카드를 사용하면 동영상에서 더 활발한 상호작용을 유도할 수 있습니다.

1 카드를 삽입하고자 하는 시간을 지정 후 [카드추가]를 클릭합니다.

1 카드에는 [동영상 또는 재생목록], [채널], [설문조사]를 연결할 수 있습니다.
(아동용으로 설정된 동영상에는 카드를 사용할 수 없습니다.)

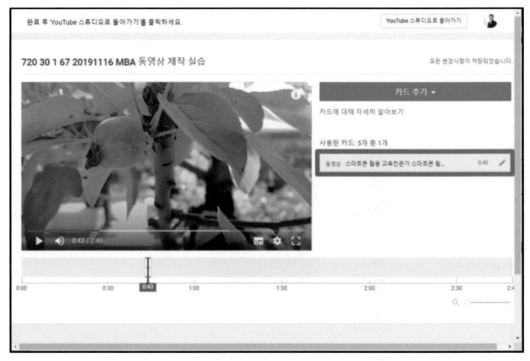

뉴미디어 마케팅 교육 전문 SNS소통연구소

1 [동영상 또는 재생목록]을 선택 후 [올린 동영상]을 선택하거나 YouTube 동영상이나 재생목록 URL을 항목에 입력합니다. [티져 텍스트 맞춤작성 또는 맞춤메세지 추가]를 클릭하여 맞춤메시지와 티져 텍스트도 입력할 수 있습니다. 항목을 모두 입력 후 [카드 만들기]를 클릭 합니다.

2 [카드 추가]를 클릭하여 [채널]를 추가해 보겠습니다.

시간을 지정 후 [카드추가]를 클릭 후 채널 항목의 [만들기]를 선택합니다.

※ 카드는 총 5개까지 사용 가능합니다.

1 [채널 사용자 이름 또는 URL], [맞춤 메시지], [티져 텍스트]를 입력 후 [카드 만들기]를 클릭합니다.

2 [카드]가 생성된 것을 확인 할 수 있습니다.

1️⃣ ※ YouTube 동영상 Play 시 카드요소가 적용된 화면을 확인 할 수 있습니다.

2️⃣ [동영상 요소]의 [최종화면 추가]와 [카드추가]를 선택적으로 완료 후 [다음]를 클릭합니다.

① [공개 상태]를 게시할 시기와 동영상을 볼 수 있는 사람을 선택 할 수 있도록 설정 후 [저장]을 클릭함으로 유튜브에 동영상 업로드가 완료 됩니다.

기 능	비공개	일부공개	공개
URL 공유 가능	×	○	○
채널 섹션에 추가 가능	×	○	○
검색, 관련 동영상, 맞춤 동영상에 표시	×	×	○
채널에 게시	×	×	○
구독자 피드에 표시	×	×	○
댓글 작성 가능	×	○	○

※ [공개 상태]에
따른 활용가능한 기능입니다.

⑤ 검색 가능성 높이기

YouTube는 전 세계에서 가장 큰 검색 엔진 중 하나입니다. 효과적인 키워드를 사용해 [설명]을 작성하면 시청자가 검색을 통해 동영상을 더 쉽게 찾을 수 있습니다.

뉴미디어 마케팅 교육 전문 SNS소통연구소

검색 가능성이 높은 [설명]쓰기
시청자가 검색결과에서 내 동영상을 찾고 무엇을 보게 될지 알 수 있는 유용한 정보를 설명으로 전달할 수 있습니다. 올바른 키워드를 사용해 설명을 효과적으로 작성하면 내 동영상이 검색결과에 표시될 가능성이 높아져 조회수와 시청 시간을 늘릴 수 있습니다.

◆ 단순히 키워드를 늘어놓을 게 아니라 자연스러운 문장으로 동영상 내용을 간략하게 설명합니다.

◆ 가장 중요한 키워드를 설명의 앞부분에 넣습니다.

◆ 동영상의 내용을 나타내는 주요 단어 1~2개를 파악해 설명과 제목을 작성할 때 그 단어를 눈에 띄는 곳에 배치합니다.

◆ Google 트렌드 및 Google Ads 키워드 플래너를 사용해 인기 키워드와 그 동의어들을 파악하세요. 이러한 단어를 포함하면 검색으로 발생하는 트래픽을 극대화할 수 있습니다.

◆ 설명을 작성할 때 내용과 관련이 없는 단어는 피하세요. 시청 경험의 질이 떨어질 수 있으며 YouTube 정책을 위반할 수 있기 때문입니다.

[설명]을 최대한 활용하세요.

◆ [설명] 입력란은 시청자들이 내 동영상을 검색하고, 그 내용을 파악해서 시청할지를 결정할 때 매우 유용합니다. [설명]은 두 부분으로 나누어 생각할 수 있습니다. 시청자들이 '더 보기'를 클릭하기 전에 보이는 내용과 클릭한 후에 보이는 내용입니다. 시청자는 설명의 처음 몇 줄부터 보게 되므로, 여기 에 특히 심혈을 기울이세요.

채널에 대한 기타 핵심 정보, 메타데이터, 소셜 네트워크 또는 개인 웹사이트의 링크를 아래에 추가해서 시청자에게 추가 정보를 줄 수 있습니다.

기본 설명을 작성해서 동영상을 업로드할 때 핵심 채널 정보를 자동으로 삽입할 수도 있습니다.

◆ 추천 작업 : 동영상마다 고유의 [설명]을 작성하세요. 그러면 시청자가 검색을 통해 동영상을 찾기 쉽고, 다른 비슷한 동영상 사이에서 쉽게 눈에 띕니다.

◆ 글의 처음 몇 줄에서는 검색이 용이한 키워드와 자연스러운 문장을 써서 동영상의 내용을 설명하세요. 글의 나머지 부분('더 보기'를 클릭하면 펼쳐지는 부분)에서는 채널의 주제, 소셜 링크 등의 추가 정보를 제공하세요.

◆ [설명] 입력란에는 최대 국문 2,500자(영문 5,000자)까지 입력할 수 있습니다. 기본 설명 입력란을 작성하면 모든 동영상에 자동으로 추가 정보를 표시할 수 있습니다.

동영상 [설명]에 해시 태그 사용학기

◆ 구독자가 특정 해시태그로 검색할 때 내 동영상을 찾을 수 있도록 동영상 설명에 해시태그(#)를 사용할 수 있습니다.

◆ 동영상을 업로드할 때 동영상의 [제목]이나 [설명]에 해시태그(예: #해시태그 #예)를 입력할 수 있습니다. 동영상 [설명]의 해시태그는 링크이며 사용자가 해시태그를 클릭하면 해시태그 검색결과 페이지로 이동하여 해당 주제에 대한 더 많은 동영상을 볼 수 있습니다.

◆ [설명]의 핵심적인 부분에 해시태그를 추가해서 시청자들이 동영상을 찾기 쉽게 하세요.

◆ 동영상 내용과 관련이 있는 해시태그만 사용해야 합니다.

예를 들어 특정 영화의 평가를 업로드할 경우 조회수를 늘릴 목적으로 다른 영화나 관련 없는 인기 영화, 배우 또는 주제를 해시태그로 추가하지 마세요.

◆ 몇 개만으로도 큰 효과를 볼 수 있습니다. 설명 섹션을 해시태그로 가득 채우지 마세요.
해시태그가 15개를 넘으면 YouTube는 동영상의 모든 해시태그를 무시합니다.

◆ 해시태그는 예정된 이벤트 또는 화제의 인물 등 인기 있는 콘텐츠와 함께 사용하면 더욱 효과적입니다.

◆ 해시태그를 사용하면 인기 있는 주제의 동영상을 검색하는 시청자들이 다양한 관련 콘텐츠를 찾을 수 있습니다.

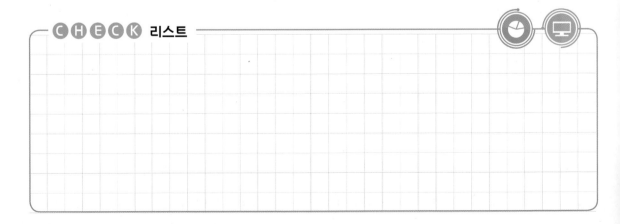

CHECK 리스트

효과적인 [미리보기 이미지] 및 [제목] 만들기

[미리보기 이미지]와 [제목]은 시청자가 동영상을 보게 만드는 간판과 같은 역할을 합니다. 효과적으로 디자인된 미리보기 이미지와 제목은 더 많은 팬을 채널로 유도하며 시청자에게 무엇을 기대해도 좋을지 알려줘 동영상을 끝까지 보도록 독려하고 다양한 광고주가 콘텐츠에 관심을 갖도록 할 수 있습니다.

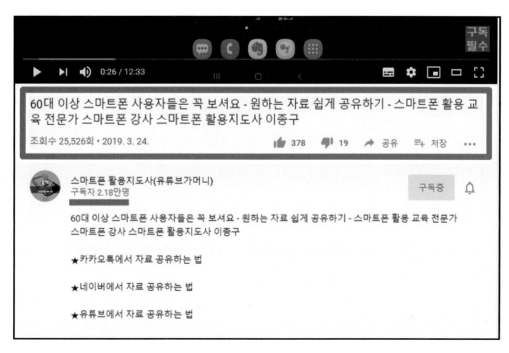

◆ 즉시 눈길을 끄는 [제목] 작성하기

[제목]을 잘 지으면 내 동영상을 그냥 지나칠 수 있었던 시청자의 눈길을 잡아 시청하고 공유하도록 할 수도 있습니다. 콘텐츠를 정확하게 표현하는 제목을 만드는 것이 좋습니다. 기발한 제목을 달거나 콘텐츠를 궁금하게 만드는 제목을 지으면 호기심을 자극할 수 있습니다.

시청자들이 계속 시청하도록 동영상을 정확하게 설명하는 것이 중요합니다. 동영상이 시청자의 기대와 맞지 않아 시청을 중단하면 시청 지속 시간이 하락하며 동영상이 YouTube에서 추천될 가능성이 낮아질 수 있습니다.
YouTube 커뮤니티 가이드를 위반한 콘텐츠는 모두 삭제되니 주의하세요.

[제목]은 60자 이하로 간결하게 작성하고 가장 중요한 정보를 앞에 배치하세요.
에피소드 번호와 브랜드는 뒤에 배치하세요.
제목이 추천 동영상, 검색결과, 휴대기기에서 잘리지 않는지 확인하세요.

⑥ 유튜브 채널의 키워드

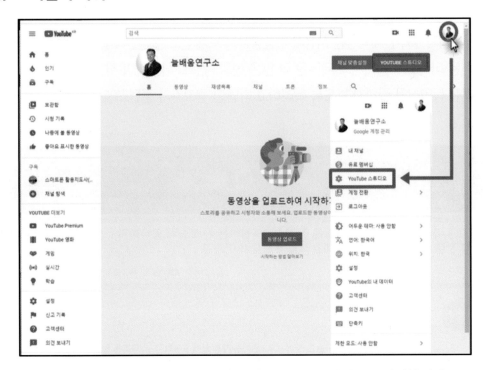

1️⃣ 유튜브 사용자가 검색어로 유튜브 내 채널을 검색 할 수 있도록 키워드를 입력합니다.

[내 채널]에서 [YouTube 스튜디오]를 클릭합니다.

또는 유튜브 내 프로필 사진을 클릭하여 [YouTube 스튜디오]를 클릭하여 이동 할 수도 있습니다.

2️⃣ [YouTube 스튜디오]의 [설정]을 클릭합니다.

뉴미디어 마케팅 교육 전문 SNS소통연구소

1 ①[채널]을 선택 후 ②[키워드] 항목에 채널 키워드를 입력합니다.(키워드 구분은 쉼표를 입력하며 띄워 쓰기도 가능합니다.) 키워드 입력을 완료되면 ③[저장]을 클릭 합니다.

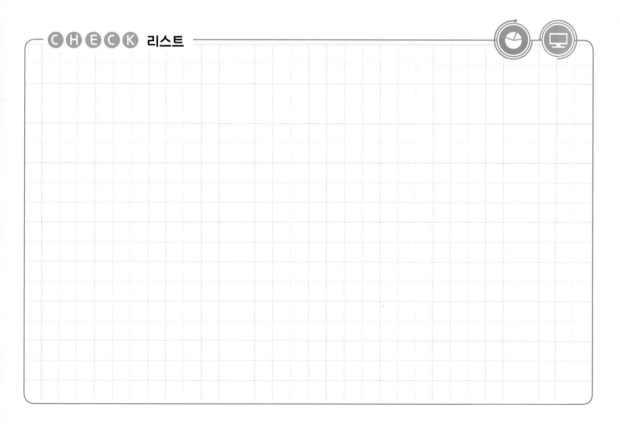

CHECK 리스트

☑ 유튜브 동영상 태그

☑ 동영상 업로드시 세부정보 항목 중 ①[옵션 더 보기]를 클릭합니다.

②[태그] 항목에 최대 500자 까지 입력가능합니다.

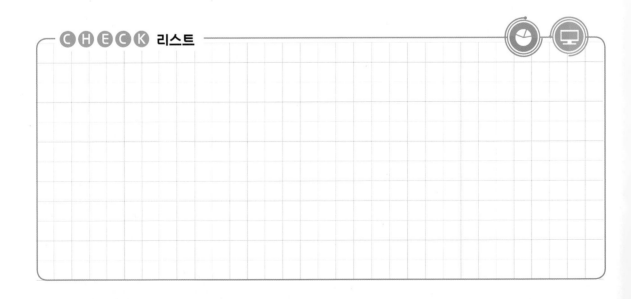

뉴미디어 마케팅 교육 전문 SNS소통연구소

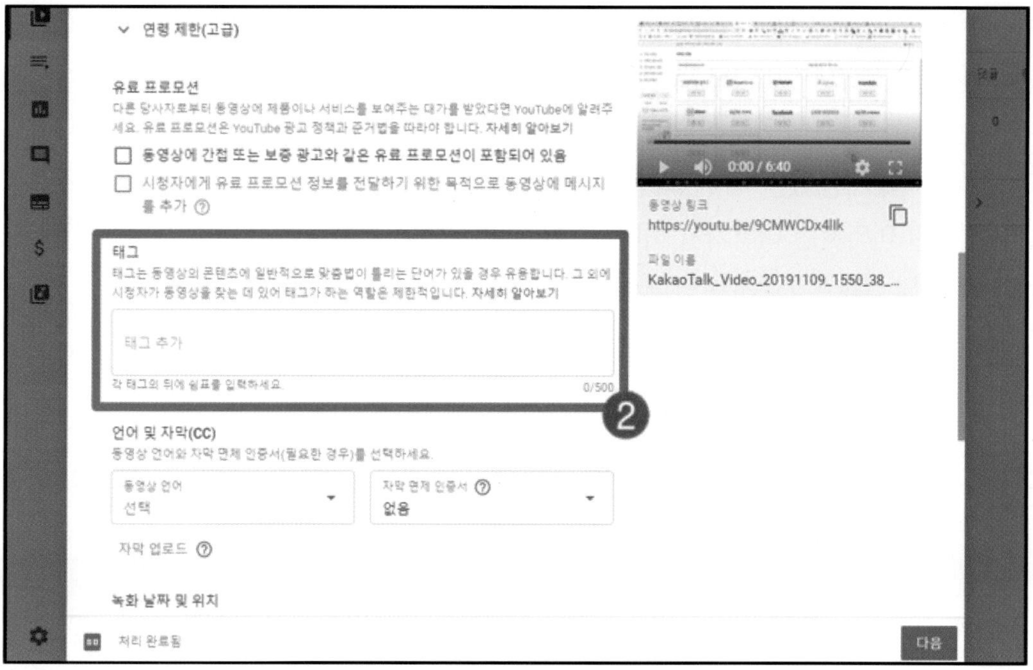

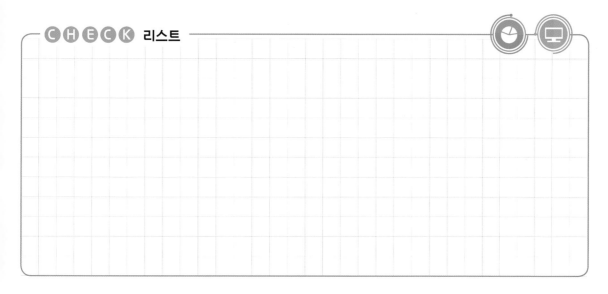

동영상에 [태그] 추가

2 태그는 사용자가 콘텐츠를 검색하는 데 도움이 되도록 동영상에 추가하는 설명 키워드입니다. 동영상의 제목, 미리보기 이미지, 설명은 동영상을 검색하는 데 더욱 중요한 메타 데이터입니다. 이러한 주요 정보는 시청자가 어떤 동영상을 시청할지 결정하는 데 도움을 줍니다. 태그는 동영상의 콘텐츠에 일반적으로 맞춤법이 틀리는 단어가 있을 경우 유용합니다. 그 외에 동영상을 검색하는 데 태그의 역할은 제한적입니다.

CHECK 리스트

⑧ 채널로고 만들기

잠재 고객들이 내 Youtube 채널에 참여하도록 유도하는 것이 매우 중요합니다. Youtube 프로필 로고를 사용하면 Youtube 비디오 채널을 인식 할 수 있도록 가능 합니다.

채널 아트는 내 YouTube 페이지 상단에 배경 또는 배너로 표시됩니다. 이 배너로 채널의 정체성을 브랜드화하고 페이지에 개성 있는 디자인과 분위기를 창출할 수 있습니다.

로고 및 썸내일 이미지는 여러가지 이미지 편집프로그램을 활용하여 비디오 채널에 가장 적합한 Youtube 로고 및 썸내일 이미지를 만들 수 있습니다.

그 중 PC용 Canva를 활용하여 이미지를 제작 해보겠습니다.

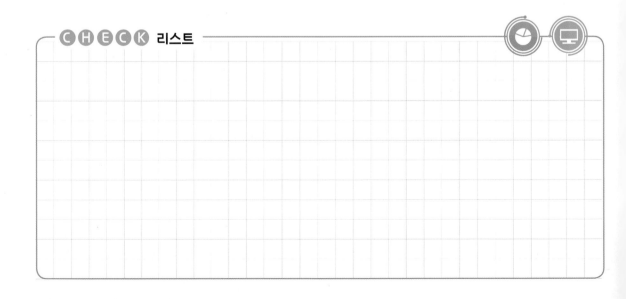

CHECK 리스트

1 Chrome 브라우저에서 Canva.com 에 접속합니다.

Chrome 브라우저를 홈 화면에서 화면을 아래로 스크롤하여 [로고]에서 [모두보기]를 클릭합니다.

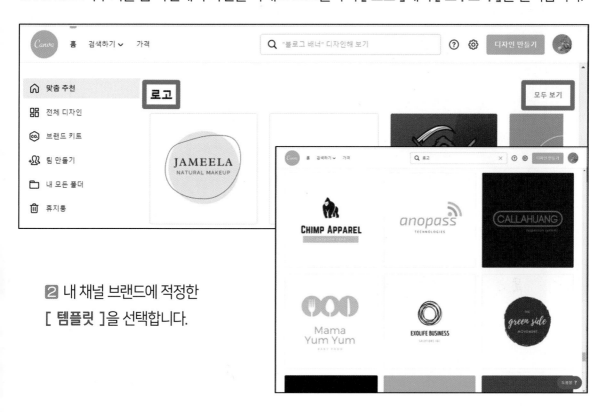

2 내 채널 브랜드에 적정한
[템플릿]을 선택합니다.

CHECK 리스트

뉴미디어 마케팅 교육 전문 SNS소통연구소

1 ①의 메뉴들을 활용하여 ②사진과 ③텍스트를 내 채널의 브랜드 이미지에 적합한 로고를 디자인 합니다.

②사진과 ③텍스트는 그룹으로 묶여 있습니다. 묶여 있는 그룹을 해제 하려면 이미지에서 마우스 오른쪽을 클릭 후 [**그룹해제**]를 클릭 합니다. ④사진을 [Del]키로 삭제합니다. ①의 메뉴들을 활용하여 로고 이미지와 글자 들을 수정 합니다.

1️⃣ 로고의 이미지를 변경하고 글씨를 바꾸는 방법에 대하여 알아보도록 하겠습니다.

2️⃣ 이미지 변경 [요소] 클릭 후 ①이미지를 ②위치로 드레그하여 가져다 놓습니다.

텍스트를 클릭하여 문구도 변경 합니다.

1 모니터 화면에 내용을 [**동영상**], [**배경**], [**업로드**]를 활용하여 내가 원하는 이미지로 변경이 가능합니다.

2 내가 원하는 이미지로 변경하려면 ①[**업로드**]를 클릭합니다. ②[**이미지 또는 동영상 업로드**]를 클릭하여 원하는 이미지를 불러옵니다.

3 ③의 이미지를 ④의 모니터 화면에 드래그하여 가져다 놓습니다.

4 작업이 완료되면 ⑤[**다운로드**]를 클릭합니다.

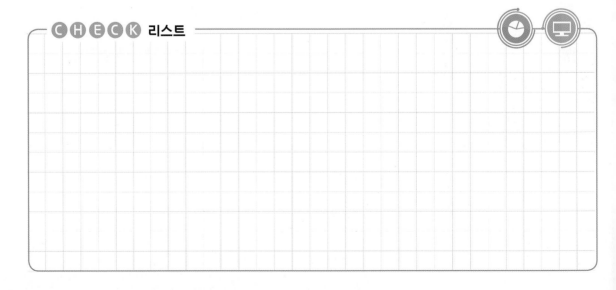

뉴미디어 마케팅 교육 전문 SNS소통연구소

1️⃣ 여러 형태의 작업이 가능합니다. 그 중 [다운로드]를 클릭합니다.

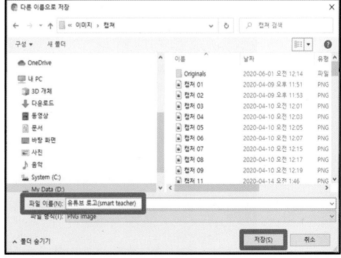

2️⃣ 여러 형식의 파일을 저장할 수 있습니다. 그 중 [PNG] 파일 형식을 선택(추천)합니다.

3️⃣ [다운로드]를 클릭 후 [파일이름]을 입력한 후 [저장]을 클릭하여 유튜브 로고작업을
완료합니다.

⑨ 내 채널의 로고 바꾸기

1 유튜브 [내 채널]에 접속합니다. 내 [로고]를 클릭합니다.

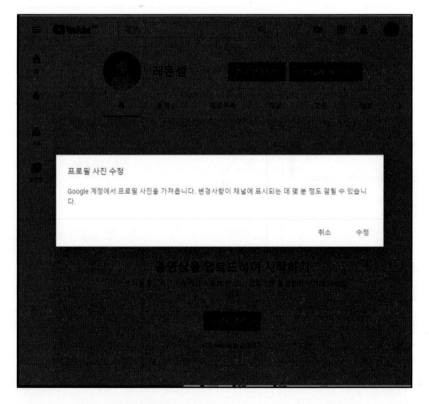

2 프로필 사진 수정의 [수정]을 클릭합니다.

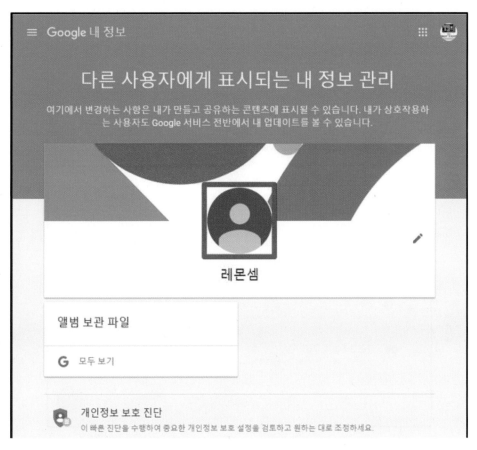

1 Google 내 정보로 이동합니다.

내 정보의 내 사진 [로고]를 클릭하거나 [연필](수정) 을 클릭 합니다.

2 업로드 된 사진을 선택합니다. 업로드 된 사진이 없는 경우, [사진 업로드]을 클릭하여 작업된
로고 이미지를 선택 후 열기를 클릭합니다.

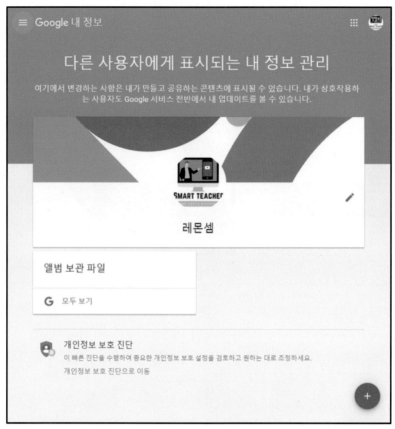

1 Google 내 정보의 및 내 채널의 내 사진 [로고]가 변경되었음을 확인 할 수 있습니다.

뉴미디어 마케팅 교육 전문 SNS소통연구소

⑩ 썸네임 이미지 만들기

① 유튜브 [썸네임(미리보기) 이미지]는 구독자가 YouTube를 탐색할 때 동영상의 대표 장면 및 영상의 핵심 내용을 미리 보여줍니다. 동영상 업로드가 완료되면 YouTube에서 자동 생성되는 몇 가지 옵션 중 하나를 선택하거나 직접 미리보기 이미지를 업로드할 수 있습니다.

맞춤 미리보기 이미지는 가능한 한 커야 합니다. 내장 플레이어에서도 미리보기 이미지로 사용되기 때문입니다. 맞춤 미리보기 이미지 권장사항은 다음과 같습니다. ① 해상도 1280x720(너비 640픽셀 이상) ② 업로드 이미지 형식: JPG, GIF, PNG ③ 이미지 용량 2MB 이하 ④ 비율 : YouTube 플레이어 및 미리보기에서 가장 많이 사용되는 16:9의 가로 세로 비율 사용 동영상 [미리보기(썸네임)이미지]를 제작하는 도구 또한 다양하다. 내 채널 로고 제작에 활용했던 PC용 Canva를 활용하여 썸내임 이미지를 제작해 보겠습니다.

⑪ 썸네일 이미지 만들기

1 구글크롬으로 https://www.canva.com/ 에 접속한다.

[맞춤 추천] 항목에서 [소셜 미디어] 아래 [YouTube 썸내일]을 클릭합니다.

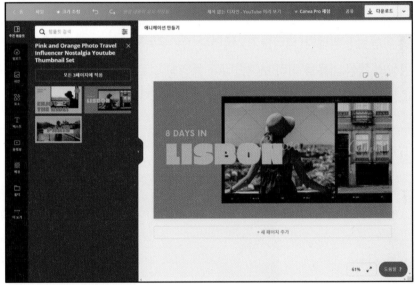

2 [추천 탬플릿]에 여러 형태의 탬플릿들이 있습니다.

그 중 내 유튜브 성격에 적합한 썸네일을 선택합니다. 선택한 탬플릿의 이미지와 텍스트를 변경

가능합니다. 먼저 이미지를 변경 합니다.

왼쪽 카테고리에서 [사진]을 클릭합니다.

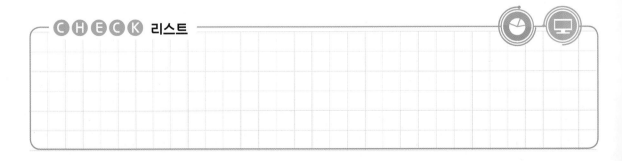

1 Camva에서 기본으로 제공하는 이미지들을 사용 가능합니다. 또한 검색창에 수백만 장의 사진을 검색 할 수 있습니다. [업로드]를 활용하여 내가 촬영한 이미지를 불러올 수 도 있습니다.

2 [검색]을 통하여 원하는 사진을 검색 할 수 있습니다.

※ [PRO] 표시가 있는 사진은 유료로 Canva Pro 가입 후 사용가능 합니다.

3 ①의 [사진]과 [업로드]를 선택하여 ②의 [이미지]와 [동영상]을 ③의 위치에 드래그하여 가져다 놓아 사진을 변경 합니다.

③의 사진을 선택하여 ④의 메뉴을 통하여 ③의 사진을 다양한 형태로 꾸미기가 가능 합니다.

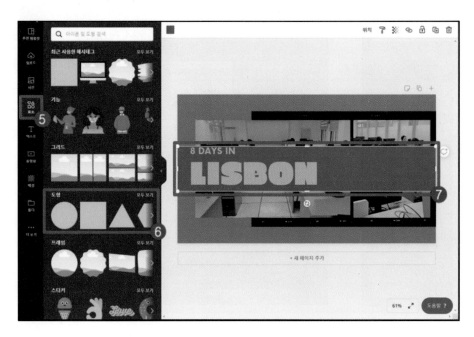

뉴미디어 마케팅 교육 전문 SNS소통연구소

1️⃣ [요소]의 [도형]을 통하여 사각형을 클릭하여 본문 중앙에 직사각형을 그려 놓습니다.

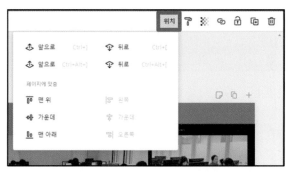

2️⃣ [위치]를 클릭하여 글씨 뒤에 도형이 위치 하도록 도형을 배치 합니다.

3️⃣ [투명도]를 선택하여 도형 뒤의 사진이 보이도록 조정합니다.

고품격 시니어 실버들을 위한 소통대학교

1 [텍스트]를 수정하거나 추가하여 썸네일 작업을 마무리 합니다.

①텍스트를 클릭하여 내용들을 수정합니다.

②항목의 글꼴, 크기, 색 등을 활용하여 글씨를 꾸밉니다.

③[텍스트]를 클릭하여 ④제목 및 부제목 등을 선택하여 ⑤와 같이 내용을 추가 할 수 있습니다.

2 ①②③[다운로드]를 클릭하여 완성된 썸네일을 저장 합니다.

☐ 완성된 썸네일 이미지는 동영상 업로드시 [미리보기 이미지]에 [미리보기 이미지 업로드]를 통하여 썸네일 이미지를 활용합니다.

⑫ 채널아트 이미지 만들기

채널 아트는 내 YouTube 페이지 상단에 배경 또는 배너로 표시됩니다. 채널 아트로 채널의 정체성을 브랜드화하고 페이지에 개성 있는 디자인과 분위기를 부여할 수 있습니다.

YouTube 배너 템플릿 및 크기 가이드라인 (이미지 크기 및 파일 가이드라인)

채널 아트는 데스크톱, 모바일, TV 디스플레이에서 각기 다르게 표시되며 이미지가 크면 잘릴 수 있습니다. 모든 기기에서 이미지가 적절히 표시되도록 하려면 2560x1440픽셀 이미지 하나를 업로드하는 것이 좋습니다.

* **업로드 최소 크기** : 2048x1152픽셀
* **텍스트 및 로고가 잘리지 않는 최소 크기** : 1546x423픽셀. 여기에서 벗어나는 부분은 특정 보기 설정 또는 기기에서 잘릴 수 있습니다.

* **최대 너비 :** 2560x423픽셀. 이 너비를 사용하면 화면 크기에 관계없이 '꼭 표시되어야 하는 부분'은
항상 표시됩니다. 채널 아트의 양쪽 끝 부분은 브라우저 크기에 따라 표시되거나 잘릴
수 있습니다.
* **파일 크기 :** 6MB 이하

채널 아트는 기기에 따라 다르게 표시됩니다. 채널 아트를 디자인할 때 기기별로 어떻게 로드되는지
파악하세요. 브라우저 창과 기기에 따라 사이트에서 채널 아트가 표시되는 정도가 조정됩니다.

1. TV 디스플레이
TV에서는 전체 이미지가 배경에 채널 아트로 표시됩니다. 가로 세로 비율은 16:9(즉, 2560x1440
픽셀)입니다.

2. 컴퓨터
컴퓨터 화면에서 최소 너비로 표시 : 가로 세로 2560x423픽셀 입니다.
컴퓨터 화면에서 최대 너비로 표시 : 가로 세로 1546x423픽셀 입니다.

3. 휴대기기
모바일 화면의 폭에 맞춰 '꼭 표시되어야 하는 부분'이 축소되며, 화면 폭은 기기마다 다릅니다.

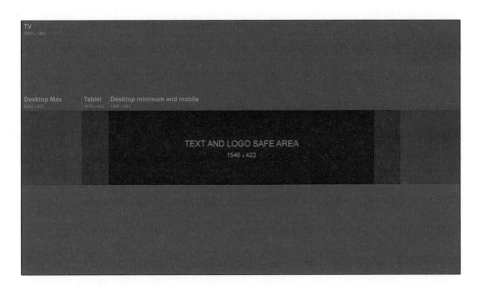

다양한 기기별 채널아트 이미지 사이즈를 확인 할 수 있습니다.

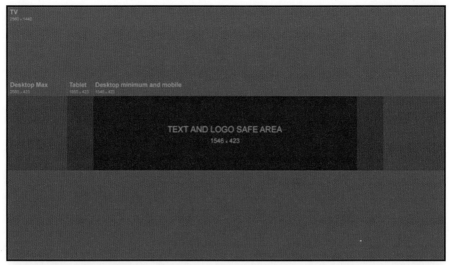

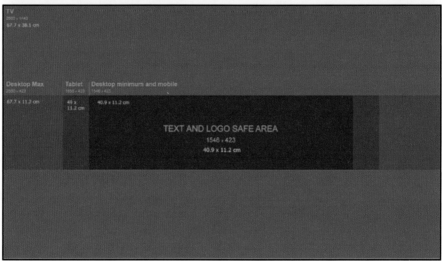

1 위 채널아트 템플릿을 참고하여 채널아트 이미지를 만들어 보겠습니다.

파워포인트를 활용하여 만들어 나가겠습니다.

파워포인트로 만들기 위해서 우선 픽셀을 센티 단위를 사용하는 것이 편리합니다.

구분	픽셀	Cm
TV	2560 x 1440	67.7 x 38.1
Desktop	2560 x 423	67.7 x 11.2
Table	1855 x 423	49 x 11.2
Mobile	1546 x 423	40.9 x 11.2
Text and Logo	1546 x 423	40.9 x 11.2

2 채널 아트 템플릿을 픽셀 단위에서 cm로 변환한 자료입니다.

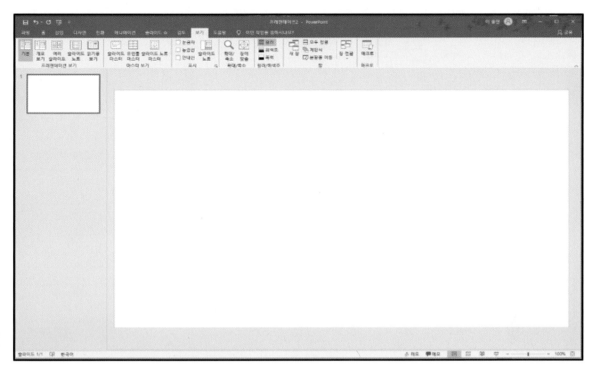

1 파워포인트로 빈 슬라이드 하나를 만듭니다.

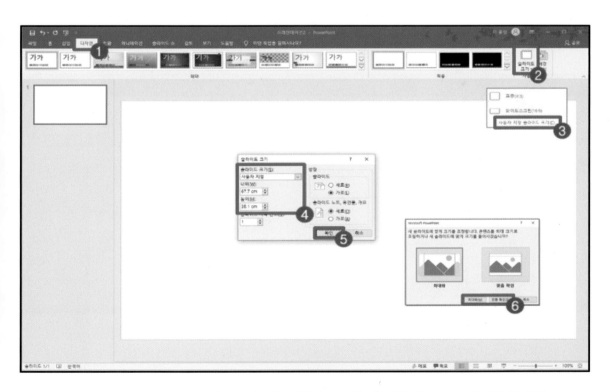

2 ①[디자인]을 클릭 ②[슬라이드크기]를 실행 ③[사용자 지정 슬라이드 크기]를 실행
④[넓이]를 67.7cm, [높이]를 38.1cm를 입력 후 ⑤[확인]을 클릭 후 ⑥[최대화]나
[맞춤 확인]을 클릭합니다.

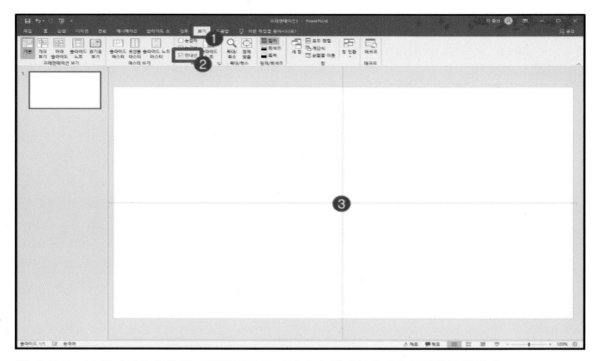

1️⃣ 슬라이드에 안내선을 활용하여 편집하면 편리합니다. 안내선은 ①[보기]를 클릭 후
②[안내선]을 선택하면 슬라이드 가로 세로중앙으로 ③중심으로 안내선이 표시 됩니다.

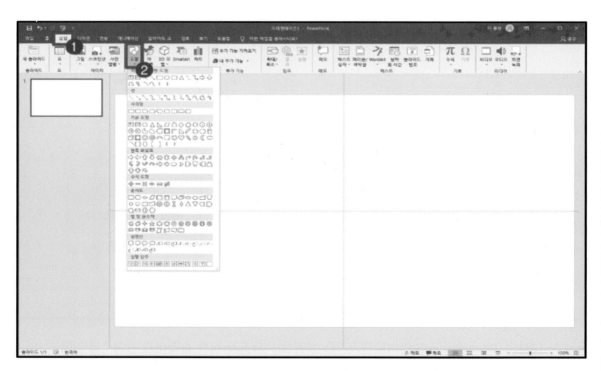

2️⃣ 매체 별 이미지 사이즈에 맞는 가이드를 배치합니다. PC용 사이즈의 가이드를 만들기 위해서
①[삽입]을 클릭 ②[도형] 단축버튼을 클릭 후 슬라이드에 [사각형] 도형을 그려 놓습니다.

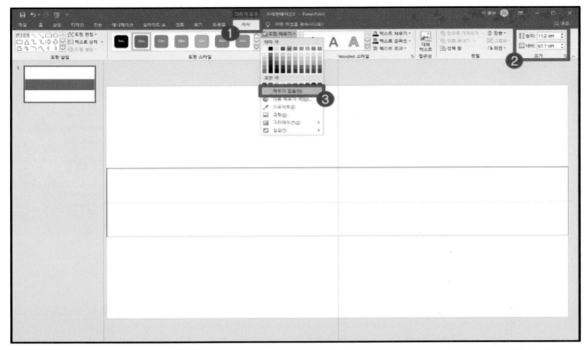

1 ①[서식]의 클릭 후 ②[크기]에 높이를 11.2 너비를 67.7을 입력합니다. ③[도형 채우기]의
[채우기 없음]을 클릭합니다. PC용 사이즈로 만들어진 도형을 슬라이드 중앙에 배치합니다.
같은 방법으로 Table용 높이 11.2 너비 49 Mobile용 높이 11.2 너비 40.9 사이즈의 사각형 도형 두개를
만들어 슬라이드 중앙에 배치 합니다.

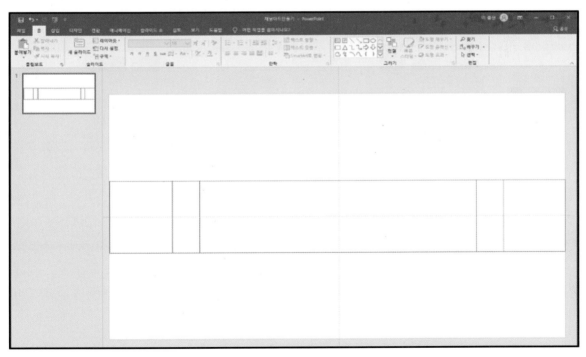

2 이렇게 하여 슬라이드 중앙에 매체 별 채널아트 이미지 가이드를 참조 하여 이미지를 제작 할 수
있습니다.

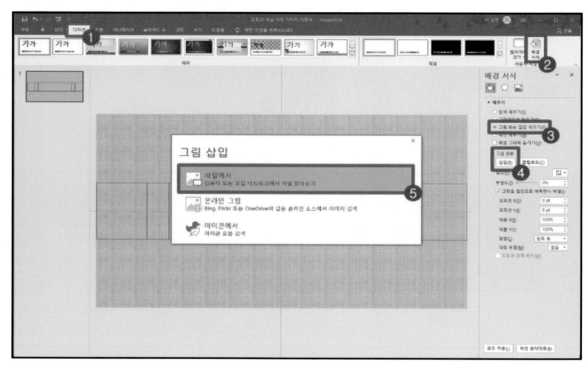

뉴미디어 마케팅 퍼블 전문 SNS소통연구소

■ TV 해상도(2560x1440 pix)에 적합한 이미지를 준비합니다. ①[디자인]을 클릭 후
②[배경서식]을 클릭 ③[그림 또는 질감 채우기]를 선택 ④[그림 원본]의 [삽입]을 클릭
⑤[그림 삽입]의 [파일에서]를 클릭하여 미리 준비한 이미지를 선택하여 배경 서식을 적용합니다.

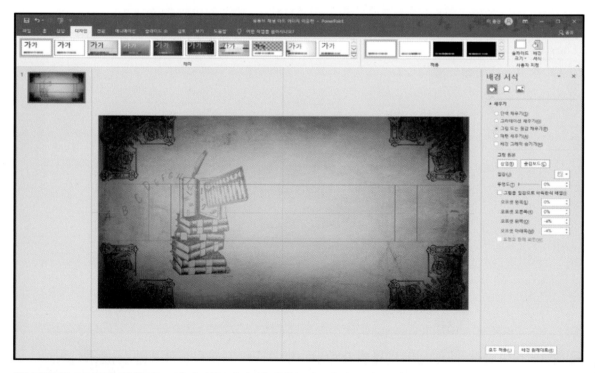

② 다음은 PC용에 적용되는 이미지를 미리 설정해 놓은 가이드에 꾸며 보겠습니다.

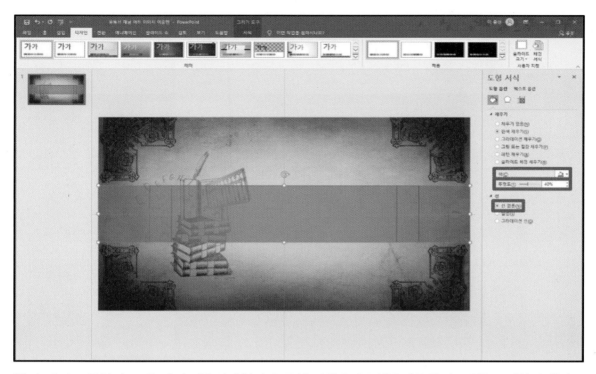

고품격 시니어 실버들을 위한 소통대학교

1 슬라이드 중앙의 PC용 가이드를 선택하여 [**도형 서식**]의 [**색**]과 [**투명도**]를 조정하여 배경 서식에 어울리게 설정합니다. 그리고 [**선**] 항목의 [**선 없음**]을 선택합니다.

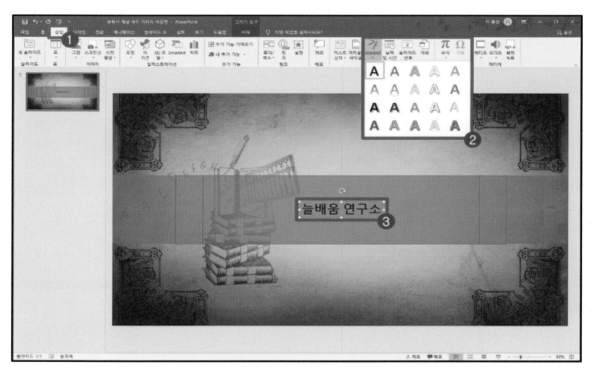

2 모든 미디어에 보일 수 있도록 Text 영역에 자신의 채널을 대표하는 내용을 입력합니다.

①[**삽입**] → ②[**워드아트**]를 클릭 내 채널아트의 이미지와 어울리는 형식 하나를 선택 후

③에 채널 명 또는 채널을 대표하는 내용을 입력합니다.

뉴미디어 마케팅 교육 전문 SNS소통연구소

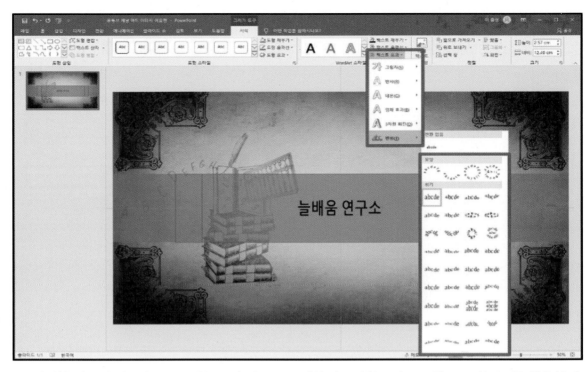

1 입력한 내용의 워드아트를 [**텍스트 효과**]를 클릭하여 [**변환**]의 [**모양**], [**휘기**]를 활용하여 적절하게 꾸밀 수 있습니다.

2 [**서식**]의 [**도형 스타일**]에서 [**도형 채우기**] [**도형 윤곽선**]을 활용하여 도형을 꾸며 줍니다.
동일한 방법으로 추가적인 내용을 입력하여 Text 영역안에 채널 아트 이미지를 꾸며 주세요.

고품격 시니어 실버들을 위한 스마트대학교

🔲 채널 아트에 본인의 사진을 넣어 줌으로 신뢰도 향상에 큰 도움이 될 수 있습니다.

사진 삽입은 메뉴의 [삽입]을 클릭하여 [그림]의 [이 디바이스]나 [온라인 그림]을 선택하여 그림을 가져 온 후 이미지를 배치 합니다.

🔲 채널 아트 이미지 꾸미기가 완료되면 중앙에 만들었던 모든 도형 가이드를 선택합니다.

[서식]의 [도형 윤곽선]에서 [윤곽선 없음]을 클릭하여 도형의 윤곽선을 제거 합니다.

1 채널 아트 이미지 편집이 완료된 슬라이드를 이미지로 저장하기 위하여 [**파일**]을 클릭합니다.

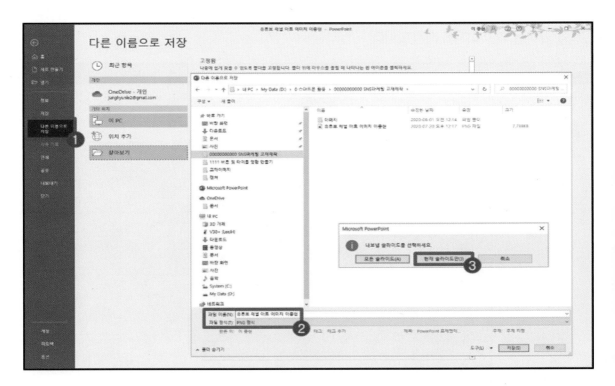

2 ①[**다른 이름으로 저장**]을 클릭 ②[**파일 이름**]을 입력하고 [**파일 형식**]을 [**PNG 형식**]을
지정 후 [**저장**]을 클릭 ③[**현재 슬라이드 만**]을 클릭하면 지정한 위치에 이미지가 저장됩니다.

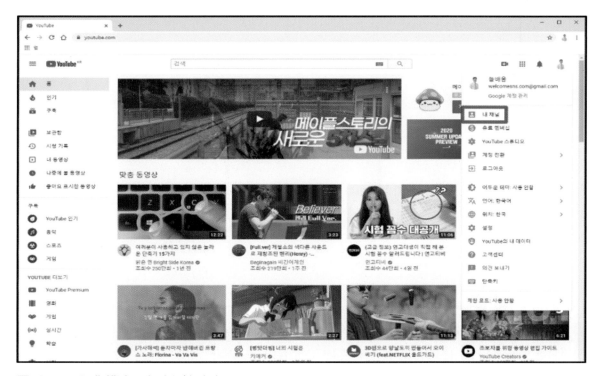

1 유튜브 [내 채널]에 접속합니다.

2 내 채널의 ① 카메라 이미지 또는 ②[채널 맞춤설정]에서 내 채널 이미지를 변경 할 수 있습니다.
①을 클릭하여 채널 이미지를 변경해 보겠습니다.

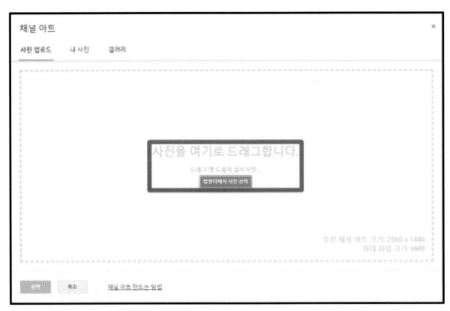

뉴미디어 마케팅 교육 전문 SNS소통연구소

1 내 채널의 ① 카메라 이미지를 클릭합니다.

탐색기를 통하여 만들어진 이미지를 직접 드래그 하여 가져오거나,

[**컴퓨터에서 사진선택**]하여 이미지를 가져온 후 선택을 클릭합니다.

2 기기별로 적용되는 채널아트를 확인할 수 있습니다.

이미지가 잘 적용이 되었다면 [**선택**]을 클릭 함으로 채널아트 이미지 적용이 마무리 되었습니다.

1️⃣ 또한 ②[채널 맞춤설정]에서 내 채널 이미지를 변경 할 수 있습니다. ②[채널 맞춤설정]을 클릭합니다. ③연필 이미지를 클릭 후 [채널아트 수정]을 클릭합니다. 이 후 내용은 앞의 내용과 같습니다.

2️⃣ ③연필 이미지(수정)를 클릭 후 [채널아트 수정]을 클릭합니다.
이 후 과정은 이전(앞장)의 내용과 동일 합니다.

⓭ 유튜브 스튜디오 활용하기

YouTube 스튜디오는 크리에이터를 위한 새로운 공간입니다. 여기서는 채널을 관리하고 채널 성장에 도움이 되는 유용한 정보를 확인하며 최신 소식을 파악할 수 있습니다. YouTube 스튜디오가 크리에이터 스튜디오 이전 버전을 대신하면서 많은 변화와 새로운 기능이 도입되었습니다.

1 유튜브에서 ①자신의 로고를 클릭 후 ②[YouTube 스튜디오]를 클릭 합니다.

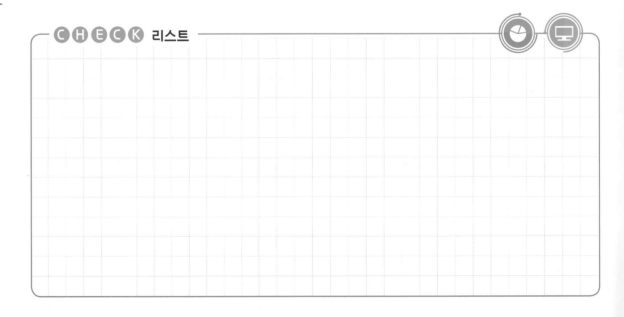

새 디자인

YouTube 스튜디오에서는 몇 번의 클릭만으로 크리에이터가 자주 하는 작업을 실행할 수 있고 도구의 응답 속도가 더 빠릅니다. 그 뿐만 아니라 크리에이터를 위한 기능을 더 빠르게 안정적으로 구현할 수 있도록 디자인이 새롭게 개편되었습니다.

CHECK 리스트

추가 통계

YouTube 스튜디오는 채널 실적 관련 데이터와 유용한 정보를 확인하는 많은 새로운 도구를 제공합니다.

뉴미디어 마케팅 교육 전문 SNS소통연구소

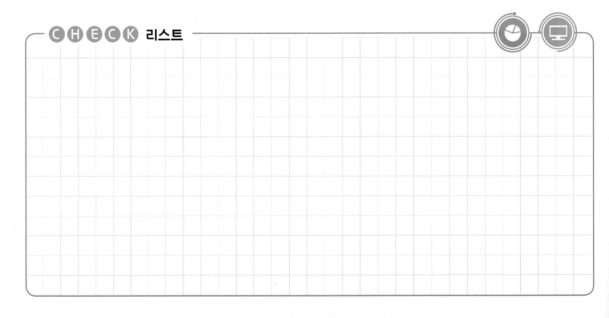

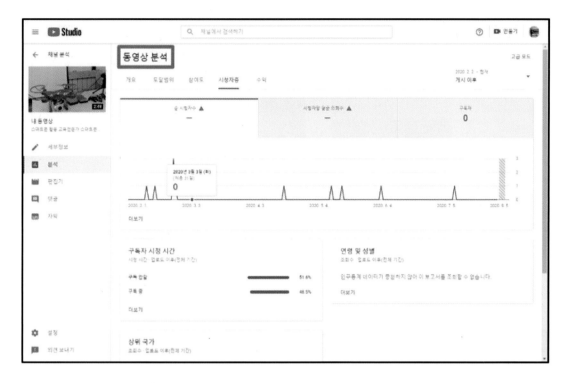

① YouTube 분석의 디자인이 채널 전반의 실적은 물론이고 개별 동영상의 실적까지 알 수 있도록 새롭게 개편되었습니다. 또한 노출, 노출 클릭률, 순 시청자 수와 같은 새로운 측정항목을 지원합니다.

② YouTube 스튜디오의 '동영상 스냅샷'은 최신 동영상의 실적을 이전 동영상과 비교하여 보여줍니다.

③ '사전 정보'에서 간단히 실적 정보를 확인하여 시간을 절약할 수 있습니다.

④ '알려진 YouTube 문제' 카드를 통해 YouTube 관련 주요 문제나 중단에 대한 실시간 업데이트를 확인할 수 있습니다.

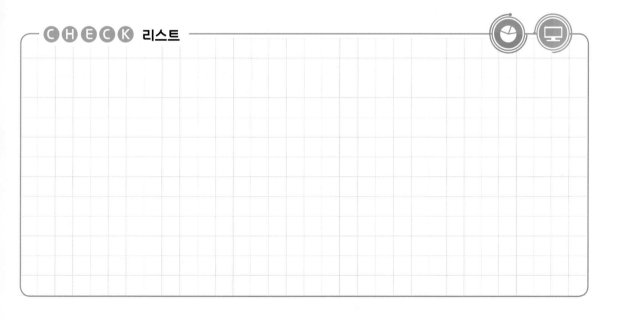

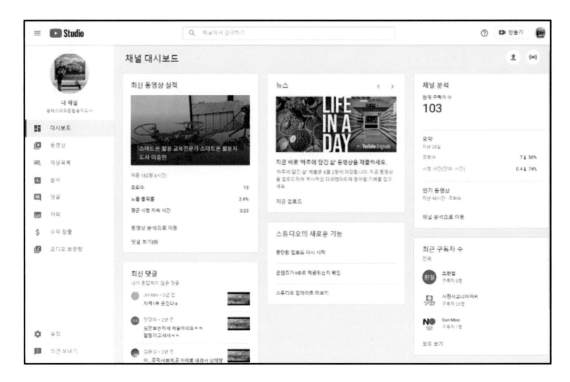

뉴스 및 공지

새로운 'YouTube 스튜디오 대시보드'에서 YouTube의 새롭고 흥미로운 최신 소식을 확인할 수 있습니다. 내 채널의 성장에 도움이 되는 '나만을 위한 아이디어'를 얻고, 크리에이터 커뮤니티의 업데이트 정보가 설명된 '뉴스'도 읽을 수 있습니다. 또한 '새로운 기능'을 선택하여 크리에이터 도구 및 기능의 최신 업데이트 정보를 확인할 수도 있습니다.

CHECK 리스트

기타 새로운 기능

상품 및 크라우드 펀딩 사이트
동영상에서 상품 또는 크라우드 펀딩 사이트로 연결됩니다.

Copyright Match Tool
내 원본 동영상이 다른 YouTube 채널에 그대로 다시 업로드 되는 경우를 찾아냅니다.

실시간 탭 : 실시간 스트림을 한곳에서 관리합니다.

CHECK 리스트

13강. 네이버 TV 마케팅

❶ 네이버 TV를 해야만 하는 이유?

[네이버 TV]를 해야하는 이유

🪴 네이버는 한국의 대표 검색엔진이다. 많은 사람들이 정보를 검색하고 쇼핑을 하고있다.

🪴 네이버는 문턱이 낮다. 유튜브가 구독자 1000명에 구독 시간이 4000시간을 채워야 하는 반면 적은 구독자를 요구한다. 100명과 100시간으로 빠른 기간 안 에 입문할 수 있다. 따라서 같이 시작하는 경우 네이버에서 먼저 광고 승인이 난다. 광고수익을 원한다면 300명의 구독자와 3000시간의 누적시간이 필요하다.

🪴 수익에서도 차이가 난다. 네이버가 유튜브에서의 같은 조회 수로 비교 시 훨씬 큰 수익이 들어 온다.

🪴 유튜브에서는 규정을 벗어나는 이라고 판단되면 일방적으로 삭제하는 경우가 있어 내 채널의 화일들을 보관하는 역할도 가능하다.

🪴 네이버의 검색이 많아서 일정 검색 드래픽이 발생할 때 네이버 측에서 다른 채널보다 네이버 우선 노출이 일어나 홍보가 잘된다.

🪴 이웃끼리의 맞구독이 일어나. 구독자 모으기가 쉽다.

🪴 유튜브 영상을 찍을 경우 다시 활용이 가능해서 쉽게 접근 가능하다.

② 네이버 TV 채널 만들고 동영상 업로드하기

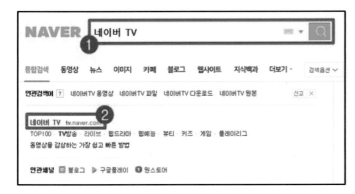

① 네이버 TV는 처음 개설 시
스마트폰보다는 PC 사용을 권한다.
검색창에 [네이버 TV]를 검색한다.
[네이버 TV]를 클릭한다.

② [로그인]을 클릭한다.

③ [아이디], [비밀번호]을 입력한다.
[로그인]을 터치한다.

네이버TV에 오신 것을 환영합니다! 아래의 2단계를 따라 채널을 만들어보세요.

| 1. 채널 개설 신청 | 2. 채널 만들기 |

채널 개설 기준 안내

채널 개설 기준을 확인 후 '시작하기'
버튼을 눌러 필요한 양식을 작성해주세요.

1. 저작권, 초상권 위반 콘텐츠나 음란, 불법, 청소년 부적합, 폭력, 잔혹, 혐오성 콘텐츠는 채널 개설이 불가합니다. (저작권 위반 콘텐츠란? 자세한 설명 보기)
2. 정치 채널의 경우, 정부기관의 공식채널과 원내정당 및 소속 현역 국회의원의 공식채널에 한해 채널 개설이 가능합니다.
   단, 선거(대통령 선거, 국회의원 선거, 지방 선거) 시에는 등록 후보자에 한해 개설이 가능합니다.
3. 타 콘텐츠 플랫폼에서(블로그, 카페, 유튜브 등) 구독자나 이웃 등 팬 100명 이상인 경우 채널 개설이 가능합니다.

단계1. 시작하기

1 채널 개설 기준을 자세히 읽어 본다. 블로그, 카페, 유튜브 등의 타 플랫폼에서 구독자 100명이 있어야 채널개설이 가능하다. **[단계1. 시작하기]**를 터치한다.

CHECK 리스트

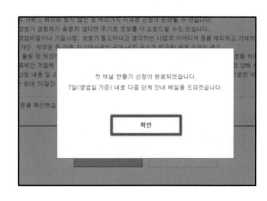

1 [첫 채널 만들기]를 위해 요구하는 서식을 작성한다.

[신청자이름], [네이버ID], [콘텐츠 소개], [참고 사이트] 등을 적는다. [참고 사이트]는

구독자가 100명이 넘는 곳을 적어야 승인이 난다.

가장 많은 수의 사이트를 적을 것을 추천한다.

2 유의상항을 자세히 읽어보고 확인을 체크한다.

[저장]을 클릭한다.

3 [확인]을 클릭한다.

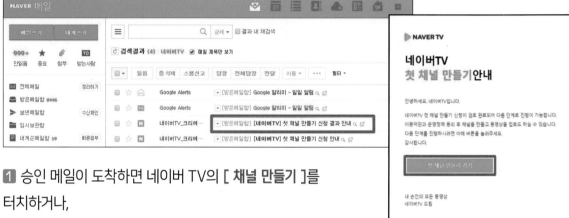

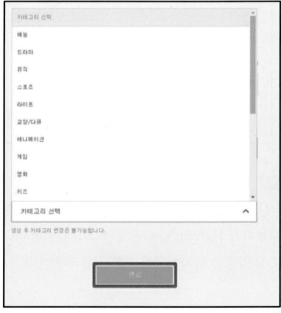

1️⃣ 승인 메일이 도착하면 네이버 TV의 [채널 만들기]를 터치하거나,

2️⃣ 메일에서 [첫 채널 만들러 가기]를 터치한다.

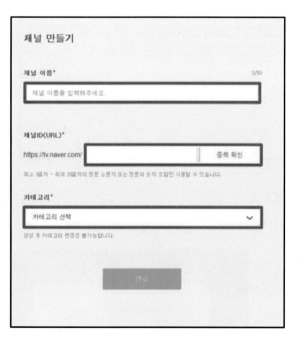

1️⃣ 채널을 만들어보자. [채널 이름]을 적는다. [채널 ID]를 적고 중복 확인한다.

2️⃣ 카테고리는 만들려는 영상에 따라 신중하게 선택한다.

한번 만들고 나면 수정이 불가능하다. [확인]을 터치한다.

3 채널이 만들어졌다. 채널의 이름을 클릭한다.

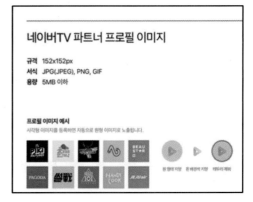

1 채널을 관리하는 메뉴들이 나온다. [채널정보관리]에는 [프로필 배너], [포스터 배너]를 만들 수 있다. [채널정보관리]를 클릭한다.

2 [배너 가이드 보기]를 참고하여 [프로필 배너] 이미지를 만든다.

1 [CANVA]를 이용해 간단히 만들어보자.
이미 만들어진 이미지가 있다면 그대로 사용해도 좋다.

2 검색창에 [CANVA] 를 검색해 홈페이지에서 회원가입을 한다.
[CANVA] 홈페이지 우측의 [**사용자 지정 치수**]를 클릭해서
필요한 사이즈를 입력한다. 만드는 배너마다 크기가 다르므로 확인은 필수다.

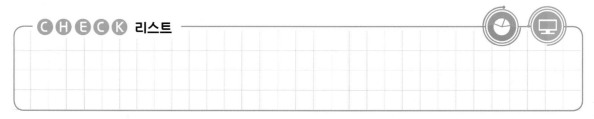

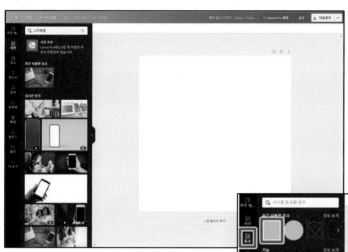

①프로필 배너는 152x 152 pixel로
배경이 준비된다.
② 좌측의 메뉴바에서 [요소]를
클릭한다.
원하는 모양을 골라 클릭한다.

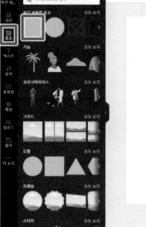

고품격 시니어 실버들을 위한 소통대학교

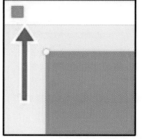

① [요소]에서 선택한 사각형을
위치시킨다.
② 사각형을 배경의 크기에 고려하여
위치시킨다.
드래그하여 크기를 조절한다.
③ 색상의 조절하기 위해 사각형을
클릭한다.
원하는 색상을 클릭한다.

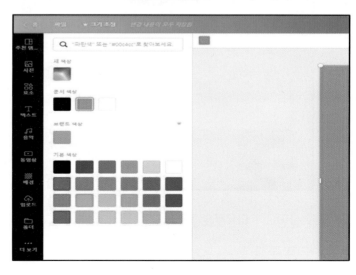

1 [텍스트]에서 알맞은 폰트를 선택한다. [채널이름]을 삽입한다.

1 우측 상단의 [다운로드]를 누르면 툴바가 내려온다. 파일 형식을 [PNG] 로 고르고
다운로드를 클릭한다.

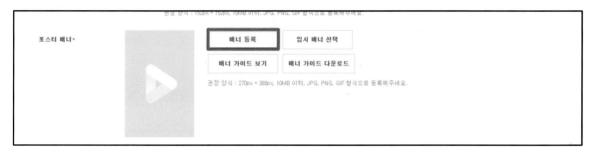

1️⃣ [프로필 배너]에서와 동일하게 [포스터 배너]를 만든다. 사이즈는 270x388 pixel 이다.

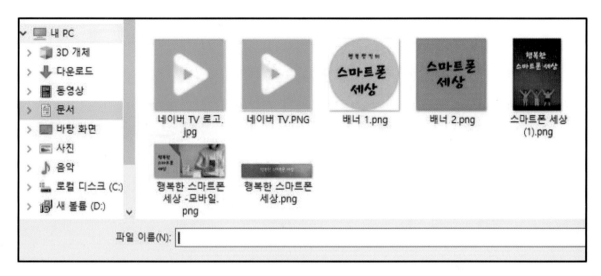

2️⃣ [포스터 배너]로 사용될 이미지를 골라 등록한다.

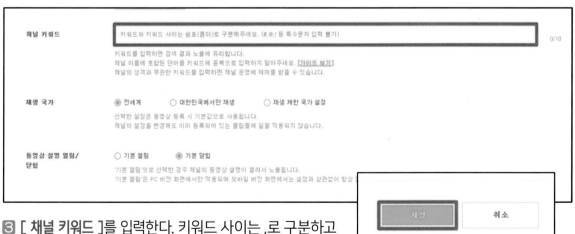

3️⃣ [채널 키워드]를 입력한다. 키워드 사이는 ,로 구분하고
#, @등의 특수문자는 사용하지 않는다.

[저장]을 클릭한다.

1 [채널 홈 관리]를 클릭한다.

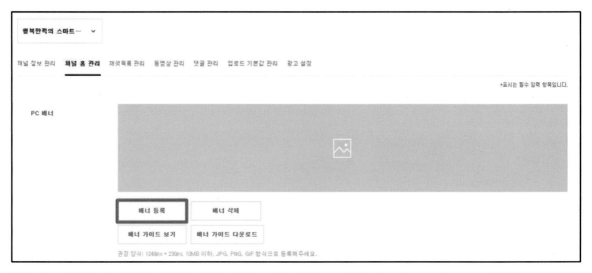

2 [포스터 배너]에서와 동일하게 [PC 배너]를 만든다. 사이즈는 1248x230 pixel 이다.

3 [포스터 배너]로 사용될 이미지를 골라 등록한다.

1️⃣ [포스터 배너]에서와 동일하게 [Mobile 배너]를 만든다. 사이즈는 750x352 pixel 이다.

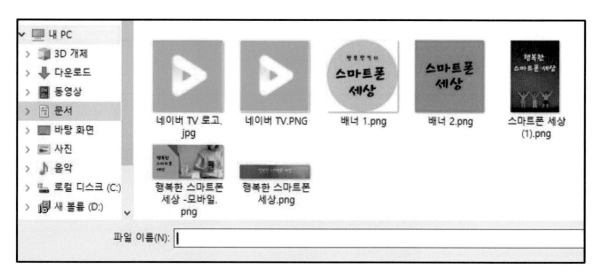

2️⃣ [Mobile 배너]로 사용될 이미지를 골라 등록한다.

3️⃣ [동영상 선택]을 클릭한다.

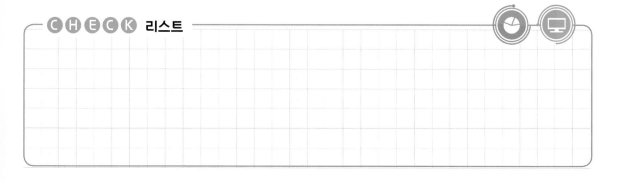

대표 이미지		동영상 제목	시청 연령	재생국가	등록 날짜	상태
선택	0:14	스마트폰으로 여는 행복	전체	전세계	2020-06-03 02:10:11	공개
선택	CANVA 0:05	canva를 이용한 배너 만들기	전체	전세계	2020-06-03 02:00:03	공개
선택	8:53	연습용파일	전체	전세계	2020-06-03 01:44:01	공개

1 [선택]을 클릭하면 대표동영상으로 사용할 수 있다.

2 [선택]을 클릭하면 대표동영상으로 사용할 수 있다.

CHECK 리스트

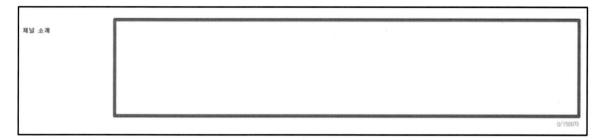

1 [채널 소개]를 입력한다.

2 [소개 링크]에서 제목과 URL 주소를 입력한다.

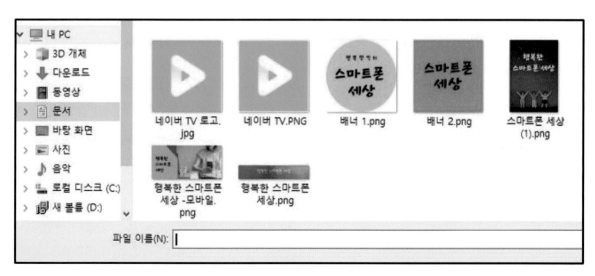

3 [배너 등록]을 클릭하여 [PC 홍보 배너]를 만든다. 사이즈는 7300x160pixel 이다.

4 [배너]를 눌렀을 때 연결할 URL 주소를 입력한다.

1 [배너]를 눌렀을 때 연결할 URL 주소를 입력한다.

2 [네이버 TV]에서 내 채널의 홈을 보면 이런 모습이다.

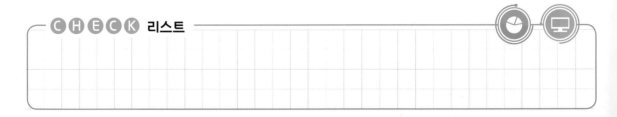

CHECK 리스트

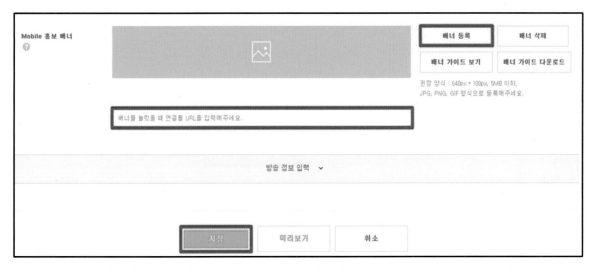

1️⃣ [PC 배너]에서와 동일하게 [Mobile 배너]를 만든다. 사이즈는 600x100pixel 이다.

2️⃣ [배너]를 눌렀을 때 연결할 URL 주소를 입력한다.

3️⃣ [저장]을 클릭한다.

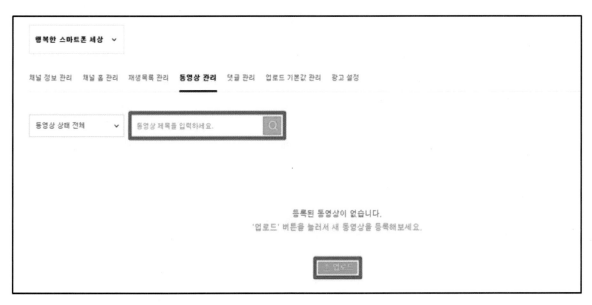

2️⃣ 동영상의 제목을 입력한다. [입력]을 클릭한다.

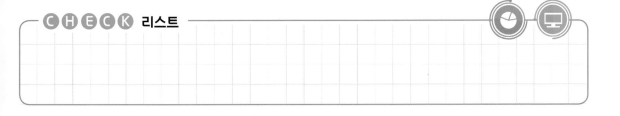

☐ [파일 선택]을 클릭한다. 올릴 동영상을 입력한다.

8GB 혹은 7시간 까지 업로드가 가능하다. 멀티 트랙 영상은 20GB까지 가능하다.

뉴미디어 마케팅 교육 전문 SNS소통연구소

☐ 동영상의 썸네일이 필요하다. [이미지 등록]을 클릭해 이미지를 삽입한다.

채널*	행복한 스마트폰 세상 ∨		
제목*			16/120
태그			73/3,000

인물 정보 입력

1. 태그는 10개 내외로 넣는것을 권장합니다.
2. 핵심키워드는 앞쪽에 적는 것이 검색 노출에 도움이 됩니다.
3. 영상의 내용과 관련하여 축약어나 유의어, 외국어 발음이 있다면 기입해 주세요.
4. 관련없는 태그의 지속적 입력은 검색 노출에 불리하게 작용 될 수 있으어 어뷰징으로 판단될 수 있습니다.
[가이드 보기]

설명			97/3,000

재생 목록 : 재생목록 선택 　+ 새 재생목록 만들기

재생목록 제목	동영상 수	만든 날짜	공개	삭제
반디캠	0	2020.06.03.	공개	×

재생 목록 : 재생목록 선택 　+ 새 재생목록 만들기

재생목록 제목	동영상 수	만든 날짜	공개	삭제
반디캠	0	2020.06.03.	공개	×

공개 여부* : ● 즉시 공개　○ 비공개　○ 공개 예약 ⓘ

시청 연령* : ● 전체　○ 19세 이상 ⓘ
업로드 후에는 시청 연령을 변경할 수 없습니다. ⓘ

시청 등급 : ● 미지정　○ 방송프로그램　○ 영화　○ 비디오 (뮤직비디오 포함)
○ 자율등급표시 ⓘ

저장

1 동영상의 [제목]과 [태그], [설명]을 입력한다. **2** 동영상의 제목을 선택한다. [저장]을 클릭한다.

채널 정보 관리　채널 홈 관리　재생목록 관리　**동영상 관리**　댓글 관리　업로드 기본값 관리　광고 설정

행복한
스마트폰
세상

이미지 등록 　 이미지 가이드 보기

이미지 가이드 다운로드

동영상 URL	https://tv.naver.com/v/14095556	

권장 양식 : 960x495px, 2MB 이하, JPG, PNG형식으로 등록해주세요.
예포 이미지를 선택하지 않고 저장할 경우 동영상에서 캡쳐되는 이미지가 자동으로 등록됩니다.

❸ 스마트폰으로 실시간 업로드 하고 홍보하기

1 [PLAY STORE]에서 [네이버 TV] 앱을 찾아 다운받는다. [네이버 TV]를 클릭한다.

2 네이버 메일 카페 등에 로그인 되어 있다면 별도의 로그인의 과정없이 바로 사용 가능하다.

3 상단의 카메라 모양을 클릭한다. 동영상의 [제목]과 [태그]를 입력한다.

 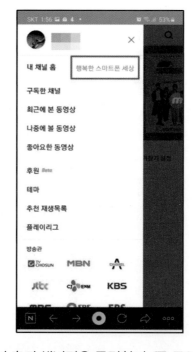 

1 동영상을 선택한다. **2** 내 채널 홈의 채널명을 클릭한다. **3** 동영상이 업로드 되었다.